盛期之風貌

與

臥龍生作品 帶動武俠風潮

《飛燕驚龍》開一代武俠新風

《飛燕驚龍》(1958)爲臥龍生成名作，共48回，約120萬言。此書承《風塵俠隱》之餘烈，首倡「武林九大門派」及「江湖大一統」之說，更早於香港武俠巨匠金庸撰《笑傲江湖》(1967)所稱「千秋萬世，一統」達九年以上。流風所及，臺、港武俠作家無不效尤；而所謂「武林盟主」、「江湖霸業」等新提法，竟成爲社會大眾耳熟能詳的流行術語了。

《飛燕》一書可讀性高，格局甚大。主要是寫江湖群雄爲覬覦傳說中的武林奇書《歸元秘笈》而引起一連串的明爭暗鬥；再以一部假秘笈和萬年火龜爲餌，交插敘述武林九大門派（代表正派）彼此之間的爾虞我詐，以及天龍幫（代表反方）網羅天下奇人異士而與九大門派的對立衝突。其中崑崙派弟子楊夢寰偕師妹沈霞琳行道江湖，卻如夢似幻地成爲巾幗奇人朱若蘭、趙小蝶之絕世武功技驚天龍幫，而海天一叟李滄瀾復接連敗於沈霞琳、楊夢寰之手；致令其爭霸江湖之雄心盡泯，始化解了一場武林浩劫云。

在故事佈局上，本書以「懷璧其罪」（與真、假《歸元秘笈》有關）的楊夢寰屢遭險難，卻每獲武林紅妝垂青爲書膽(明)，又以金環二郎陶玉之嫉才害能，專與楊夢寰作對(暗)爲反派人物總代表。由是一明一暗交織成章，一波未平，一波又起，極盡波譎雲詭之能事。最後天龍幫冰消瓦解，陶玉帶著偷搶來的《歸元秘笈》跳下萬丈懸崖，生死不明，卻予人留下無窮想像空間。三年後，作者再續寫《風雨燕歸來》以交代陶玉重出江湖，爲惡世間，則力不從心，當屬狗尾續貂之作。

在人物塑造方面，臥龍生寫男主角楊夢寰中看不中用，固然乏善可陳，徹底失敗；但寫其他三名女主角如「天使的化身」沈霞琳聖潔無瑕，至情至性，處處惹人憐愛；「正義的女神」朱若蘭氣質高華，冷若冰霜，凜然不可犯；「無影女」李瑤紅則刁蠻任性，甘爲情死等等，均各擅勝場。乃至寫次要人物如「賓中之主」海天一叟李滄瀾之雄才大略，豪邁氣派；玉簫仙子之放蕩不羈，爲愛痴狂；以及八臂神翁聞公泰之老奸巨猾，天龍幫軍師王寒湘之冷傲自負等，亦多有可觀。

摘自 葉洪生、林保淳著《台灣武俠小說發展史》

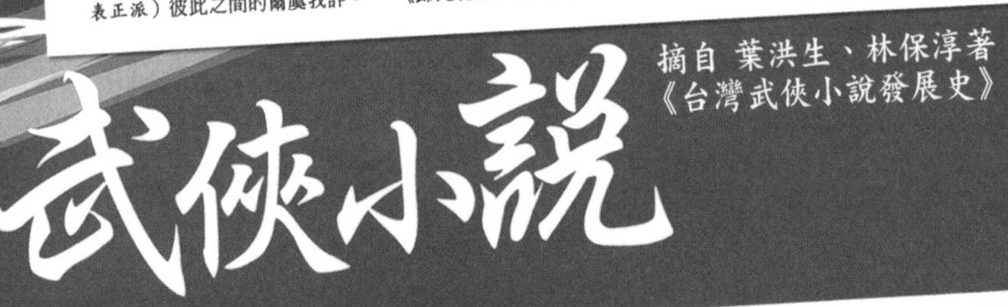

台港武俠文學

流行天王

臥龍生

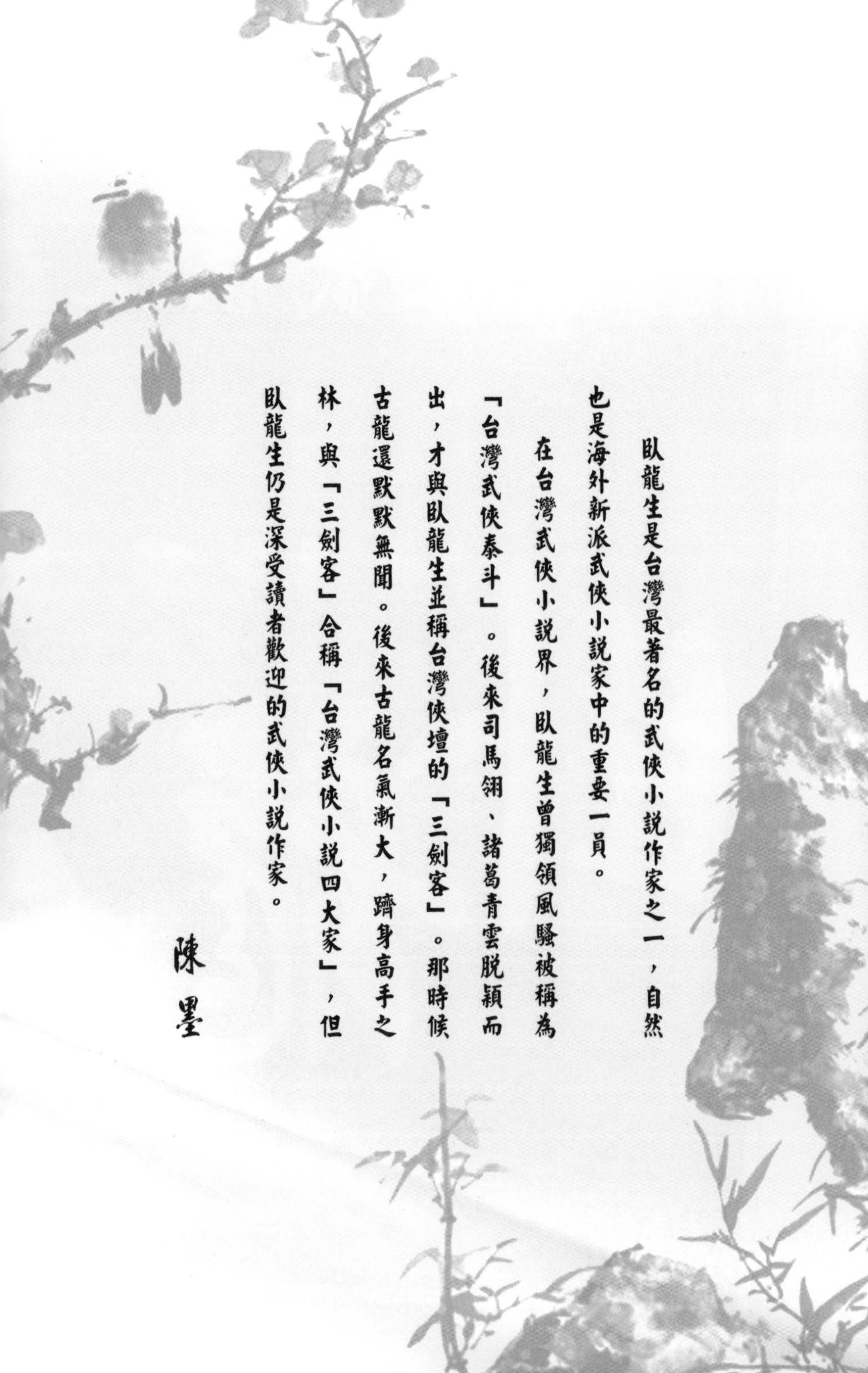

臥龍生是台灣最著名的武俠小說作家之一，自然也是海外新派武俠小說家中的重要一員。

在台灣武俠小說界，臥龍生曾獨領風騷被稱為「台灣武俠泰斗」。後來司馬翎、諸葛青雲脫穎而出，才與臥龍生並稱台灣俠壇的「三劍客」。那時候古龍還默默無聞。後來古龍名氣漸大，躋身高手之林，與「三劍客」合稱「台灣武俠小說四大家」，但臥龍生仍是深受讀者歡迎的武俠小說作家。

陳墨

臥龍生
飛燕驚龍
（二）
臥龍生
武俠經典珍藏版
2

精品集 02

(二)

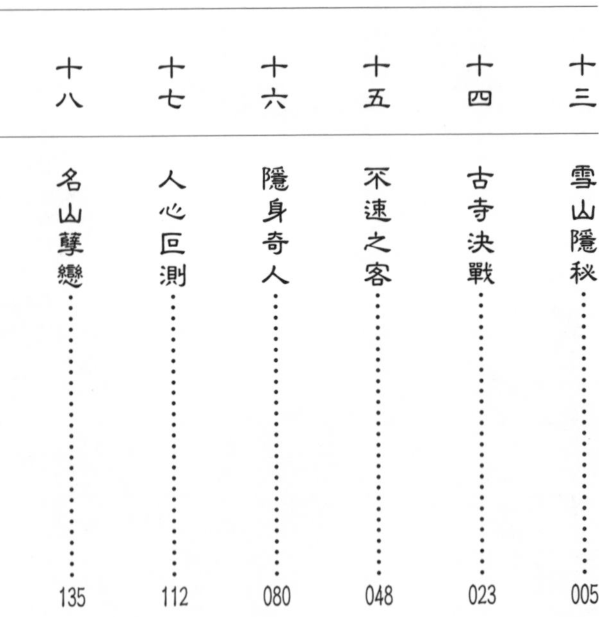

十三 雪山隱秘

當先一人正是大覺寺三老之一的枯佛靈空，他身後分列著雲、雷、電、閃四個一代弟子。

一陽子翻腕抽出背上寶劍，回顧玉靈子等，說道：「先讓小兄擋他一陣再說。」說完，仗劍迎去。

枯佛兩眼注定一陽子，不停冷笑，他身後的雲、雷、電、閃四僧，緩步由兩側走出，形成包圍之勢。

玉靈子、慧真子，恐怕師兄吃虧，也雙雙仗劍而出，迎向雲、雷、電、閃四僧，澄因手橫禪杖，和霞琳站在一起，日光下，但見寒鋒耀目，大戰一觸即發。

突然，又一聲淒厲刺耳的長笑，起自正東，鐵彌勒靈海帶著一風、一清、一月三僧，由東方山口中緩步而來，兩邊出路盡為群僧擋住。

靈海現身之後，枯佛靈空，才冷冷地問一陽子，道：「和你們同來的那位青衣少年，現在哪裡去了？」

一陽子半垂雙目，驀地圓睜，傲然一笑，道：「這個嗎？你還不配問他。」

靈空陰惻惻一笑，猛地欺身直進，雙掌連環劈出，疾勁掌風，直撲過來。

一陽子振腕一招「迎風斷草」，猛截小臂，靈空左手一揮，立時有一股潛力，逼住長劍，

右掌「穿雲摘月」穴電擊出。一陽子連劍如風，刷！刷！刷！連攻三劍。靈空見一陽子劍風凌厲，大喝一聲，施出蛛絲掌奇技，隨著一陽子劍勢，上下翻飛搶奪，這一來，一陽子果然被迫落居下風。

鐵彌勒看靈空已操勝券，立時一揮手當先向霞琳撲去，他想出其不意地先擒得沈姑娘，然後再對付玉靈子等強敵。

哪知澄因大師早已留上了心，靈海向霞琳一撲，澄因也同時出手，鐵禪杖一招「挾山超海」，迎向鐵彌勒劈去。

靈海見來勢奇猛，倒也不敢用肉掌硬接，肥大的身軀突然一轉，閃開了澄因一杖劈打，左掌直推，右掌橫擊，一攻之勢，兩招齊出。

澄因虎吼一聲，疾退三步，禪杖橫掄「力掃五嶽」，一股勁風，隨杖捲出。

鐵彌勒不退反進，一頓足由中宮直搶而入，別看他肥笨如牛，身法卻是奇快無比，左掌橫劈出一股潛力，把澄因杖勢逼住，右手一招「五丁劈石」直擊頂門。

澄因吃了一驚，一躍退開，接著一個虎撲而上，展開二十四式伏龍杖，全力搶攻，剎那間，杖影如山，風雷並發。澄因大師的武功原本就走的剛猛路子，這伏龍杖二十四式，又是外家功夫至高絕學，講求以剛猛勁力克敵，這一施展開，杖風遍及兩丈方圓，兩個佛門弟子，展開了一場生死搏鬥。

鐵彌勒出手後，風、清、月、雲、雷、電、閃，七大一代弟子也跟著揮動禪杖圍攻過來。

玉靈子大喝一聲，振劍迎擊，獨擋雲、雷、電、閃四僧，慧真子卻躍到霞琳身側，和她聯肩欲抵一風、一清、一月三僧。

這是一場武林中罕見的凶狠群鬥，一陽子被靈空蛛絲掌迫得無力還手，玉靈子力戰四僧卻搶得了絕對的優勢，澄因以降龍二十四式拚靈海暫時還可支持得住，慧真子和霞琳，兩支劍雙搏三僧也逐漸搶到了上風。

靈空雖然搶得優勢，但一時間想傷一陽子也是不易，玄都觀主不但內力深長，而且對敵經驗，亦很豐富，雖吃枯佛蛛絲掌奇學搶盡機先，但還能暫撐危局不敗，以輕身騰拿之術，和追魂十二劍的威力，與靈空纏鬥。

激戰中，驀聞得一聲慘叫，一雲和尚吃玉靈子一劍斬斷了右手三個手指。

這一來，激起了靈海和靈空兩人的殺機，枯佛首先急劈兩掌，躍退了一丈多遠，凝神而立，運氣行功，雙目兇光閃動，逼視住玄都觀主。

一陽子久經大敵，一看枯佛神情，已知他存心作生死一搏之拚，一面運功戒備，一面留心枯佛的行動。

只見靈空右臂緩緩舉起，瘦如鳥爪的右手，突然間粗了一倍。

一陽子不知靈空練有百毒掌力，也把畢生功力運集左掌，準備硬接靈空一擊。

只見枯佛一張黑瘦的臉上，泛著陰惻惻的冷笑，日光下，白牙森森，形態極是可怕，揚掌蓄勢，緩步對一陽子逼來。

驀地裡，一聲震搖山谷的長笑，破空傳來，緊接著一聲嬌叱道：「琳妹妹，不要怕，我來幫你！」隨著那聲嬌叱，兩枚奇形燕子追魂鏢，帶著怪叫聲，直對一風一清打去！

鏢走弧形，由上向下曲落，在離兩僧頂七尺左右，猛然直線下落，快速異常，寒芒閃閃，疾逾奔電。兩僧不知是什麼暗器，反手一杖掃去，但聽得兩聲金鏢錚錚，那燕子追魂鏢，腹中另有機簧，內藏有毒釘，一杖雖把兩鏢震飛，但腹內機簧也吃震動，內藏毒針激射而出，兩縷細如髮絲的銀線，一閃而至。兩僧微一怔神，各中一針，只覺傷處一麻，知道針有奇毒，心頭一寒，鬥志全失，手一鬆，禪杖當場落地。

就在兩僧錯愕間，一道寒光趁勢向一清襲去，和尙正值心亂氣餒之際，忘了手中已無兵刃，揮臂一架，隨著一聲慘叫，一條左臂，齊肩被那寒光劈掉。一風急向後面一躍，但慧真子哪還容他走開，振腕一劍，透胸而過，隨勢一腳，把屍體踢出了八、九尺遠。

單餘一月，哪還有鬥志，一杖蕩開霞琳劍光，仰身一個倒翻而退，巧不巧他正翻落在一陽子和枯佛之間，靈空百毒掌力剛好劈出，再想收勢，已自不及，慘叫聲中，一月吃靈空百毒掌風震飛一丈多高。不要說枯佛百毒掌，陰狠無比，中人後百毒攻心慘死，單就那一股內家罡力，也有開碑碎石之力，一月如何能承受得住，被掌力震碎內腑，落地氣絕身亡。

瞬息間的非常變故，使激鬥中的人全停下了手，一陽子回頭望去，只見一個嬌美的黑衣少女，正握著霞琳一隻手，咭咭呱呱地說笑，三丈外站著一位老叟，白髯過胸，青衫及膝，芒鞋白襪，手握龍頭拐，正是天龍幫幫主，海天一叟李滄瀾，那和霞琳握手言笑的黑衣少女，便是無影女李瑤紅。

李滄瀾身側，分列著黃麻大褂，赤足草履的川中四醜，身後並肩橫立著天龍幫紅、黑、白三旗壇主，百步飛鈸齊元同，子母神膽勝一清，開碑手崔文奇。

海天一叟目光如電，橫掃了全場一周後，對一陽子拱手笑道：「道長三兄弟齊聚祁連山來，不知有什麼大事要辦？」

一陽子單掌立胸，還了一禮，答道：「貧道等齊來祁連山，只是想向大覺寺高僧們求一粒

雪參果，療治我師妹蛇毒，想不到靈果難求，反而引起了一場殺劫。」

李滄瀾大笑道：「崑崙三子聚齊，武林中能與匹敵的可以說絕無僅有，料那大覺寺幾個和尚決難抵敵，雪參果想必已得到手了。」

說著一頓，望了慧真子一眼，果然傷勢已好，微微一笑，目光又轉到鐵彌勒和枯佛身上，問道：「這兩位肥瘦大相逕庭的和尚，不知是大覺寺中什麼人物？」

一陽子微笑道：「兩位肥瘦不同的大師父，都是大覺寺中長老。」

李滄瀾陡然間一揚長眉，臉泛怒容，望著鐵彌勒和枯佛一陣冷笑，道：「三位道兄既已取得雪參果，療好了令師妹的蛇毒，不知能否將這幾個禿賊，讓給我們天龍幫，我李滄瀾要和他們清算一筆老賬。」

一陽子皺皺眉頭，暗自忖道：聽他話風，似非故意譏諷，大概是見慧真子傷勢已癒，誤認我們已得到了雪參果。只是他要這幾個和尚何用?頗是費解。

略一思忖，微笑答道：「李幫主既要和大覺寺清算舊賬，貧道等當得相讓就是。」說完，向後退去。

這時，大覺寺七大一代弟子，一風、一清、一月，三個已倒斃當地，餘下雲、雷、電、閃四僧，還有一個受傷，這是大覺寺數十年來，從未有過的慘重傷亡。鐵彌勒靈海和枯佛靈空，都氣得心肺欲炸，但因未弄清李滄瀾的來路，故而隱忍未發。

海天一叟手扶龍頭拐，慢步對群僧走去，川中四醜兩側護擁，蓄勢隨進。

李滄瀾逼近群僧一丈左右時，停住腳步，一揚龍頭拐杖，指著鐵彌勒，正要開口問話，枯佛靈空已搶先說道：「你這老兒和我們素不相識，卻口口聲聲要和我們清算舊債，不知是指何而言，你先把話說明白，再揚拐作態不遲。」

李滄瀾冷笑一聲道：「我提起一個人，大概你們可以明白我所指債為何了。妙手漁隱蕭天儀，你是不是認識？」

靈空陰森森一笑，道：「我以為什麼大事，原來你是替別人出頭來了。不錯，我認識蕭天儀這個人，也是我親手替他下的附骨毒針，只恐你無力為他報仇，反而白賠上了一條老命！」

李滄瀾仰臉一聲長笑，聲如龍吟，響徹雲霄，只震得萬山回鳴。靈空心頭一驚，暗道：此老內功如此精深，倒是不可輕敵。

李滄瀾笑聲一落，龍頭拐揚空劃一個圓圈，冷冷答道：「好極，好極，老朽正好借此良機，領教領教大覺寺中絕學，就是賠上這條老命，倒也無恨。」

靈空閃目望去，只見海天一叟身後三位壇主，一個個神充氣足，看樣子都非弱手，心中一動，惡念隨生，一語不發，猝然發作，雙掌一錯，猛向海天一叟劈去。

李滄瀾是何等人物，豈會遭靈空暗算，枯佛靈空雙掌剛一劈出，他已同時出手還擊，龍頭拐橫掄一掃，迎打雙臂，挫腰收勢，疾退八尺，靈空想不到對方迎擊之勢，竟是那樣迅速，幾乎吃那一拐掃中。

李滄瀾冷笑一聲，正待揮拐追擊，百步飛鈸齊元同突然說道：「幫主暫請息怒，齊元同有話稟告。」

李滄瀾回頭問道：「齊壇主有什麼話，請說就是。」

齊元同淡淡一笑，道：「崑崙三子既和大覺寺幾個禿賊動手在先，還是先讓他們分個生死之後，咱們再動手不遲。」

一陽子望了齊元同一眼道：「齊壇主的主意實在不錯，我等極願為貴幫一效微勞，先擋頭一陣。」

百步飛鈸嘿嘿兩聲冷笑，道：「觀主言重了。」

李滄瀾臉色肅穆，傲然接道：「咱們要的是活人作質，如何能麻煩別人動手。」

勝一清、崔文奇，雙雙搶前一步，齊聲說道：「幫主身分至尊，如何能親身臨敵，先讓我們倆接幾個禿賊一陣，如果接不下時，幫主再親自接戰不晚。」

李滄瀾眼觀四面，耳聽八方，一面和幾人談話，一面仍留心著枯佛的行動，看他凝神運氣，右手陡然暴粗一倍，隨也暗中運集功力。

只聽靈空一聲大吼，右掌虛空向海天一叟劈去。李滄瀾一翻身，鬚髮怒張，左手食指閃電般地向枯佛靈空劈來的掌上迎去。

枯佛心存惡念，想一掌把海天一叟擊斃，故而出手一擊中，竟運集了百毒掌力。

李滄瀾內功精湛，一接靈空劈出掌力，登時覺出有異，已知對方劈出掌風中，除了蘊蓄著內家真力之外，另外還練有歹毒的功夫，當下大喝一聲，運集乾元指神功，迎著枯佛百毒掌一指戳去。

靈空百毒掌，是選集百種動、植毒物，費了數年苦功練成，經過至為艱苦，百種奇毒已深深浸入他掌臂之內，這一掌劈出，百毒含蘊在他內家真力中，同時向敵人襲擊，縱有內功深厚的人，能擋得他劈出的罡力，卻無法抗拒百毒趁勢浸入體內，枯佛百毒掌，雖無神佛靈遠的太陰氣精奧，功夫到了火候，能返老還童，但就歹毒上講，百毒掌卻尤勝一著。

靈空一掌劈出後，見李滄瀾不知閃避，意圖硬接，心中暗道：你這是自尋死路……心念初

動，驟聞一聲大喝，李滄瀾鬚髮突然倒豎起來，已運集乾元指功點到。

但聽得枯佛一聲大叫，乾元指迎裂靈空罡力，點中掌心，枯佛猛覺一股熱流，循臂而上，透血過脈，全身勁道頓散，自閉阻毒的「臂儒穴」，亦被乾元掌神功震開，百毒回集，反向自身內腑攻去。

這一下，只嚇得枯佛心膽破裂，再想自運功力閉穴阻毒，已是力難從心。幸得一旁觀戰的鐵彌勒靈海，看出情勢不對，一進步欺到枯佛身側，左掌一招「迎門擊浪」猛劈李滄瀾，右手伸縮間點了靈空「巨骨」、「天柱」兩穴。

李滄瀾掄拐橫擊，一招「橫斷巫山」，逼開了鐵彌勒掌勢，川中四醜由兩側急速而出，兩個攻敵，兩個擒人：老大、老三，四掌向靈海，老二、老四卻趁勢撲向靈空。

鐵彌勒怒喝一聲，雙掌一招「二龍分水」，逼開四掌迫攻，還未及變招搶攻，李滄瀾龍頭拐已挾排山倒海的威勢，迎頭劈下，招風如嘯，勁道無倫，把靈海迫退數步。

這當兒，雲、雷、電、閃四僧，揮杖急撲而出，剛一發動，驟聞兩聲斷喝，齊元同飛鈸和勝一清子母膽同時出手。

鈸如輪月，破空而下，慘叫聲中，劈去了一雲半個腦袋，子母膽捲風襲到，擊中一雷前胸，人退五步，噴血如泉，鬆手落杖，倒地身亡。

這兩種江湖上久負盛名的暗器，一出手果然不凡，雲、雷兩僧竟是難以躲開，雙歸劫運。電、閃二僧被那飛鈸、神膽威力所震懾，一時間不敢再向前逼進。

這時，枯佛靈空已為川中四醜所擒，單餘下鐵彌勒和電、閃兩僧，靈海回顧一代七大弟子，一戰就死亡五個，師弟靈空更是被活捉過去，自知再打下去，有敗無勝，不覺氣餒。

李滄瀾揚拐指著靈海，一聲冷笑道：「蕭天儀和你們大覺寺素無嫌怨，何以竟給他下了附骨毒針……」

說到這兒，眼光轉在已被川中四醜捆綁了的靈空身上，接道：「這位大師父既是親手下那附骨毒針的人，那是再好不過，既能手下毒針，想必可以解得，正好把他帶走。你等如欲救他，請到黔北天龍幫總堂便了。半年內如不見貴寺人去，可不要怪我李某人手辣心狠了。」

靈海衡量形勢，自知非敵，如要動手，不但難以救靈空，恐怕自己和電、閃兩個弟子，亦要同遭劫運。因為枯佛武功和鐵彌勒一向是銖兩悉稱，何況靈空還練有百毒掌武林絕學，除了乾元指神功之外無第二種武功能夠破得。此老既能破靈空百毒掌，分明是身懷有乾元指神功。靈海曾聽神佛靈遠談過，那乾元指是一種至剛的內功，和他練成的太陰氣功，恰是兩種極端不同的絕學，一屬陽剛，一屬陰柔。

靈海思忖一陣，陰森森一聲冷笑道：「只怕你們出不了祁連山，就沒有命了！」說完帶著電，閃轉身疾奔而去。

開碑手崔文奇拔步欲追，卻為李滄瀾搖手所阻，勝一清揚腕打出一枚鐵膽，疾向靈海後背飛去，鐵膽如拳，疾比流星，挾著一股銳風襲去。

鐵彌勒回身劈出一掌，鐵膽吃他內家罡力震落。

這當兒，齊元同兩道炯炯眼神，已自逃走的靈海身上，轉投到霞琳身上，面露殺機，緩步向沈霞琳移去。

澄因和一陽子都看出齊元同神色不對，雙雙一躍，擋在霞琳前面，老和尚面色肅穆，橫杖待敵，一向慈和的臉上，此刻卻滿是怒容。

李瑤紅正在和霞琳握手談天，一轉身見齊元同蓄勢逼來，同時，崔文奇、勝一清，也由兩側逼進，玉靈子、慧真子，又拔劍迎了上去。

雙方情勢，劍拔弩張，又一場武林高手慘烈的拚搏，一觸即發。

只聽齊元同縱聲一陣大笑，問道：「這位白衣姑娘，可也是崑崙派門下的弟子嗎？」

一陽子笑道：「不錯，齊壇主以武林至尊的身分，何以會識得她一個無名晚輩，這倒使貧道有些費解了？」

齊元同放眼望去，只見李瑤紅和霞琳攜手並肩而立，有心施放飛鈸，又怕誤傷了幫主愛女，一皺眉頭，說道：「李香主請往旁邊站站。」

李瑤紅看齊元同拔鈸蓄勢，只待發出，兩目兇光閃動，注定霞琳，看他樣子，似已怒極，只是思解不出，他怎的會和霞琳有著這等深的仇恨。

無影女心知齊元同飛鈸威力奇大，而且能雙手並發，只怕霞琳傷在飛鈸下面，當下反手一把，把霞琳抱住，問道：「齊叔叔，你今年五十多了，怎麼會和這樣一個孩子，有著海般深的仇似的？」

齊元同陰沉沉一笑，道：「我沒問清楚以前，絕不會對她下手……」

說此一停，轉臉又問一陽子道：「道長望重武林，自是不會信口胡說。這位白衣姑娘，是不是藍衣秀士沈士郎的女兒？」

一陽子沉吟一陣，卻難答覆，轉臉望著澄因。

只見老和尚面色變得十分難看，全身微微顫動，數年積壓心頭的情恨往事，一旦要揭穿清算，饒是他定力深厚，也不覺十分激動。

李瑤紅心思機敏，江湖閱歷又多，看雙方神情，已猜這中間必然有極大的隱情，如果揭穿，或將引起一場慘烈的搏鬥，那時再想勸阻，恐怕已難生效，心中一急，高聲喊道：「爹爹，我義父身中附骨毒針，即將發作，此刻寸陰寶貴，我們要快些趕回去了。」

李滄瀾亦覺得此時此地，不宜和崑崙三子動手，當下急聲叫道：「齊壇主！」

齊元同回頭答道：「幫主有什麼吩咐？」

李滄瀾臉色一沉，說道：「你就是和崑崙三子有過嫌怨，此刻也不是清結時機，來日方長，何必急在一時？」

齊元同為人雖然狂傲，但海天一叟的話，他卻是不敢不聽，當即躬身答道：「齊元同敬遵幫主令諭。」

李滄瀾微微一笑，又對一陽子拱手說道：「道兄和本幫齊壇主縱有舊恨，也望看在老朽的面上，今天暫作罷論，改日有緣，定當討教貴派天罡掌和分光劍。」

一陽子笑道：「但得賜教，定當奉陪。」

李滄瀾縱聲大笑，望著李瑤紅，道：「你這丫頭急著趕路，現在還不走嗎，呆站著幹什麼？」

無影女嫣然一笑，道：「爹爹和三位叔叔先走吧，我還要和琳妹妹談談心呢。」

李滄瀾一皺眉頭道：「那怎麼行？還不快跟我走。」

這位統率天龍幫的綠林豪客怪傑，卻是無法管得自己的愛女。只見李瑤紅小嘴一嘟，說道：「怎麼不行？我和琳妹妹談心，又不礙爹的事。」

李滄瀾長眉一揚，臉泛怒容，剛要發作出來，突然又變成一臉慈愛，搖搖頭道：「你已經

二十多歲了，怎麼還是這等頑皮，不怕別人笑話嗎？」

李瑤紅嬌媚一笑道：「我又沒有說不走，只是想和琳妹妹再談幾句，你們先走嘛，我隨後趕到。」

李滄瀾目注一陽子，笑道：「小女刁蠻，尚望道兄照顧一二。」說罷，轉身緩步而去，川中四醜扛著枯佛靈空，左右護擁，三旗壇主隨後跟進，瞬息間功夫，轉過一個山腳不見了。

李瑤紅回頭拉著霞琳一隻手，問道：「琳妹妹，你怎麼會和我們齊壇主結下仇恨呢？他已經五十歲了，你才十七歲？」

霞琳搖搖頭，悽惋一笑，道：「我不知道，我從來就沒有見過他。」說完慢慢轉過臉，望著澄因，問道：「師伯，我爹爹是叫沈士郎嗎？」

老和尚剛剛平復的心情，被霞琳這一問，又不覺激動起來，慈眉愁鎖，一臉悲戚，望著沈姑娘呆了一呆。突然，他眉宇之間泛起了怒意，聲色俱厲地喝道：「琳兒，以後不許你問我這些事情！」

霞琳自懂事以來，從未見過澄因大師以這等嚴厲的神情對她，心中又急又怕，嬌喊一聲，掙脫李瑤紅握著的一雙手，直對澄因撲去，跪在地上抱住老和尚雙膝，滿腮淚水，抬著頭問道：「師伯，我說錯了話嗎？」

老和尚挽著她一條右臂，扶她起來，身子微顫，目含淚光，黯然一嘆，道：「你父母的事，我都告訴了你師父，到時機成熟時，你師父自然會告訴你，現在不許你多問。」

霞琳滿臉迷惘，望著澄因，一副欲言又止的神情，終於，她點點頭，道：「師伯，你心裡不要難過，琳兒以後不再問啦。」

老和尚還未及答話，驀聞一聲馬嘶傳來，轉臉望去，只見一匹赤紅駒電奔而來。眨眼間，馬已到了幾人停身所在，鞍鐙俱全，垂鬃飄風，正是陶玉的赤雲追風駒。

靈馬在無影女身旁停下，望著李瑤紅豎耳伏身，低聲悲嘶。

霞琳轉身拂著馬鬃，對李瑤紅道：「這是我寰哥哥朋友陶玉的馬，跑起來快極啦。」

李瑤紅怔一怔，道：「怎麼，你們都認識我陶玉師兄嗎？」

霞琳搖搖頭，笑道：「只有我和寰哥哥認識他，現在寰哥哥跟我黛姊姊一塊兒走了，只有我認識他了。」

李瑤紅一見霞琳，就想問她夢寰下落，只是不好意思開口，現聽得霞琳一說，比她驟見赤雲追風駒，還要感到震驚，立時接口問道：「你有姊姊嗎？」

霞琳笑道：「黛姊姊也是寰哥哥的朋友，她的本領大極啦，不是她，我和寰哥哥恐怕早都沒有命了。」

李瑤紅呆了，問道：「你寰哥哥跟她去了，你心裡不難過嗎？」

沈霞琳搖搖頭，笑道：「黛姊姊人那麼好，她一定會好好的待寰哥哥，所以我很放心，一點也不難過。」

幾句話不徐不疾，輕描淡寫，神色又十分輕鬆自然，毫無矯揉造作的隨口而出，但稍爲用心去體會話中含意，又覺每一句，每一字，都蘊含著無限的深情關懷，無限的纏綿愛意。

李瑤紅不知爲什麼，只覺一股莫名的感傷襲上心頭，鼻頭一酸，湧出兩眶淚水。

霞琳見她突然間淚水盈睫，心中甚覺奇怪，急忙拉著她兩隻手慰道：「紅姊姊，你怎麼心裡難過了？」

無影女悽惋一笑，無法回答，轉臉見赤雲追風駒站在身側，心中一動，隨口答道：「這匹馬是我師兄陶玉騎的，現下只有馬兒，不見我師兄的人，只恐怕他遇到什麼意外了！」

沈霞琳長長地嘆了一口氣，回頭望著慧真子問道：「師父，我和紅姊姊一塊兒去找陶玉，好嗎？」

玉靈子望了師妹一眼，接道：「人家既是救過崑崙派門下的弟子，自然應該還人一報，你答應她吧！」

慧真子一皺眉頭，道：「祁連山萬峰連綿，想找一個人談何容易？」

李瑤紅接口道：「這赤雲追風駒甚是通靈，由牠帶著我們，找人決無困難。」說完，一拍馬頭，那馬轉頭低嘶一聲，向南奔去。

當下幾人跟在靈馬後面追去。

靈馬把幾人帶到一座石洞口停下。霞琳兩度在這幽谷石洞中小住，洞中一切均甚熟悉，一低頭，當先而入，李瑤紅緊隨跟進。

只見金環二郎仰臥洞中，一動不動，蓬髮覆面，看形態十分危險，只是不知是病了，還是遭人打傷。

沈霞琳目睹此情，芳心中一陣淒然，不覺流下來兩行清淚，緩緩在陶玉身邊蹲下。

李瑤紅自幼和陶玉一起長大，青梅竹馬，並非無情，只是遇得夢寰之後，一見動情，而且一往情深，竟難作主，她亦曾爲此事苦苦尋思，兩者之間，何所捨從，哪知越想越是無法自解，對夢寰一縷癡情也是愈想愈深，說起來真是微妙難測。此刻，眼見陶玉獨臥石洞，奄奄待

鬓，回憶舊情，愛憐頓生，急撲在陶玉身邊，拔開他覆面散髮，雙目淚下，低喚了數聲師兄。

金環二郎身子微一顫動，慢慢睜開了眼睛，盯住李瑤紅望了一陣，憔悴的臉上，微現笑意，說道：「我恐怕不行了，想不到我還能見你一面……」

聲音微弱，話未說完已接下去微作苦笑，又閉上了眼睛。

沈霞琳滿頰淚水，問道：「紅姊姊，他病得這樣厲害，可能醫得好嗎？唉！他若死了，我是一定得大哭一場，寰哥哥知道了，一定也很傷心。」

說著話，淚水已若泉湧而下，直滴在陶玉身上。

李瑤紅細查師兄全身，不見傷勢，摸他額頭，亦不發燒，一時間找不出病源何在，無法下手療治，不禁心中發起急來，這一急，方寸大亂，更感束手無策。再加上霞琳一旁啜位，鬧得一向機智的李瑤紅也沒有了主意，望著陶玉憔悴容色，不覺哭出聲來。

李瑤紅一哭出聲，立時驚動了守在洞外的崑崙三子和澄因大師。一陽子當先入洞，勸住了李瑤紅，然後又很細心地檢查了陶玉全身。

只覺他身上部分經脈、血道，閉阻不通，分明是遭人用點穴一類手法所傷，只是查不出傷在何處，而且閉阻經脈普及半身，穴道也傷閉數處，情勢極爲嚴重。

一陽子雖然找出病源，但苦於無法下手解救，側臉對李瑤紅道：「令師兄似是被人用獨門點穴手法所傷，情勢雖重，但還不致於近數日中送命，你先服侍他吃點東西，我們再慢慢研討救他的辦法！」

無影女止住悲痛，先服侍陶玉喝下幾口水，然後才取出乾糧，慢慢餵他吃下。

金環二郎吃了些東西後，精神果然恢復不少，望了一陽子一眼，轉臉問李瑤紅道：「師

妹，這位道長是什麼人？」

無影女還未及答話，沈霞琳已搶先接道：「是寰哥哥的師父，也是我的師伯。你現在可覺著好些了嗎？」

陶玉轉過頭，兩道眼神不住在霞琳臉上轉來轉去，只見她目蘊淚光，面帶微笑，神色間對自己大是關懷，絲毫不覺異樣，似乎對數日前發生之事，已然完全忘懷，不禁暗自忖道：當時她已神志昏迷，誤以爲我是楊夢寰，哪裡還能記得我對她的輕薄舉動……驀然間，陶玉的眼光觸到了一陽子冷電般的眼神，打了一個冷顫，又自忖道：這道長既是楊夢寰的師父，必是玄都觀主一陽子，沈霞琳必然是他所救，那麼自己所作所爲，自是盡入他目，看來今天這條命，是無法保得了。

陶玉盡在回想數日前對霞琳輕薄往事，生怕玄都觀主猛對自己下手，不禁目注一陽子發起呆來。

李瑤紅雖然看出來陶玉神情有異，但卻誤認爲他傷病後神智不清，一陣感傷，握住陶玉一隻手，問道：「玉師兄，你怎麼了？」

陶玉「啊」了一聲，眼光又轉在霞琳身上，只見她一臉悽惋神色，含淚望著自己，更覺嬌柔絕倫，可愛至極。

一陽子運起內功，兩手在陶玉身上推拿起來，大約有一刻工夫，玄都觀主已是滿臉大汗，雖未能把金環二郎傷脈血道推活，但已把他幾處穴推開，陶玉本來僵直難動的身體，經此一推拿，已能自行轉動，他正在暗中高興，一陽子卻突停住了手，笑道：「貧道已盡最大心力，至於小施主體內受傷經脈，就非貧道力量能夠醫得了。」

陶玉冷笑一聲，接道：「醫不得有何要緊，大不了一條性命，不過，我陶玉萬一不死，誓必要報此仇。」

一陽子臉色微微一變，慍道：「小施主報不報仇，和貧道毫無關係。不過，就閣下傷勢來看，對方既能傷人體內經脈，當非江湖中一般庸才，貧道就自量非敵，只怕閣下那報仇心願，今生無望能稱心實現了。」

陶玉冷笑幾聲，不再答話。

一陽子拂袖而起道：「琳兒，我們走啦。」說完，轉身步出石洞。

沈霞琳幽幽一嘆，慢慢站起來，把身上帶的一點乾糧解下，放在陶玉身邊，笑道：「你現在還不能動，這乾糧留給你吧！」

陶玉側目看霞琳，神色無限憐惜，只覺一股無名妒火，由心底直升上來，挺身躍起，怒道：「誰說我不能動。」說著話，向前奔去。

他身上部份穴道雖被一陽子用本身真氣幫他打通，只是體內受阻經脈，並未好轉，奔了幾步，突覺半身發麻，四肢不聽使喚，兩腿一軟，栽倒在地上。

李瑤紅、沈霞琳一左一右扶他起來，只見他雙目圓睜，咬牙切齒，心中似已怒到極點。

無影女見此情景，驚痛交集，熱淚盈眶，嘆息一聲，問道：「師兄，你怎麼了？」

只聽陶玉尖銳地狂笑，打斷了李瑤紅的話，守在山洞外的靈馬，聽得主人聲音，也仰首一長嘶，狂笑聲，馬嘶聲，人又掙扎著向洞外奔去，李瑤紅和霞琳只得扶著他出了石洞。

赤雲追風駒一見主人，立刻衝了過來，陶玉掙脫兩人，上馬背，手握垂鬃，兩腿一微用力，靈馬驟然向前一躍，衝出一丈多遠，放蹄如風，電奔而去。

陶玉放馬奔走，深深刺傷了李瑤紅一寸芳心，她佇立在山峰上，呆呆地望著赤雲追風駒消失的方向，心裡想著他往昔對自己百依百順的情景，更感傷心千迴，悲憤難忍，眼中淚珠簌簌滴落，突然，耳際響起了霞琳柔和的聲音：「紅姊姊，不要哭啦，你師兄人好，一定會有人救他的。」

李瑤紅就地一跺腳，恨聲說道：「他這樣對我，我以後再也不理他了。」

兩人談話之間，崑崙三子和澄因大師已登上峰頂。一陽子望著無影女，道：「此非善地，不宜久留，令尊托貧道照顧姑娘，貧道自得略盡心力，請姑娘和我們一起走吧！待離開祁連山後，姑娘再自決行止。」

處此情景，李瑤紅只得乖乖地聽人吩咐。當下幾人，一齊施開輕功，向前奔去。

再說陶玉爬上馬背，隨那赤雲追風駒任性狂奔，他半身經脈未解，自是無能控馬，幸得靈馬跑起來甚是平穩，陶玉伏在馬背上受那迎面勁風狂吹，漸漸地人又昏了過去。

待他醒來時，已是中午時分，陽光斜照，松濤呼嘯，看自己橫臥在一片松林旁草地上，側臉望去，只見赤雲追風駒，迎日而立，垂鬃風飄，神駿無比，陶玉心中突然一動，暗自忖道：我如死了，這匹寶馬勢將落入別人手中，實在可惜至極，不如讓牠陪我葬身在這荒山中吧。

心念一動，殺機陡起，右手入懷，摸出一把毒針，雙目注定靈馬，暗中運氣行功，可憐那赤雲追風駒，還不知主人已對牠動了殺機，仍在低頭嚼著地上青草。

陶玉右腕一揚，毒針還未打出，突覺臂上一麻，作用全失，毒針紛紛脫手，落在身旁，心知是傷脈發作，黯然一嘆，閉上眼睛，不大工夫就沉沉睡去。

十四　古寺決戰

一陣馬嘶狼吼之聲，把陶玉從夢中驚醒，只見那赤雲追風駒，正在和兩頭餓狼撲鬥，另有一隻餓狼頭骨碎裂，倒臥一側，大概是被那靈馬踢斃。

陶玉目睹此情，心中暗道：幸好剛才那把毒針，沒有打中靈馬，否則我已早爲三頭餓狼吃掉了。

只聽那赤雲追風駒一聲長嘶，後蹄飛處，又把一頭餓狼踢斃，餘下一隻，自知不敵，怒吼一聲，放腿跑去。

靈馬不追餓狼，卻退到主人身側，伏下身子，連聲低嘶。

陶玉久走江湖，經驗甚豐，知那餓狼並非真的退走，而是去招呼同類，如待大隊狼群趕來，勢必要被餓狼吃掉，當下勉強掙扎，爬上馬背。

赤雲追風駒似是知得主人身有重傷一般，慢慢地站起身子，緩緩起步前進。就這一陣工夫，狼嘯已從身後傳來，一嘯群應，萬山回鳴，不知有多少頭巨狼追來。

陶玉全身經脈受傷閉阻，一身武功完全失去，被那迎面勁風吹撲一陣，人又昏了過去，但他心中仍記著狼群緊隨追來，只要跌下馬背，勢必被群狼追下，吃個屍骨無存，是以他神智雖昏迷，但是左手仍是緊握垂韁不放。

待他再度醒來，天色已是初更過後，但見月光溶溶，清輝滿山，看自己卻躺在一個山腳下面，赤雲追風駒，就在他身側不遠一棵松樹下面站著。

這當兒，突聽得一陣鐵環交鳴之聲，遙遙傳來，陶玉心中一動，暗自忖道：這等荒山之中，哪來金鐵交響。心念甫動，突又聞得一聲嘆息之聲，傳入耳中。

陶玉極目搜望，只見數丈外有一個三尺見方的地洞，那洞口緊靠在一個山壁之下，前有巨松遮擋，不留心，很難看得出來，那金鐵交鳴之聲和嘆息聲音，似是從那洞中傳出。

陶玉心中甚是奇怪，當即向洞口移去。這個地洞，形如枯井，裡面漆黑一片，不知多深。

只聽那洞中又傳上來一聲嘆息，這次陶玉守在洞口，聽得甚是清晰，那聲音分明是人無疑。

可是，這等荒涼無人的山中，哪裡來的人呢？縱然有人，也不會住在枯井似的地洞之中……陶玉心念轉動之間，陡聞又一陣鐵環交鳴之聲，緊接著一個冷冷的聲音，問道：「來的是什麼人，可是來探望老衲的嗎？」

陶玉還未及答話，突覺一股力道，自洞中直冒上來，剛想向旁邊閃開，哪知身子已被那力道罩住，只覺那力道一收，如磁吸鐵般，把他帶入洞中。

陶玉半身經脈受制，本就痛苦難當，被那一股潛力吸入洞中後，更覺全身關節痠麻欲散，軟癱在地上，動也不能動了。

只聽身側一個陰森森的聲音問道：「你是不是奉命來害老衲的？」

一面說著話，一面過來一隻手，在陶玉頭上摸著。

金環二郎側臉望去，只見身側坐著一個醜怪無比的人，如非聽到他說話，怎麼也認不出他還是個活人。

那人兩腿自膝以下，全被截去，蓬髮散亂，覆面垂地，兩隻眼珠子也被人挖去，餘下兩個肉洞，右手腕筋被挑，軟軟垂著，琵琶骨間，又被兩個鐵環扣著，鐵環後面有兩條鐵鏈子連著，口裡卻答道：「我受傷很重，已是快要死的人啦，哪還有餘力去害別人，再說我根本不認識你，爲什麼要害你？」

這當兒，石洞上面傳來赤雲追風駒一聲長嘶，那怪人突然一探左臂，抓住陶玉，問道：「上面馬嘶之聲，可是你騎來的馬嗎？」

金環二郎被他一把抓住背心，提了起來，全身無處著力，只感五腑血翻，咽喉氣湧，半天才迸出幾個字道：「不錯，那馬正……是我騎來……的。」

那怪人突然間變得十分溫和，說道：「你要想死，我就一掌把你劈死，或者我廢了你兩腿雙手，你就留在這洞中陪我一輩子。要是想活，就答應我一件事，我不但替你療好傷勢，而且還把一身本領傳你……」

陶玉冷笑一聲，接道：「只怕你醫不了我身上的傷。」

那怪人在陶玉身上，按摩了良久，笑道：「不錯，天下武林高人，能醫得你這傷的確實不多，你是被那透骨打脈手法，打傷了體內經脈。這是一門極深奧的獨門武功，專傷人體內經脈，所幸傷你那人，功力還淺，故而尚可救得。這透骨打脈手法，創自三百年前阿爾泰山的三音神尼，後來神尼和那時代另一位蓋世奇人玄機真人，爲爭天下武功第一的尊號，交拚武功，力鬥三天三夜，對拆五千餘招，仍是難分勝負，第四天各以上乘內功相拚，到最後鬧一個兩敗俱傷，兩人受傷都重，相對運功坐息，當時，兩人都知難再久於人世，大徹大悟後化敵爲友，

遂把絕世武學合錄成三本秘笈，命名「歸元」，數百年來，武林中各門各派，都在挖空心思，欲得那《歸元秘笈》，不過，卻是未聞有人尋得。」話到這兒，突然停止，沉吟一陣，問道：「用透骨打脈手法，打傷你體內經脈的是個什麼人物，你記得嗎？」

陶玉原本聽海天一叟李滄瀾談論過《歸元秘笈》一事，聽那怪人重述這段往事，絲毫不錯，心中一動，暗自忖道：當前這怪人雙腿、兩目，俱都失去，右手也成了殘廢，琵琶骨間又被兩個鐵環洞穿，四肢殘缺不全，單單餘一隻左手，如非身負絕世武功，哪裡能活得下去……心動念轉，油然動了求生之意，當下答道：「我是被人暗中下毒手所傷，至於傷我那人是誰，卻是未曾見得。」

那怪人仰起頭木然無語，臉上肌肉抽動，似在回憶一樁極痛苦的往事。

突然，他低下頭來，聲色俱厲地對陶玉喝道：「你是什麼人？爲什麼會找到這個地方來呢？你……是不是靈遠派來的人，想用苦肉計的法子，騙學我的武功？」言下神情激動，長髮亂顫，左掌按在陶玉的胸前「玄機穴」上，只要他一吐內力，陶玉就得立斃掌下。

金環二郎心機素深，知此刻說不得一句錯話，一語出錯，立時送命，當下故作鎮靜，冷笑一聲，慢吞吞地說道：「你要想殺我，乾脆就早些下手，我陶玉並非貪生怕死之輩，被人暗下毒手打傷，無意間逃到了這裡，根本就不知靈遠爲何許人，更談不上來騙學你什麼武功。再說，三音神尼既把一身武學，盡錄在《歸元秘笈》之中，那透骨打脈手法，自然也包括在內，只要有人得到那《歸元秘笈》，自然不難學會這獨門手法功夫。」

那怪人嘆息一聲，道：「如果那《歸元秘笈》當真被人尋得，那人兼得了玄機真人和三音神尼兩位曠古絕今奇人之學，恐怕當世武林之中，再也無人能和他爭那天下武功第一的尊號

了。」

陶玉看那怪人神情間無限惋惜，心中暗覺好笑，想道：這人學武功學成了這等癡狂，眼下已殘廢之人，還在想著天下武林第一的尊號。

心裡想著，不自覺脫口笑道：「即使那《歸元秘笈》尚未被人尋得，只怕你也難去爭天下武功第一的稱號了！」

怪人聽得陶玉一激，不覺大怒，左手一揮，一股強猛無倫的掌風，向旁側擊去，但聽一聲轟然巨響，洞中石壁吃他一掌擊得碎石紛飛，煙硝滿洞。

陶玉心中大吃一驚，暗道：這人目盲肢殘，兩面琵琶骨還受鐵環扣制，單有條左臂能用，竟還有這等驚人功力，看來自己那授業恩師海天一叟李滄瀾的武功，也是難和此人比擬了。

只聽那怪人怒道：「老衲如不遭人暗算，早已將那《歸元秘笈》尋得。即使被人捷足先登，我亦必尋那得寶之人，將它奪回，一把火燒去那本撈什子書，看天下武林道士，誰還能和我一較長短！」

陶玉看他身軀微抖，長髮波動，說得十分認真，心中暗自笑道：以他長髮推算，這人被囚禁這地洞中，最少也在十年以上時間。這十年囚居歲月，還不能殺了他的火氣，想他過去，必是更爲暴躁，難怪別人這樣對付他了。

那怪人不聽陶玉答話，冷笑一聲問道：「怎麼？你不信我說的話嗎？」

陶玉隨口應道：「信得，信得。」

心中卻又想道：這人一摸之下，即知我遭人透骨打脈手法所傷，自是確能解得，不如先騙他醫好我的傷勢，再設法逃出這地洞。

念頭一轉，接著說道：「你要我答應你一件什麼事情，現在可以說啦。」

那怪人神情突然一變，左手一探，抓住陶玉，冷冷笑道：「我要你拜我為師，留在這洞中陪我一年，你肯答應嗎？」

陶玉略一沉思，應道：「這不是什麼難事，我自然答應。」

那怪人又道：「這一年時間，我把幾手最厲害的武功傳你，你學會之後，去把你師兄殺了，提著他首級前來見我，你答應嗎？」

陶玉只怕他有心相試，天下哪有師父教了徒弟，命他去殺師兄的道理，當下沉吟良久，答不上話。

只聽那怪人一陣冷笑，左手一用力，把陶玉舉了起來，怒道：「你師兄犯了色戒，怕我責罰，暗中下手，截了我雙腿，挖了我兩眼，挑斷我右手腕筋，用鐵條洞穿我兩面琵琶骨，囚居這地洞中三十多年，你說他該不該殺？」

陶玉心道：原來他是被自己徒弟暗算，當即應道：「這等人自是該殺，弟子當為師父報仇。」

那怪人聽得陶玉口稱師父，心中甚喜，放下陶玉笑道：「你那師兄武功甚是了得。我昔年遊蹤西域時，無意中尋到三音神尼的修練所在，撿得她一本繪拳訣，我費了數年之功，揣摩出幾種武功，只可惜拳譜所載有限，想必不及那《歸元秘笈》上所載完整，你師兄把我囚禁此地，不肯傷我性命，也無非想學我那幾種絕學罷了。」

陶玉聽得神往，忘記了本身傷勢，霍然挺身欲起，哪知他半身經脈已經麻木，這一挺身，竟是難以坐得起來。

那怪人雙目雖已失去，但他武功精深，聽風辨聲，絲毫不遜常人，陶玉一挺未起，他左手已閃電般拏住了陶玉背心的「命門」要穴，冷冷問道：「你要幹什麼？」

陶玉心頭一驚暗道：這人疑心如此之重，今後和他相處，真得處處謹慎才行。當即答道：「弟子傷勢，愈來愈重，身上痛苦難耐，故而掙動一下，師父不要多心。」

那怪人讓陶玉仰臥地上，運起功力，先用一般推宮過穴手法，推拿陶玉各處穴道。待把他正面十八大穴走完，又推拿他背身十八大穴。這是人身三百六十五穴中，最爲重要的三十六穴，分爲死、啞、暈、麻四種「穴道」，這四種穴道，散布全身，有的是屬於神經系統，有的是正當重要臟腑部位，有的是與血脈有密切關係，故而一經推拿，陶玉立覺全身痛苦減去不少，心頭舒暢，慢慢地沉睡過去。

這一睡，足足有八個時辰，醒來時，痛苦已完全失去，只是感到全身倦軟無力，好像大病初癒一般。

原來在陶玉沉睡時候，那長髮怪人，又替他打通了奇經八脈。

陶玉醒來後，那怪人又讓他盤膝坐起，左掌抵在他背心上，全身功力凝集，由掌心緩緩發出。金環二郎只感到一股熱流，由「命門」穴上滲入，逐漸向四外擴展。

大約一刻工夫，那長髮怪人已滿臉大汗，不停喘息，手掌移開了陶玉「命門」穴，說道：「有兩處經脈，已逐漸萎縮，如再遲兩天療治，縱然能保住性命，但也得終身殘廢。」說罷，又讓陶玉躺下休息。

金環二郎雖已早感饑餓，但那怪人卻不讓他吃，一餓就是整整三天，這三天時間中，那怪人用本身真氣，共替他療治了九次。

直到第四天中午，那怪人把陶玉傷脈完全打通，停下手，笑道：「你現在休息一下，等一會兒，可以吃點東西，我替你療治傷脈，耗了不少真力，我也需要休息幾天。待我神氣恢復後，再開始授你武功吧。」

說完，左掌當胸而立，坐息養神。

陶玉休息一陣後，暗中試行運氣，果然傷脈暢通，已完全康復，站起繞地洞走了一周。他雖在此洞中住數日之久，但因傷脈嚴重，生死難料，一直未留心洞中形勢，現下傷勢既癒，而且還要在這洞中留住很久時日，自然要詳細查視一下。

這座地洞，方圓不過三間房子大小，四面都是光滑石壁，正南方石壁處，豎立著兩根鐵樁，那怪人琵琶骨間鐵鏈，就在兩根鐵樁上扣著，大約有一丈六、七尺左右，長可及全洞各處，兩個鐵樁之間，放著一個竹籃，籃中盡都是難吃的食物，不過大部已經不能再吃了。

陶玉挑選了塊乾麥餅吃下後，席地坐下也運功調息。他傷勢已癒，功力已復，本可出洞打些野味來吃，只因怕洞中那怪人，一住又是三天。這三天時間中，那怪人既不授他武功，也不和他說一句話。如換別人早就難以忍耐，勢非設法逃出那地洞外不可。

但城府甚深的陶玉則不然，他知那怪人被囚禁這洞中數十年之久，性格必然冷僻難測，對這種怪人，只有用忍耐工夫，果然，直到第四天，那怪人開始盤問起陶玉的身世來歷。

金環二郎自然不會吐實，揑造了一個謊言，說他父親是開設鏢店的主人，爲保鏢和人結仇，這次被仇人邀集了很多綠林高手，把鏢店毀去，父親力戰而死，母親全節自盡，單餘下他一個人，流亡西域，深入祁連山，只爲逃避仇人的追蹤而墜落此處……

他這一席話，早已想好，說時滔滔不絕，一氣呵成，那怪人反聽得怒火沖天，說道：

「你要想報仇，只有用心學我傳你的武功。不是老朽誇口，天下高人能和我對手的，屈指可數……」

說著，突然一停，沉想半晌，問道：「那用透骨打脈手法傷你的人，可也是你的仇人嗎？」

陶玉道：「弟子並未見得那人之面，已遭打傷，是否就是追蹤弟子的仇人，倒是難說。」

那怪人沉思一陣，不再追問，立即開始傳授陶玉武功。

金環二郎本是極端聰明的人，知這次曠世奇遇，對他未來成就影響極大，因此，他不放棄一刻一分的時間，那怪人每授他一招一式，他必反覆推演，直到完全領悟爲止。

轉眼間，過去了半個多月，那怪人對陶玉的態度也因相處日久，逐漸地溫和起來。這天，那怪人授過了陶玉武功，問道：「你既然做了我的徒弟，可知道師父的名號出身嗎？」

陶玉呆了一呆，暗道：糟糕，這些時日一心只管學習武功，倒是把這件事忘了，此人喜怒無常，怪僻難測，不要因此招惹他發了脾氣。

只見那怪人呵呵一笑，道：「我不告訴你，你自然是不會知道，就是目前江湖上老一輩中，知道老朽的人，也是寥寥無幾。」

陶玉笑道：「師父身負絕世武功，自不屑和江湖上一般俗人交往，當然知得師父名號的人，不會很多了。」

那怪人面透喜色，似是很讚賞陶玉的話，突然他臉色一沉，嘆息一聲，道：「我幾十年苦研武學，一心只想得那天下武功第一的稱號，故而除學武之外，什麼事都不放在心上，所以我把大覺寺方丈一職，讓給了你師兄靈遠，好擺脫寺中一切俗煩之事，專心一意精研武學。後

來我覺著武功一道，要經過很多歷練才能精進，因此我獨自下山，到處遊歷，那時，少林、武當兩派，在武林中聲望最隆，我一時動了好奇之念，想鬥鬥兩派中高人，遂先往湖北武當山趕去。我和人家無怨無仇，只不過借動手過招，切磋武學而已，爲了掩人耳目，我喬裝成一個江湖中人，夜闖武當山七星峰三元觀，獨鬥武當四老。我以一雙肉掌，和他們四支劍拚轉兩百招，仍是難以分出高下。」

說著一頓，臉上盡是歡愉之色，似是對當年獨鬥武當四老一舉，引爲生平快事。

陶玉已看出當前之人，是個毫無心機，而且嗜武如狂的怪人，當即接口笑道：「師父以空手拚鬥武當四老，可算是百年來，武林中一樁豪舉，如被傳揚開去，定當轟動江湖。」

長髮怪人搖頭一嘆，接道：「武當四老雖未被我打敗，但他們卻也困不住我。我志在切磋武學，目的既達，自無再戰必要，而且天色快到五更，當下被我闖過他們重重截擊，衝下了七星峰，由武當山橫越而過，又向嵩山少林寺趕去。」

陶玉問道：「師父到嵩山少林寺之後，可和他們動過手嗎?弟子據聞傳言，說那嵩山少林寺中有一座羅漢堂，裡面機關重重，江湖上很多高手，都被困住，很少能自己衝得出來。」

長髮怪人呵呵一陣大笑道：「少林寺羅漢堂雖是天下聞名，但並非寺中最重要的所在。那重要的地方，名叫藏經閣，少林寺的重要機密文件，均放在那藏經閣中，我夜入少林寺時，就誤闖到藏經閣中，犯了人家寺中大忌，因此，遭他們臨院五老合力截擊，那真是一場驚天動地的拚搏。」

言下臉上神情歡愉，似是對那場打鬥，仍甚嚮往。

金環二郎已逐漸了解了眼前怪人的性格，愛武成癡，一生中只想得那天下武功第一的稱

號。現雖殘廢囚居，仍是難忘。當下笑道：「師父赤手空拳，力鬥武當四老，想那少林寺五個監院，也難敵得師父。」

那怪人果然喜笑顏開地接道：「武林中號稱九大正宗主派，少林派名列首位，實在當之無愧。那監院五老，當真是個個身負絕學。我以一雙空手，接他們兩百招左右，就被踢中一腳。那一腳雖使我愧恨至極，但也使我感覺到自己武功不過是滄海一粟而已。因而遠行西域，在那窮荒僻山中，遊蕩了十餘年，無意中發現了前輩奇人三音神尼的修練之所，尋得她手繪拳訣一本。我在她阿爾泰山舊居中研習三年，才重回到祁連山大覺寺來，又開始傳授你大師兄靈遠的武功。你那靈海、靈空兩位師兄，因為天賦才智，和你大師兄相差甚遠，素為我所不喜，故而我在傳授方面，甚是偏心。想不到我最偏愛的徒弟，卻把我兩腿截斷，雙眼挖去，挑斷腕筋，囚禁這石洞三十多年！」

說至此處，似是回憶起三十多年前的往事，只見他長髮飄動，全身微顫，口中牙齒咬得格格作響。

突然，他左手一翻，抓住陶玉，厲聲喝道：「你這孽徒害得我好苦啊！」

陶玉被他一把拿住「肩井穴」，只感全身發麻，動彈不得，心頭大驚，急聲叫道：「師父，快些放手，弟子是陶玉。」

那怪人慢慢平復了激動心情，放了陶玉道：「你叫陶玉，是我新的徒弟嗎？」

陶玉答道：「不錯，弟子叫陶玉。」

那怪人怒道：「你連師父的名號都不知道？我收你這徒弟做甚？」

說完，一把抓起陶玉，擲出洞外。

那怪人每一出手，必然拿住關節要穴，陶玉根本就無法掙扎，他鬆手擲出，又極快速，陶玉穴道尚未能自行活開，這一拋，竟是不輕。

金環二郎舒開穴道後，暗自忖道：這時我要走，本很容易，甚至還可以集一些乾草枯木，點燃起來，投入洞中，把他燒死。只是他那一身本領卻是無法學得了，還有三音神尼手繪那一本拳譜，再也沒有人知它放在何處，現下武林中雖然盛傳《歸元秘笈》之事，但卻未聞何人得到手中，如能取得三音神尼手繪拳譜，當可爭霸武林……他心裡打了幾個轉，也就不過是瞬息工夫，就站起來拍拍身上灰土，又躍回那地洞中。

那怪人雖然缺腿失目，但動作迅速至極，陶玉剛剛落在實地，陡聞鐵環交鳴之聲，那怪人已到他跟前，左手伸處，又拿住了陶玉右肘「曲池穴」，冷冷問道：「你還回來做什麼？」

陶玉急道：「弟子並無絲毫過錯，不知師父何以要把弟子逐出門牆？」

那怪人陰惻惻一陣冷笑道：「我教了你師兄三人，他們把我挖目斷腿，囚禁這地洞三十餘年。如再收了你這個徒弟，將來又不知如何處置老衲了？」

這幾句話，只聽得陶玉不自主地打了一個冷戰，趕忙辯道：「師父不要多疑，弟子學成武功之後，定當誅盡幾位師兄，替師父一報挖目斷腿之恨。」

那怪人笑道：「你這話可是由衷之言嗎？」

陶玉道：「弟子實是言出肺腑。」

那怪人呵呵大笑道：「那你知道師父名號嗎？」

陶玉道：「剛才師父雖然給弟子講了很多昔年之事，但師父卻始終未提過自己名號。」

那怪人想了一陣，道：「不錯，我好像是未提過自己名號，剛才倒是錯怪你了。」

陶玉笑道：「師父就是錯責弟子，弟子也是一樣心悅誠服，絕不敢有半點怨恨之心。」

那怪人笑道：「老朽名號，上覺下愚，除了你那三位師兄之外，恐怕當今武林之中，很少有人知道！」言下不勝黯然。

陶玉笑道：「弟子如得了師父傳授，將來定當把師父的名號，大大地在江湖上宣揚一番，讓天下武林同道，都知道你老人家的名號。」

覺愚自被囚禁這地洞之中後，三十餘年來受盡了寂寞、孤獨，從未聽人對他說過這等親切之言，當下心花怒放，呵呵幾聲大笑道：「不錯，不錯，我目盲體殘，今生已難再爭霸江湖，只有把我一身本領傳授給你，讓你替我完成這個心願了。」

陶玉急忙答道：「弟子定當竭盡全力完成師父心願，縱然粉身碎骨，亦是在所不惜。」

覺愚被他哄騙得十分相信，臉上神情歡愉，點點頭笑道：「好，好，咱們現在就開始學習武功吧！」說罷，當即開始傳授陶玉武功。

匆匆歲月，流水年華，陶玉從覺愚學武，轉眼間過去了三個多月。

在這段時間，金環二郎集中了全部精神去學，覺愚也盡到了最大心力去教，因而陶玉的進境極是神速。

這天，覺愚傳授過陶玉武功後，嘆息一聲，道：「你天資才智，比起你那大師兄靈遠，還要穎慧得多，只可惜三音神尼手繪那本拳譜上，記載的武學，我尚未完全學得，不能把那本奇書所載武功，完全授你。」

陶玉幾個月來，除了學武時精神集中之外，餘下的時間，都在思索怎樣把三音神尼手繪

的那本拳譜得到。不過他是城府極深之人，雖然日夜爲此尋思，但卻從未提過，現聽得覺愚一提，忍不住開口問道：「師父所授弟子武功，無一不是深奧精微絕學，難道三音神尼手繪那本拳譜之上，還載有更爲深奧的武學不成？」

那覺愚和尚，一生中苦研武功，心神萃集，對其他事情，均不肯分心推想，故而以他那等精博武學，深厚功力的人，仍然遭了弟子的暗算，現雖被囚禁三十餘年，仍是積習難返，毫無心機。

只聽他一陣大笑，道：「三音神尼手繪拳譜上，記載武學，均爲她心血結晶，一招一式，無不妙到峰巔，那上面所載太陰氣功，更是內家功夫中至高之學，只可惜那不是三、五個月，可以速成，至少需一年以上時間，始可奠定初基。初基奠定後，功力即隨時間增加。只是那功夫有點過於歹毒，所以，我就沒有練它，你如願學，我就把口訣心法相傳。」

陶玉心中雖然極願學那太陰氣功，口中卻故意說道：「師父既然不屑練那太陰氣功，想那門功夫，必然有可厭之處，弟子不學也罷！」

覺愚嘆息一聲，道：「太陰氣功雖然歹毒一些，但它不失一門極高功夫，我把口訣心法授你，要不要練，你自己決定吧！」

說完，立即開始傳授陶玉口訣心法。

那太陰氣功是一種極深奧而又偏激的內家功夫，除了本身的修爲之外，還要借助外界的陰寒之氣，陶玉人雖聰明，但也整整學了一天，才略通概要。

山中無甲子，歲月逐雲飛。陶玉在地洞從覺愚學習武功，轉眼間就過了半年時間，這半

年中，陶玉只離開過地洞五次，而且都是爲尋找食用之物。每次他都順便摘些桃、梨等水果回來。覺愚三十餘年來，盡是食用乾餅一類東西，哪裡吃到過這等新鮮水果，因而，他覺著陶玉對自己甚爲孝敬，半年時間，他把自己數十年苦研所得武學，大都傳給了這新收弟子。

這天，覺愚授過了陶玉的武功後，嘆道：「我一生中辛苦研究探討出來的本領，現在大都傳給你了，只要你熟記著種種口訣心法，不斷去用功練習，以你聰明才智而論，三、五年內即可有很高的成就，其中幾種特異的手法，你現在已可運用。我所授武功，其中大都是神尼手繪拳譜所載，一小半是我數年來所研究天下各門派武學，取長補短，苦心思索，獨自創出來的手法。」

說到這裡，頓一頓，似在思索什麼，突然，他抬起頭，接著說道：「你再去給我取些果子來吃。」

陶玉一直在留心著覺愚的神情，知他言不盡意，微微一笑，起身躍出地洞。不大工夫，已摘了很多水果回來，覺愚一語不發，接過水果就吃。

金環二郎心知他必然有話要說，但並不追問，只是坐在一旁，冷冷觀察著覺愚的一舉一動，只見他幾次把手中水果放下，似要說話，但卻始終未說出口，只待他吃下了十幾個梨子後，才把陶玉叫到身邊說道：「你現在所學得的武功，已比你三個師兄爲多，但是通達窮訣而已，論火候功力，決難和你三個師兄對抗。」

陶玉笑道：「弟子當苦下工夫，三、五年後，再找三位師兄，給師父報仇。」

覺愚搖搖頭道：「我已等候了三十多年，再也不能等了。」

陶玉嘴角間浮現一分冷冷笑意，接道：「那弟子現在就去找三位師兄拚命，縱然戰死，亦

在所不惜。」

覺愚雙目被挖，不能看得陶玉臉上神情，認爲他當真對自己忠誠至極，心下甚喜；搖著頭，道：「你就是再練上兩年，也難敵你三個師兄功候，去和他們拚命，無疑是白白送死……」

話未完，突然停住，左手緩緩舉起，拂動著陶玉頭髮，神情激動，全身微顫，問道：「你今年幾歲了？」

陶玉心中甚是害怕，不知他何以這等激動，心想運功戒備，又怕被他發覺，半年來雖然進境極速，但自知還難擋得覺愚一擊，只好故作鎮靜，答道：「弟子今年二十三歲了。」

口裡答道，兩眼卻注定覺愚，觀察他神情變化，如果看出他有下手加害之意，就搶先發難，只要把他左手帶開，自己即可躍出地洞，然後採集些枯木乾草，把他燒死在洞中。

只見覺愚點點頭，自言自語，說道：「你今年二十三歲，以你聰慧而論，再有七年時間，你三十歲時，就可以把太陰氣功練得有些基礎，我現在傳你各種武功，大部均可運用自如，不過，你那時是難給我報得了仇了。」

他這幾句話，似對自己說，也像對陶玉說，饒是金環二郎聰明絕世，也難聽得出話中含意爲何。

再看覺愚神情，越發激蕩，似是在考慮一件極大難題，無法驟下決心。

半晌工夫，才聽他長長嘆息一聲，神情平復下來，說道：「三音神尼手繪拳譜上面，有一種極厲害的速成武功，可笑你三位師兄，雖把我雙目挖去，兩腿截斷，但卻並未得到那本拳譜，可惜的是那武功我尚未練習，已遭了三個孽徒的毒手，現在我目盲體殘，已是再難練習

了。」

說著話，左手伸入懷中摸了半天，從貼身衣著處，取出一本薄薄的冊子，交給陶玉，接道：「這是三音神尼繪的拳譜，你先詳細閱讀一遍，其中所載大部，我已傳給你了，餘下幾種武學，我自己都未學過，你找找看，裡面是不是有一種名叫『拂穴錯骨法』的速成武功。」

陶玉接過三音神尼手繪的拳譜，也不禁心神激蕩，接過那本薄冊子後，兩隻手抖顫得幾乎把那本冊子掉在地上，足足有一盞熱茶的工夫才恢復平靜。

三音神尼手繪的拳譜，只不過有十五頁厚薄，除了底面之外，正文只有十三頁。但每一頁都記著一種絕學，共有一十三種武功，文由硃砂寫成，圖用丹青繪製。

陶玉小心異常地翻閱手中奇書。只見每頁上都繪有圖解，只是批文簡單，字字蘊含玄機，雖有圖解說明，也是不易領悟，如不得人指點，確得大費工夫研究。

再細看書中所載的武功，果然大半都得覺愚的傳授，直翻閱到了十二頁上，才找到「拂穴錯骨」的練習之法，只是批文含意深奧，一時之間，確難完全通達，遂把批文字字讀給覺愚和尚聽。

覺愚每聽一句，必然思索良久，才再讓陶玉往下續讀，先後把全文聽了一遍，然後要陶玉複讀，不到兩個時辰，他已把全文概要索想通達，逐句逐字地解說給陶玉聽。金環二郎立時豁然貫通。

那「拂穴錯骨法」本是極爲特異的功夫，除了說出取敵方法之外，還有十二式攻敵變化，十二式各種妙用，極盡變化之能事。陶玉在覺愚指導下，當即開始練習。好在那圖已指出攻敵取敵的穴道部位，依圖試習，並非太難。只是那十二式攻敵變化，卻是愈練愈覺繁雜奧妙。

師徒兩人經數日研討練習，陶玉已逐漸體會出各功妙用，對「拂穴錯骨手法」，也漸漸地能運用了。

覺愚看陶玉數日之間，已有大成，比自己預料的早了一半時間，心中甚是歡喜。這天，兩人研習過後，他對陶玉笑道：「現下你的『拂穴錯骨手法』，已能勉強運用，那十二式攻敵變化，也大部了解，只不知出手認穴如何？一種武功。不管怎麼樣深奧精妙，初用對敵，總有生疏之感，必須經過磨練，才能把威力全部發揮出來，現下我要考驗你這半年來的各種武功成就，是否都能適度運用。」

陶玉暗自忖道：「拂穴錯骨法」，現已大部了然，那十二式奇妙變化，亦練純熟，只是不知敵對時效用如何？現在他既然要考驗我的武功，正好拿他做次試驗。

心裡念頭轉動，口裡卻故作惶恐，答道：「師父武學精博，弟子如何能是敵手，再說弟子也不敢和師父當真動手。」

覺愚笑道：「我只是考驗你的武功，哪裡是真的和你動手。不過，考驗當需力求真實，你只管全力攻我就是。」

陶玉笑道：「師父既是如此說，弟子就放肆一次。」說完話，陡然一招攻去。

覺愚聽風辨音，左掌閃電拍出，陶玉自知功力尚淺，哪敢硬接覺愚掌力，側讓避開，雙掌連環劈擊，覺愚數十年囚居此地，從未和人動過手，現下兩人雖是試招，但覺愚卻打得興頭甚高，耳聞鐵鏈抖動之聲，左掌力道愈發愈強。

陶玉別具用心，也是全力搶攻，絲毫不肯相讓，師徒兩人竟打得十分激烈。

陶玉幾種精妙武學，都是覺愚所授，他雖全力施展，但覺愚均能防制機先，兩人交手十幾

個回合，陶玉倒有六、七次遇上險招，如當真對敵，金環二郎早已送命在覺愚的掌下了。

陶玉一面打，一面想道：我所用武功，大都爲他所授，自然他能防制機先，處處把我迫居下風，只有那「拂穴錯骨手法」他還不大純熟，不妨用來一試，一則可試出十二式變化妙用若何？再者還有取勝之望。

心念一轉，突然躍退，哪知覺愚正在打到興高采烈之際，陶玉一退，他卻欺身直進，鐵鏈響處，如影隨形般追到。左掌連攻兩招，而且招招含蘊勁力，出手又快速無匹。

陶玉想不到覺愚竟會逼攻過來，一時間閃避不及，只得雙掌一合，運集了全身功力，硬架接覺愚一擊。

陶玉這一招硬接，雖把覺愚左掌架住，但已震得兩臂痠麻，頭暈血湧，退一步靠在壁間，叫道：「師父，不要打啦；弟子已招架不住了。」

只聽覺愚呵呵大笑幾聲，說道：「你能擋開我一掌，實在不錯，現在我正打得高興，咱們再打幾招休息。」

說完，呼地一掌，橫掃過來。

陶玉不敢硬接他這一掌，急急縱身一躍，從覺愚頭上飛過，雙腳剛落地，耳聞鐵鏈響聲，覺愚又已追到身後。

陶玉急忙向右側上躍，避開覺愚追襲，轉身揮掌再鬥。

可是覺愚掌力愈打愈強猛，幾招過後，整個地洞，盡都是激蕩的潛力，陶玉勉強又支撐一陣，已被迫得氣喘如牛。

覺愚聽得了陶玉急喘之聲，才收住掌勢，笑道：「你半年來進境很快，竟能接了我

二、三十招猛攻。」

陶玉喘息著答道：「弟子已筋疲力竭了，師父如果再不肯停手，我非得受傷不可。」

覺愚又呵呵大笑一陣，問道：「你那『拂穴錯骨手法』，及十二式攻敵變化，可都練習純熟了嗎？」

陶玉道：「大都已經練熟，只是有一招『游魚逆浪』身法，弟子到現在仍難體會出它的變化。」

覺愚思索半晌，道：「你再把那十二式招術，重念一遍給我聽聽。」

陶玉依言，又把原文讀了一遍。

覺愚一語不發，突然一掌劈去，陶玉正在用心看那拳譜，待驚覺要躲時，全身已被覺愚掌力罩住，匆急之下，左掌護面，側身猱進，右手閃電穿出，疾拂覺愚肘間「曲池穴」，他這猱進欺敵一招，正是「游魚逆浪」絕學，出手又是「拂穴錯骨手法」，而且力求自保，出手極重。

但聞得覺愚一聲大叫，肘間「曲池穴」已被陶玉拂中，左臂立時垂了下去，陶玉在拂中覺愚穴道後本可適時而止，哪知他竟不肯停手，五指搭在覺愚肘間，微一用力，只聽格登一聲，覺愚僅有一條左臂，被陶玉拂中穴道後，又把肘間關節筋骨錯開。

只疼得覺愚臉上汗水滾滾而下，陶玉想不到這「拂穴錯骨手法」，竟是這等厲害，不覺呆了一呆。

目睹覺愚痛苦神態，陡然觸動了陶玉殺機。心中暗道：現在我如把面前的老和尚殺了，天下會「佛穴錯骨手法」的，只我一個，而且還可以得到三音神尼手繪拳譜，如果留他一條命在，他決不肯把這本拳譜送我，也可能再教個徒弟出來……陶玉心中風車般地打了幾個轉，也就不過是眨眼功夫，當下故作惶急，道：「弟子罪該萬死，竟傷了師父左臂。」

一面說話，一面捧起覺愚傷臂。

覺愚本是十分生氣，但聽他口氣中滿是惶恐，認爲他失手誤傷，滿腔怒火，登時消失，嘆口氣道：「這拂穴錯骨法，當真厲害，你快些替我解開穴道，接上斷骨。」

陶玉左手托著覺愚傷臂，右手暗中運集功力，口中卻答道：「師父，你要……」

要字剛剛出口，左手陡然加力，覺愚肘間關節已斷，如何還受得住陶玉加勁一捏，只覺傷處筋骨碎裂，疼得臉上汗若雨淋，大叫一聲，不自主地向後一仰。

陶玉右手早已蓄勢相待，覺愚向後一仰，立時隨勢一掌直擊過去。

這一掌，是他全身功力所聚。傷疼正烈，又毫無防備的覺愚，如何能當受得住，但聽一聲悶哼，耳、目、口、鼻間同時湧出鮮血。

只見覺愚身子搖了兩搖，長髮無風自拂，慘笑一聲，喝道：「孽徒……你好啊！你比你三位師兄更陰毒，更狠辣了！」

說完，全身躍起，一頭向陶玉撞去。

金環二郎見他連受重創後，仍能躍起撞擊，不覺心頭一震，知他這一撞，力道必然不輕，急急向旁一閃，順手一招，「撥雲見日」，把覺愚撞來力道，用滑字訣，向旁一撥。

覺愚急痛交加，神志早已不清，哪裡還知道收住衝勢，這一頭撞在石壁上。

但聽轟然巨響，碎石和腦漿齊飛，慘叫聲中，只見覺愚身子抽動一陣後，氣絕死去。

陶玉細看覺愚屍體，腦袋已片片碎裂，散飛滿洞，琵琶骨間仍被鐵鏈穿著，死狀淒慘至

極。

他望著覺愚屍體，摸著懷中拳譜，心中暗自忖道：我如再以數年苦練，當今武林上，能和陶玉對手之人，恐怕很難找得出來，突然，他腦際中閃起自己遭人打傷的種種經過，登時心頭怒火湧起，咬牙切齒地想道：暗中傷我之人，必是那崑崙三子，此仇不報，何以立足在天地之間。

這時候，已經是十月中旬天氣，祁連山中早已開始降大雪，淺山峻嶺，盡都被積雪覆蓋，觸目瓊瑤，茫茫無涯，變成了一片銀白世界。

這當兒的陶玉，身手武功，已非昔比，只聽他仰臉一聲長嘯，施展開「踏雪無痕」輕功，舉步如飛，向左邊峰上奔去。

峰頂上山風更大，寒風貶骨，但金環二郎卻絲毫不覺寒意，站在峰頂極處，四下張望，好一陣工夫，突然捏唇作嘯，力發丹田，嘯如龍吟。空谷傳音，直達數里之外，一聲甫落，一聲接起，和遠山回音混合，只聽萬山千谷中盡是嘯聲。

一聲聲連續不絕，不到頓飯工夫，陶玉臉上已變了顏色。要知他這嘯聲，全由丹田內力發出，不管功力如何深厚的人，也不能長嘯不停。

突然間，那不絕嘯聲之中，夾雜一聲馬嘶傳來，不過聲音極小，非有很好內功的人，不易聽得出來。

陶玉臉上驟現喜色，嘯聲忽然一變，隱隱含著節奏，這正是他以往常招呼靈馬的聲音。

果然，不大工夫，正西方遙現一點黑影，快似飛矢，只聽嘶叫之聲，已知是那赤雲追風駒

了。

陶玉遙見寶駒無恙，而且守在此地，半年不肯離開，果是通靈之物，心中高興至極，飛一般向寶駒迎去。馬如電奔，人比流星，一來一迎之勢，更是快速無倫，瞬息之間，已經相近，陶玉縱身一掠，飛上馬背，赤雲追風駒，忽地一聲長嘶，驟把急奔之勢收住。

金環二郎細看靈馬，雄勢依舊，鞍鐙之物，無一不全，連馬鞍上扣掛的金環劍，仍還斜垂鞍側，只是雪打露浸，鞍鐙劍身，都結了很多堅冰。

陶玉翻身躍下，拂去踏鐙上積冰，仰天大笑道：「我陶玉有此神駒相助，再練好那拳譜上所載武功，當今之世，有誰還能和我一爭長短！」說罷，狂笑不止。

突然間，他停住笑聲，兩個嬌艷無比的少女倩影，同時在他腦際閃過。

這兩個人都留給他無法磨滅的印象，一旦想起，不知先去尋見哪個才好。

他扶鞍停立，仰面望天，心中暗自忖道：紅師妹是從小和我一塊兒長大，才智絕人，貌若春花，只是她那冷若冰霜的性格，卻使人難以捉摸；沈霞琳才貌比紅師妹不相上下，溫柔和婉，卻非李瑤紅能及萬一……但她一顆芳心，早已託寄夢寰。

他忖思良久，仍是難決行止，突然他又憶起崑崙三子傷害之仇，登時衝上心頭一股怒火，不再猶豫，縱身躍上馬背，逕奔崑崙山去。

陶玉縱馬西進，兼程急趕。這一段僻處邊陲的荒蕪旅程，本極艱辛難走。但那赤雲追風駒走起來，仍是快速若飛。

陶玉雖然久走江湖，但多在江南一帶，這次遠行西域，只覺景物和江南大不相同，放眼盡都是無際沙漠，如非有著極好武功的人，別說那沙漠中還有風沙捲人之險，單就荒涼景象已非單人所敢涉足了。

那赤雲追風駒雖然是初走大漠，速度仍是驚人，只不過三天工夫，已橫越柴達木盆地，進入了新疆境內。

這天中午，陶玉已到了霍克甘鎮。他在鎮上休息了一夜，購足乾糧，灌滿水囊，第二天一早就動身趕路，這時，他不只是想尋崑崙三子報仇，而且還想早日見到霞琳。沈姑娘嬌柔溫順的性格，如萬縷綿綿情絲，纏緊了陶玉的心，他這幾日中不停忖思，越想越覺霞琳比師妹可愛。

一日緊趕，到太陽快落時候，已到了崑崙山下，抬頭望去，但見奇峰拔地，排嶂入雲，重重疊疊，高接天際。陶玉想道：人說遊過崑崙不見山，當真非欺人之談，這座名山，果然雄偉無比，當下縱馬登山，爬上了一座高峰，流目四顧，只見前面一峰比一峰高，一山比一山奇，不禁心中發起愁來。

他雖知崑崙三子住在金頂峰三清宮中，但卻不知金頂峰在山中何處，如果盲目尋找，就是找上一年半載也是不易尋得，想到爲難之處，不覺又恨起楊夢寰來，恨他在相處一段時日中，竟未把金頂峰在崑崙山什麼地方告訴過他。

夕陽照著林立峰巔冰雪，幻化出彩麗無比的景色，可惜這美好的時刻太短促了，瞬息間日沉山下，暮色蒼茫，千百奇峰，逐漸都隱入了夜色之中。

陶玉低頭看去，只見自己停身的峰下，是一個千丈斷澗，陣陣陰寒，由洞底直冒上來，心中一動，暗暗想道：這等荒寒山區，也難尋得睡覺之所，何不借此機會，練習那太陰氣功，也

強似露宿一宵。心念一動，回身輕向馬背拍了一掌，靈馬低嘶一聲轉身向峰下奔去，陶玉卻凝神提氣，游下斷澗。

這深澗中，終年難見日光，是以特別陰寒。陶玉入澗後，亦覺那陰寒之氣逼人難耐，趕忙調息真氣，盤膝而坐，依覺愚所授口訣心法，開始練習起來，把澗中那陰寒之氣，緩緩吸入腹中，用本身真氣，把它逼入經脈，再由身體毛孔中慢慢散發出來，這是太陰氣功初步的奠基功夫，先使練習人本身不畏陰寒浸襲，並能把陰寒之氣，控制於體內任何一處，只待初基奠定，然後再真的吸收外界陰寒，以內功控制體內，對敵時再以本身真氣逼出陰寒，擊傷敵人。不過練習這門功夫必需要依一定的心法，才能有成，因爲那陰寒之氣要透過本身經脈要穴，一個不好，就會凝結成傷。

陶玉初習此學，甚是擔心，依照口訣心法，絲毫不敢馬虎。

連吸幾口寒氣後，漸覺身上冷了起來，趕緊停下，行功調息，待身上寒冷消失，又復重行練習。

不過練習數次，天色已是大亮，他心中思念霞琳，躍起爬上峰頂，揑唇作嘯，招來靈馬，飛上馬背，又向深山中尋去。

十五　不速之客

太陽爬上山巔，金色的光芒照射著重疊的山峰，一層層連綿不絕，是那樣深長無涯，陶玉縱騎在絕峰立壁之上，腦際飄浮著霞琳嬌美的倩影。這倩影給了他無窮的渴望，鼓舞他盲目覓尋在萬山千峰之中。

不知翻越了多少峰巔，越渡過多少深壑，太陽又逐漸向西天沉下，一抹晚霞返照，天色又快近黃昏了。

這時，陶玉正縱馬緩行在一片松林旁側的小徑上，忽見右側林角處，晚霞中閃起一片白光，陶玉久歷江湖，一望即知有人在練劍，當下精神一振，翻身躍下馬背，施展輕功，向右邊林角奔去。

繞過林角，隱身望去，果然見一個三旬左右的大漢，和一個妙齡道姑，各執一把長劍在對手過招。

陶玉默察兩人劍法，只見那大漢快中帶穩，功力要比那道姑深厚得多，如是真的動手，那道姑恐怕早就敗在那大漢劍下了。

突然間，那道姑施出絕招，寶劍左刺右點，刷！刷！刷！疾攻三招。

那大漢卻不慌不忙，長劍舞起一圈銀虹，把道姑三劍快攻封解開去，反手一劍，把道姑

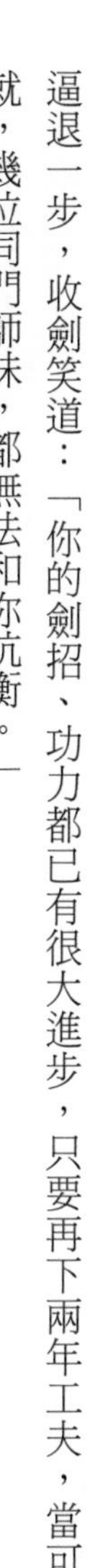

逼退一步，收劍笑道：「你的劍招、功力都已有很大進步，只要再下兩年工夫，當可有極高成就，幾位同門師妹，都無法和你抗衡。」

那道姑笑道：「我再練習兩年時間，又有什麼用呢？這兩年時間中你還不是一樣的增長功力，算來算去，我這輩子是打不過你了！」

那大漢道：「你如不肯下工夫，不要兩年時間，眼下就要有人超越你的前面了。你追隨三師叔時間最長，也是她老人家最器重的弟子，但近兩月來，似乎已有人更獲得三師叔的寵愛了。本來都是同門師兄妹，不應有所猜忌才對，但我這兩天中聽得消息說，師伯、師父和師叔三位老人家，在丹室中曾作密談，決定每人選出一個門下弟子，傳授追魂十二劍招，要知那追魂十二劍，才真正是本門中絕學，聽說大師伯門下只有一個弟子，而且已得了那追魂十二劍的絕學；你如不用心力爭上進，只怕難以入選三師叔衣缽弟子，無法學得那追魂十二劍了。」

言下，一聲長嘆，神態間，對那道姑能否入選師父衣缽弟子，甚爲關心。

那道姑雖然穿著一件肥大的道袍，但仍難以掩蓋她那嬌美氣質，嫣然一笑，答道：「掌門師伯親傳弟子雖然有九位之多，但能入選衣缽弟子，自非大師兄莫屬了，你是掌門座下大弟子，也是我們崑崙派下一代首座師兄，論成就，十多位師兄妹也無人能趕得上你……」

那大漢聽道姑盡是頌讚自己之詞，不覺臉上一熱，搖搖頭，道：「你說了半天，但卻沒有一句說到我肺腑之中……」

道姑搖搖手，截住了大漢話把兒，接道：「我知道，你完全是擔心我不能入選師父衣缽弟子，對嗎？」

那大漢點點頭。

道姑微微一笑，接道：「但我自己卻絲毫未有入選心意。你所指奪我寵愛的人，定是指沈師妹而言了，要知道她是個純潔無邪，毫無心機的善良孩子，師父寵愛她倒是不錯，但卻非她投好師父之歡，而受寵愛，師父對她，可說是一見就愛，別說師父，就是我也是非常愛她，她是人間至情至性至美至善的天使，誰和她接近了，都會愛她。」

那大漢還劍入鞘，沉默半晌，才抬頭問道：「我常聽三師叔和師父談起大師伯門下弟子，是一位武林中極難遇得的天賦奇才，心中早即渴望一見，但他卻遲遲不回崑崙山來。」

那道姑嘆息一聲，答道：「大師伯門下弟子，的確是聰慧絕倫，才氣縱橫，外表又溫文爾雅，瀟灑……」

話到這兒，那大漢嗤地一笑，接道：「你倒是對他非常留心。」

道姑亦覺自己說溜了嘴，臉一紅，嗔道：「你不要瞎說亂猜，當心我去告訴師父。」

大漢微微一笑，轉變話題，道：「三師叔新收的弟子，我只見過兩次，而且每次她都和三師叔走在一起，雖是見過兩次，但卻未曾看過一眼。」

道姑揚了揚柳眉，笑道：「不看也罷，看了你就忘不了啦！」說罷轉身向前跑去。

那大漢拔步追趕，兩人施出輕功，愈跑愈快。

陶玉隱在暗處，把兩人問答之言聽得甚是清楚，知他們都是崑崙派門下弟子，心下極是高興，隨在兩人身後，向前跑去。

天色逐漸黑了下來，山勢景物都被夜暗籠罩。陶玉怕追失兩人，只得加快腳步，縮短和兩人相隔距離。

那大漢和道姑久居此處，地勢山態，均甚熟悉，夜暗中仍是放腿急奔。

陶玉追在兩人身後，翻越過幾道山嶺，眼前境界突然一變。

只見四面綿連山勢，環抱著三座並立的山峰，中間一座特別突出，陶玉極盡目力，才看出峰上是一座規模宏大的廟宇，心中暗想：這座廟宇可能就是傳言中的三清宮，這座山想必是金頂峰了。

就在他略一忖思間，那大漢和道姑已消失了行蹤。

陶玉轉身逸塵著飛，到達中間峰下一看，原來峰下長著一片松林，想兩人必是進了林中。當下不再猶豫，沿著一道小徑，向林中走。這片松林，橫深也不過十丈左右，陶玉走了一刻工夫，仍然還在林中。

他本是極端聰明的人，走一陣不見出林，立時覺出不對。細心查看小徑，果然是七折八轉，彎來彎去，知道這片松林中早已布置了五行生剋陣圖，如果盲目亂闖，就是走上一夜，恐怕也難得出去。略一沉思，縱身而起，足踏林梢，向前飛行。

這片松林中布置的路徑，只是普通的五行變化，陶玉縱上林梢後，林中五行變化作用頓失，被他從林梢上飛渡而過。

越過松林，出現一道通上山峰的小徑。陶玉心細膽大，看小徑盤繞而上，走起來耽誤時間不說，恐怕還有埋伏，乃提一口丹田真氣，從那峭壁間攀登而上。

這座山峰，大約四、五百丈高低，陶玉攀躍峭壁間，只停下換了兩、三口氣，已然登上峰頂。

借著繁星微光看去，只見數丈外矗立著一座廟宇，房屋連綿，殿脊重重，不下數百間。陶玉心中暗道：這樣大的規模，裡面道士定然不少。

正待飛身躍入，突見左側數丈外人影一閃，直向廟中撲去，身法快速絕倫，眨眼間消失不見。

陶玉吃了一驚，暗道：這人身法，比我高出很多，除非是崑崙三子之一，料他們門下弟子也難有這等功力。但如是崑崙三子，何不堂堂正正從大門進去，這等越房翻屋做甚？難道我陶玉今夜碰上了同路之人不成？心中轉了幾轉，已料定所見人影決非崑崙三子，如不是崑崙派的仇人，深夜前來窺探，定是武林高人造訪。

這一來，增加了陶玉幾分戒心，當下一挫腰施出「蜻蜓三點水」身法，一連三個飛縱，已到廟外，縱身躍上圍牆。

圍牆裡面，是一座三畝地大小的院子，院中綠篁矮松，經人工修剪得十分齊整，一道用白色碎石鋪成的甬道，由修竹矮松中穿過，二門前面是九層石級，左右兩邊都是密連房間，兩扇紅門大開著，似是毫無一點防備的樣子。

陶玉雙臂一抖，縱上屋面，伏在房脊後，向裡面探看。

二進院裡種的是花樹，數百盆盛開的菊花，散發出陣陣芳香。院子盡處聳立著一座大殿，殿門外分掛著兩盞垂蘇宮燈，殿裡面高燒四支兒臂粗細的紅燭，火光熊熊，照得十分明亮。供案上玉鼎中香煙裊裊，供奉的神像，卻被那緊閉的黃緞神幔遮住。

陶玉從屋面繞到大殿後邊。大殿後又是一片連綿的房屋，遙見這重殿內燭火輝煌，規模似乎比第一重殿更大。

陶玉繞屋蛇行，單走暗處，又到了第二重大殿後面。再往後看，景物已大不相同，二重大

殿後，卻是一片風景秀麗的庭院，假山花樹，小溪潺潺，房舍疏落，都依著山勢築成。

陶玉從觀門闖過二重大殿，直入後園，連一個當值的弟子也未看見，這樣一座宏大的道觀，靜蕩蕩的，好像無人居住一般，這就使他更覺著高深莫測。

驀地裡，一聲清叱自假山後面傳出，接著兩條人影一先一後飛出來，陶玉看那兩人身法均甚快捷，趕忙隱入暗處，他不過剛把身子藏好，兩條人影已電奔而到。

同時一陣窗門聲響，眨眼間湧現出十四個道人。

這時，前面那奔逃之人，已到陶玉三、四丈處，四個道裝仗劍的人，列隊截住了那人去路。

那人全身黑衣黑紗蒙面，身體嬌小，靈快無比。四個道人一字橫排，同時出劍攔擊，陶玉隱身觀戰，看四個道人劍招都很迅快，只見銀芒閃動，一齊攻到。

哪知黑衣人出手更是奇快無倫，嬌叱聲中，一道白光自手中飛出，只聞格格幾聲交鳴，四柄劍全吃他一招擋開，而且還把首當其衝道人的長劍震飛出手，四個道人也被他逼退了兩步。

但這一擋之勢，那緊追之人，已到身後，寶劍疾出，指向那黑衣人的背心。

黑衣人反手一招，封開長劍，手中兵刃左掃右打，瞬息間連攻三招。

陶玉細看那黑衣人手中兵刃，是一支兩尺左右的玉簫，這時他突然想起來江湖上傳言的女魔玉簫仙子來。

當前黑衣人除了手中兵刃是玉簫外，而且身體亦很嬌小，一望即知是個女人。

和玉簫仙子動手的，是個中年道姑，羽衣星冠，面貌姣好，手中寶劍迅若游龍，功力並不在黑衣人之下，兩人轉眼已對拆了十四、五招。

突然那道姑急攻兩劍，躍出了圈子，橫劍喝道：「你是不是玉簫仙子？」

黑衣人格格一陣嬌笑，揚了揚手中玉簫答道：「不錯，看你劍法裝束，定是慧真子了？」

這時，崑崙派中弟子，已陸續聞警趕來，陶玉見剛才在松林和道姑比劍的大漢亦在其中，單他一人是疾服勁裝，其他人都是穿的道袍，有男、有女，不下二十多人，分守四周，把玉簫仙子圍在中間。

那羽衣星冠的道姑正是慧真子。她和一陽子、玉靈子等，離開了祁連山後，就回到崑崙山三清宮來。澄因大師也隨來西域，崑崙三子都很敬重澄因，特替他在金頂峰後，風景絕佳之處，闢了三間靜室，讓他住下。另遣派一個小道童，服侍他生活起居。

沈霞琳又經常到後山看他，老和尚本就極愛清靜，那金頂峰後不但幽靜，而且山色水光，景美如畫，老和尚有此良好居處，也就很安心地住了下來。

且說慧真子聽說來人是江湖道上聞名喪膽的玉簫仙子後，不禁心頭一震，一面留心戒備，一面又問道：「崑崙派和你素無嫌怨，何以夜入三清宮來窺探？」

玉簫仙子又一陣格格嬌笑，道：「我來你們三清宮原爲找一個人，但你不問青紅皂白，就逼我動手，怎麼還能責怪我呢？」

慧真子一想：不錯，果是自己逼她出手。但她不投刺拜山，而在深夜中，闖進三清宮，也有違武林中的規矩。當下微微一笑，說道：「你既是找人，就該堂堂正正地來訪才對，爲什麼深夜闖了進來？」

玉簫仙子笑道：「我怕堂堂正正來找他，他躲起來不見我，所以才夜中進來找他。」

慧真子聽得一怔神，暗想道：除了大師兄這幾十年中的行動，我不盡知道以外，崑崙派

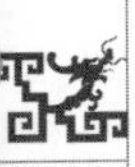

再也和她攀不上一點關係。她要找人，究竟是找誰呢？要知玉簫仙子在江湖上是極負盛名的人物，能和她牽纏關係的人，決非普通無名之輩，這就使慧真子想到了大師兄一陽子的身上，他們師兄妹分手了三十多年沒見過面，三十餘年歲月，不能算短；這中間可以發生很多事情……想到這裡，慧真子不覺臉色大變，冷笑一聲，問道：「你要找什麼人？非得夜裡見他不可？」

玉簫仙子笑道：「你們崑崙三子門下，可有一位名叫楊夢寰的嗎？我跋涉萬里，遠來西域，專門爲找他……」

話未說完，驀聞身後宏亮的聲音接道：「不錯，崑崙門下有一名叫楊夢寰的弟子，你找他有什麼事？告訴我也是一樣。」

玉簫仙子轉臉望去，只見二丈外站著一個道袍長髯的人，背插寶劍，正是玄都觀主一陽子。她和一陽子有過一面之緣，當下一聲嬌笑，道：「玄都觀主別來無恙，你幾時回到三清宮來啦？」

一陽子冷冷答道：「三清宮是貧道出身之處，難道我不能回來嗎？」

玉簫仙子性格本極自傲，但此刻她竟變得十分溫和，微微一笑道：「我只是找他問幾句話，並沒什麼大事，不知能否容我一見？」

說著話，兩道眼神卻借機向四周尋望。

一陽子素知玉簫仙子狂傲不馴，是江湖上著名難惹的女魔頭。他想：剛才對她言詞極是難聽，定會招惹起她的怒火，哪知玉簫仙子卻一反常態毫不動氣，這確實大出意料之外，沉思一陣，答道：「你找他到底爲什麼？先告訴我。如果他確有不對之處，我定重予責罰就是。」

玉簫仙子聽完話，知他誤會了自己心意，但又不能當真把心中所想之事，說了出來，就是

想編個謊言，一時也難想得出來，不覺呆在那兒，答不上話。

慧真子究竟是女人，女人家心思較爲細緻，看玉簫仙子發呆神情，心中突然一動，暗自忖道：看她模樣，似是非爲尋仇而來，只是一時間，難以推想出個原因。

當下長劍一揮，圍在四周的崑崙門下弟子，紛紛收了兵刃散去，全場中只餘下了一陽子和慧真子兩人，一左一右地把玉簫仙子夾在中間。

慧真子收了寶劍，走近玉簫仙子，合掌一禮，笑道：「難得芳駕光臨，寒山生輝不少，剛才開罪之處，尙乞大量海涵。夜深露重，請入茅舍，讓我們一盡地主之誼。」

玉簫仙子趕忙還了一禮，道：「深夜中不速造訪，內心已感不安，怎麼好再打擾兩位呢？」

慧真子笑道：「我久已聞大名，仰慕萬分，今宵能得會晤，正慰半生渴望，只恐寒山深夜，無美物以待佳賓。」說完，合掌肅容。

玉簫仙子略作沉思，即隨慧真子向假山後面走去，一陽子默然走在最後，心中疑竇重重，他百思不解這縱橫江湖的女魔頭，爲什麼要找夢寰？

轉過了假山一角，翠竹環繞著兩座房舍。慧真子搶幾步到了一座較大房子門邊，打開垂簾，把玉簫仙子、一陽子讓入房中。

這座房子，正是慧真子住的地方，中間客廳裡木几竹椅，打掃得纖塵不染，一支松油大燭，高燃在屋角特製的竹架上。慧真子剛讓兩人落了座，垂簾起處，走進來一個妙齡道姑，手托茶盤，臉含微笑，先送給玉簫仙子一杯茶後，又依序托茶盤送給了師伯、師父，然後垂手侍立在慧真子的身側。

玉簫仙子端過茶，看了一眼，順手放在木几上。一陽子微微一笑，卻把手中一杯茶仰臉喝乾，放下茶杯，問道：「芳駕莅臨三清宮，可單是爲找劣徒楊夢寰嗎？」

玉簫仙子陡然取下蒙面黑紗，笑著點頭接道：「不錯，我夜擾鶴駕，只是找他問幾句話。」

慧真子見她取下蒙面黑紗後，不覺微一怔神，她怎麼也想不到這個名滿江湖的女魔頭，竟是個千嬌百媚的大姑娘。

玄都觀主過去雖和她有過一面之緣，但她始終未取下過蒙面黑紗，故而並未見過她真正面目，此刻驟然一見，也是大出意外。

只聽玉簫仙子一陣銀鈴般的嬌笑後，說道：「我在祁連山時，見他一面，那時他正臥病在一道荒谷中，我一時動了惻隱之心，竟冒險到大覺寺，偷了人家一粒雪參果給他醫病……」

說到這裡，這位豪情奔放的女魔頭，突然流現出了女兒情態，暈生雙頰，含羞垂頭，緊接著又一聲幽幽長嘆。

一陽子、慧真子，雙雙吃了一驚，相對望了一眼，臉上都微微變色。

玄都觀主沉吟一陣，道：「承蒙援手劣徒，貧道十分感激，待他回山後，我定當帶他當面叩謝……」

玉簫仙子突然抬頭，星目中神光電閃，急忙截住了一陽子的話，問道：「怎麼？他還沒有回崑崙山來？」

一陽子看她緊張神情，心中愈覺事情嚴重，側望師妹一眼，答道：「不錯，他還沒有回來……」

玉簫仙子霍地起身，臉上微現怒意。一陽子知她急怒起來，出手就要傷人，一面運功戒備，一面注視著她的一舉一動。

突然，玉簫仙子滿面忿怒之色，變成了一臉的幽怨愁容，黯然嘆了口氣，緩緩又坐了下去，凝睇著一陽子問道：「是他不願意見我呢？還是他真的沒有回來？我又到祁連山去過了，可是沒有找到他……」

一陽子見她神情忽變悽惋，倒是大出意外，因爲玉簫仙子在江湖上是出了名的手辣心狠。怔了一下神，正色答道：「楊夢寰是我的門下，如果他真犯了什麼大錯，別說你不肯放過他，就是崑崙派的門規，也不會縱容他逍遙法外。」

玉簫仙子不停地搖著頭，接道：「他沒有犯什麼錯，你不能胡想亂猜。」

燭光下，只見兩顆晶瑩的淚珠，順著她粉腮滾下。

慧真子看她神情，心中已了然不少，微微一笑，接道：「我大師兄素來不打誑語，楊夢寰確實沒有回到三清宮來，你如不信，儘管搜查就是。」

玉簫仙子悽惋一笑，慢慢站起身子，道：「不管他去何處，我總是要找到他的。他活著我要見他，死了我也要看看他的屍骨。」

說著話，向門外走去。

慧真子搶上幾步，到了玉簫仙子身後，說道：「難得芳駕光臨，小住幾天再走如何？」

玉簫仙子扭過頭，黯然一笑，答道：「你們這裡，我以後會常來的。」

說罷，縱身一躍，已到了兩丈以外，接著又一個縱身，消失不見。

慧真子嘆息一聲，返身入室，望著一陽子十分凝重的臉色，道：「唉！你收這個徒弟，害

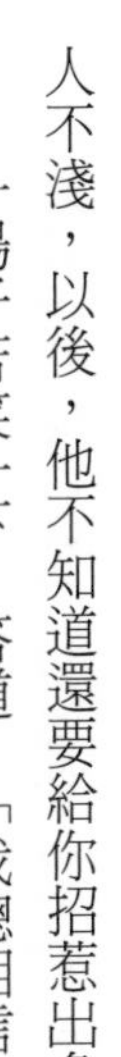

人不淺，以後，他不知道還要給你招惹出多少煩惱？」

一陽子苦笑一下，答道：「我總相信寰兒不是壞人，心地忠厚，才德兼備……」

慧真子哼了一聲，道：「我也沒有說他壞呀！就是因爲他太好了，所以才給你招惹煩惱，將來他要有一點對不住琳兒的地方，我就找你算帳。」

一陽子搖搖頭，嘆了口氣，站起身子，道：「夜深了，你也該休息了，有事我們明天再談吧！」

慧真子搶到門口，望望天色，笑道：「天還不到三更，經玉簫仙子一攪，我的心也被攪亂了，不但睡意全消，而且也難安心用功，咱們下盤棋，你再走好嗎？」

一陽子自回到金頂峰後，爲怕引起玉靈子的不快，就盡量避免和慧真子接近。現在慧真子留他下棋，心中極是爲難，既不好答應，也不好拒絕。正在沉吟難決的當兒，突聞一陣裊裊簫音傳來，聲雖不大，但卻婉轉動人，如泣如訴，千回百折。

慧真子聽那簫聲，越來越覺悽惋，直如嫠婦夜泣，腸斷深閨，杜鵑啼血，魂銷三峽，慧真子不知不覺間已受那簫聲感染，兩行淚珠，奪眶而出，轉臉看待守在身側的弟子童淑貞時，早已哭得和淚人一般。

只有玄都觀主沒流出淚來，但他臉上神情，亦滿是黯然感傷。看樣子只要他再聽上一陣，勢必受簫聲感染不可。

所幸那簫聲逐漸遠去，慢慢消失耳際。

慧真子嘆了口氣，道：「江湖傳言，玉簫仙子一支玉簫吹得出神入化，今宵一聞，果然不假，我也沉醉在她那婉轉簫音中了。」

一陽子臉色凝重，望了慧真子一眼，道：「你如細辨她那簫聲，就覺她並非吹奏什麼調子，而是把一腔幽怨，借玉簫音律發洩出來，妙音自成，心聲合一，自然能感人肺腑，看來她和寰兒之間，確使人有些懷疑費解了。」

慧真子怔一怔，星目中神光電閃，逼視住一陽子臉上，問道：「你總是說寰兒心地純厚，看來全是欺人之談。朱若蘭人比皓月，玉簫仙子名滿江湖，這兩人都非平常之人，難道人家都自甘下賤，效春蠶作繭自縛不成？沈霞琳是你薦入了我的門下，我不願看到她抱恨一生。近數月來，她那純潔無邪的心靈之中，已填滿了懷念、憂鬱，人漸消瘦，性情大變，一個善良天真的孩子，漸漸地沉默寡歡，不言不笑，她沒有跟我說過，但我做師父的卻不能不管，據我觀察所得，她純是爲了思念你那寶貝徒弟所致。」

慧真子越說越氣，到最後幾句話，更是聲色俱厲，偏巧童淑貞又接著師父的話把兒，說道：「師父，琳師妹對我說過，她很想念寰哥哥，她說黛姊姊的大白鶴飛得很快，寰哥哥要回來早就該回來了，不回來一定是不喜歡她了。」

這幾句話，無疑是火上加油，只引得慧真子怒火千丈，臉若冰霜，全身微微顫抖，突然她一咬牙，凝注一陽子問道：「要是你那寶貝徒弟，見異思遷，目無尊長，惹下情孽，害了我的弟子，你要怎樣辦他？」

一陽子苦笑道：「我教育了他十二年，據我十二年觀察所得，寰兒決不是負情無義之徒，這中間也許有很多曲折，等他回山後，我一定追問清楚。如他果有背師欺祖之事，犯了我們派中戒律，我當然不會饒他。」

慧真子聽他仍替夢寰辯護，怒火更是難耐，厲聲喝道：「你認爲他還會回來嗎？琳兒對她

師姊說得不錯，要回來他早該回來。」

一陽子默算時間路程，就是楊夢寰不借朱若蘭靈鶴，憑他腳程也該回到崑崙山三清宮了，半年多時間，仍不見他回來，中間確實有很多可疑，不覺呆了一呆，答不上話。

慧真子冷笑一聲，道：「如果你不捨得以派規處置自己親手教出來的弟子，我自會稟請掌門師兄傳下令諭，以派規治他。」

話到這兒，陡然想起了朱若蘭替自己療治蛇毒之恩，突然收住了口，緩步向內室走去。

一陽子望著慧真子的背影，搖搖頭，輕輕嘆息一聲，緩步出房，剛才那獻茶道姑，搶幾步跪送門邊，說道：「弟子童淑貞恭送師伯。」

一陽子回頭揮揮手，道：「你師父今夜心情不好，你要好好地侍候她。」

童淑貞答道：「弟子敬領師伯訓諭。剛才一時失言，致害師父和師伯生氣，弟子慚愧死了。」

一陽子笑道：「我不怪你，你起來吧。」說完，繞著假山曲徑，慢步而去。

再說金環二郎，尾隨玉簫仙子等，到了慧真子的住處，隱身在暗中偷看，把室中經過情形，大致都看在眼內。他跋涉萬里到金頂峰來，主要的是爲了尋霞琳，其次是想暗算崑崙三子，以雪祁連山中之恨。他只知玉簫仙子來找夢寰，爲什麼事找夢寰他沒聽清楚，因爲距慧真子等幾人談話處甚遠，對幾人談話內容，只斷斷續續聽得一部分。

玉簫仙子走後不久，隨即聽得她那悽惋欲絕的簫聲，這簫聲又驚動很多崑崙門下弟子，仗劍在房上巡視。後來，幾個巡視的崑崙門下弟子，都爲那簫聲感染，靜靜地站在那裡聽了起

來。

陶玉不知不覺間，也為那簫聲所感，直待簫音逐漸遠去消失，他才清醒過來。接著又見一陽子和慧真子爭辯起來，慧真子負氣進了內室，一陽子也離開了慧真子的房間。

陶玉看天色，已是三更過後，但始終未見霞琳露面。放眼望去，到處是房舍聳立，如果盲目搜尋，勢必要驚動崑崙派門下弟子，一露行蹤，事情就更難辦，不如暫時退出三清宮，在金頂峰附近藏起，慢慢地待機會下手。

他思忖一陣，定了主意，立時悄然退出了三清宮。

陶玉在金頂峰附近一連守候了十幾天，三度冒險入觀，但始終沒有遇得霞琳。

因為他行動謹慎異常，潛伏金頂峰附近十幾天，竟未被發現行蹤。

不過，這十幾天來，他生活也確夠艱苦，隨身攜帶的乾糧，早已食用完畢，再加上數日不停的大風雪，鳥獸絕跡，就是想打點飛禽走獸充饑，也難如願，他又不能明目張膽地滿山去打，只有採些松子、水果之類充饑。

到了第十三天，金環二郎已自覺難撐持下去，決定入夜後，暫時離開金頂峰，出山去休息幾天再來。

這座金頂峰，也就不過有百畝大小，三清宮就占去了大半地方，所幸山峰四周，滿生著千年古松和嶙峋的怪石，陶玉十幾天來，不是藏身在古松枝葉茂密之處，就是躲在嶙峋怪石之間，再加上一連七、八天不停的大風雪，其苦可知。但這八、九天風雪之困，卻使他武功精進很多，又把那「拂穴錯骨法」中十二式奇奧變化，思索通達。

就在陶玉打算離開金頂峰的夜裡，一連七、八天不停的大風雪，突然雲散雪止，重疊山峰，捧托出一輪明月，雪光星華交映成一片銀色世界。

陶玉躍攀上了一株巨松，極盡目力，搜尋下山之路，他不願在金頂峰上留下一點痕跡。因爲那痕跡要被崑崙派的人發現了，必然要提高警覺，加強戒備，那對他再來金頂峰的妨害太大了。

突然間，由三清宮中躍出來兩條人影，聯袂飛奔而來，陶玉看兩人身法雖快，但並不比自己高明，已知非崑崙三子，心中暗自笑道：我正愁著這厚積雪，下山時必將在峰山留下腳印痕跡，有他們兩個替人開路，踏著他們留下的腳印而進，倒是不錯。

心念轉動之間，兩人已到了他藏身的巨松下面停住。陶玉細看兩人，都穿道裝，背插長劍，只聽右面一個年紀小一點的笑道：「四師兄，三師叔新收一個俗家弟子，你見過沒有？」

右面一個年齡較大的搖搖頭答道：「都說三師叔新收的弟子嬌艷如仙，可惜我沒有見過。」

那年輕的嘆口氣，接道：「三師叔新收弟子，我倒見了兩次，果然是秀美絕倫，過去我們一般師兄弟和師姊妹間，女的以童師姊武功最好，人也最美；男的以大師兄人最英俊，武功成就最高，兩人也最受師父和三師叔器重，繼承師父和三師叔衣缽的，也非他們兩人莫屬，但自三師叔又收了那位新師妹，和大師伯回到三清宮後，這種情勢，好像有些轉變了。第一是三師叔對新收弟子寵愛日深，童師姊還能否承繼三師叔的衣缽，已成了難定之局，這件事究竟如何？只不過這是童師姊個人的事情，最重要的還是大師兄的首座弟子名位，也發生了問題。」

那年長的似是受了很大的震動一般，急聲問道：「怎麼？大師兄的首座弟子名位，也有了

變更嗎？」

那年輕的點點頭，接道：「一個月前，師父、師伯和三師叔，在丹室中議事，正好輪到我守值，因而聽得了三位師長一點談話內容。當時聽到，還不盡了然，但事後一經推想，我就完全明白了。」

左面道人聽得甚是入神，連聲催問道：「究竟是怎麼回事？快點說給我聽。」

那年輕的道人又長嘆一口氣，道：「四師兄，你大概知道，我們崑崙派這一代掌門人，是應該大師伯出掌，但大師伯性若閒雲野鶴，不願接掌門戶，所以在師祖歸真後，大師伯也留書出走，書中明示讓師父接掌門戶，因此，師父才能以非首座弟子身分，接掌了崑崙派門戶，現在大師伯既然回到了三清宮來，而且門下也收了弟子，下一代接掌門戶的弟子，就有了問題。師父既是掌門，大師兄自應被列爲崑崙派首座弟子；再說大師兄，才智、魄力，在我們九個師兄弟中，也沒人能與比擬，名列崑崙派首座弟子，實在是當之無愧。」

那年長的道人點點頭，道：「大師兄才氣縱橫，天賦異稟，大師伯門下就是收有弟子，料也無法和大師兄一爭長短……」

話未說完，那年輕的道人，突然冷笑一聲，接道：「這件事大師伯已是早有預謀，他已把那追魂十二劍私授了門下弟子。我聽大師兄談過，追魂十二劍才真正是我們崑崙派絕學，大師兄追隨師父，已有十六寒暑，可以說盡得了師父真傳，但他也未學得那追魂十二劍招。據說，師伯、師父，相約有言，非經三人同意，都不能把追魂十二劍傳授門下，可是大師伯獨違約言，把追魂十二劍私傳了門下弟子。但最大的麻煩，還是三師叔的一力推薦，她說大師伯門下弟子，天生奇骨，才足重任，他將來必能把崑崙派發揚光大。以後的事怎樣決定，我沒有再聽

下去，大師兄那首座弟子名位能否保住，實在難以預料了。」

那年長的縱目四顧一陣，問道：「你聽的這些話，可對大師兄說過嗎？」

年輕的道人點頭答道：「說過了。」

年長的道人，又急聲追問道：「大師兄怎麼說呢？」

那年輕的道人搖搖頭嘆道：「大師兄對此事好像漠不關心，只淡淡一笑，什麼表示也沒有。」

年長的道人，突然一把拉住他，低聲道：「九弟，這些事，你以後千萬別對人談，要知道私傳師長們談話內容，是違背門規……」

話到這兒，三清宮中突然又飛出來一條人影，疾如流星，眨眼間，已到了兩人丈餘遠處。年輕的道人，由暗影中一躍而出，問道：「什麼人，深更半夜，還要出去？」

來人停往步笑道：「是我，到後山去看沈師妹。」

年輕的道人看清楚了來人後，笑道：「原來是童師姊，恕小弟開罪了。沈師妹可是三師叔新收的那位弟子嗎？」

童淑貞點頭笑道：「不錯。」口中答應著話，人已縱躍飛起，向後山奔去。

兩個道人也同時聯袂躍起，向東巡視而去。

隱身在巨松上的陶玉，不但聽得崑崙派中部份隱密，而且還意外地聽得了霞琳的消息。當下精神一振，躍下巨松，尾隨著童淑貞追去。

金頂峰後面，是一道五、六百丈深的斷崖，崖底一片漆黑，景物難辨，如非有童淑貞引路，陶玉還真不敢冒險下尋斷崖。

下了斷崖後，即轉入一道狹谷，兩邊峭壁夾持，仰臉一絲天光。這道狹谷，當真是名副其實，兩壁之間，只不過一尺多點，勉強可以容一人通行。

這條狹谷，雖然很窄，但並不很長，大約有一里左右，已到盡處。尚未出谷口，先聞到一陣撲鼻清香，沁人心肺，頓使人精神一爽。

陶玉擔心行蹤被人發現，不敢過於逼近童淑貞，隱身在谷口暗處，打量谷外形勢。

只見四面高山環抱著一塊盆地，千萬株含苞梅樹，密布其間，四周高山積雪，中天一輪皓月，雪光、月華，映照著一片含苞梅樹，香風陣陣，景物清絕。

但陶玉卻無心鑒賞這幽美如畫的風景，略一打量谷外形勢，目光又落到童淑貞的身上，只見她繞著梅林小徑，向裡面走去。

陶玉縱身一躍，已到林邊，借梅林掩護，尾隨在童淑貞後兩丈左右處前進。

穿過梅林，到一座斷崖下面，緊靠著斷崖有三間新建的茅舍，竹籬半掩，燭光滿窗，屋中人似乎尚未安歇。

陶玉隱身在一株梅樹後面，看著童淑貞穿過竹籬，向那座茅舍中走去。

他心中暗忖道：這地方雖然風景絕美，但如讓沈霞琳一人在此，實在是夠寂寞了。一向心狠手辣的陶玉，不知不覺間也陷入了情網，沈姑娘在他心中占的地位，愈來愈重要了。

且說童淑貞走入竹籬後，連叫了數聲沈師妹，不聽有人答應，又連呼幾聲師伯，亦不聞相應之聲，不禁心中發起急來，緊走幾步，到了木門外邊，伸手一推，房門應手而開，原來兩扇門都是虛掩著的。

童淑貞一躍入室，燈光下只見澄因大師的鐵禪和霞琳的寶劍，都好好地放著未動，心中鬆下了一口氣，暗道：這半月來風雪未停，難得今夜放晴，又有這樣好的月光，也許他們出去賞月了。

她在茅舍中坐了一會兒，靜想一陣，又覺著事情不對，因天色已快三更了，就是去賞月，也早該回來了。

心念一動，霍然離座，一個縱身飛出茅舍，剛剛腳落實地，驀聽一聲大喝道：「什麼人？三更半夜來此做甚？」

隨著那大喝聲，竹籬外流矢般射進來一條人影。

童淑貞已聽出那是澄因大師聲音，急忙向旁邊一閃，答道：「師伯不要誤會，晚輩是童淑貞，奉了師父令諭，來接沈師妹回去。」

老和尚來勢快，收勢亦快，僧袍拂處，急撲的身軀突然收往，長長地嘆了口氣，道：「你是來接琳兒的嗎？」

童淑貞定神看去，月光下，只見澄因慈眉愁鎖，滿臉憂愁疲倦，不覺大吃一驚，道：「師伯，你……你老人家怎麼啦？沈師妹呢？」

老和尚搖搖頭，又一聲嘆息，道：「你來得正好，待我取點東西，再帶你去看琳兒。」說完，向房中走去。

童淑貞心中雖甚焦急，但她卻不好急口追問，只好耐著性子等待。

片刻工夫，澄因吹熄房中燭光，肩橫禪杖而出，杖柄還掛著一個小包袱，童淑貞心頭一震，問道：「師伯，你不是帶我去看琳師妹嗎？怎麼連兵刃衣服都帶上了呢？」

老和尚苦笑一下，道：「我要到括蒼山去一趟。」

童淑貞又是一愣，道：「師伯到括蒼山去做什麼？」

澄因大師突然一瞪雙目，仰臉望著天上一輪皓月，大笑一陣，道：「我要去找楊夢寰回來。」

童淑貞聽澄因大師笑聲中充滿悲忿，登時感到事態不同尋常，略一沉吟，說道：「師伯先帶晚輩去見見沈師妹再說。」

澄因大師黯然笑道：「自然要帶你見她後，我才能走。」說完，轉身向外走去。

童淑貞默默地跟在澄因身後，心中疑竇重重，一時間極難想出原因何在？出了竹籬，穿梅林向東而行。老和尚心中發急，越走越快，童淑貞只好施出飛行功夫，隨後緊追。

一陣工夫，到了一座高峰下面，澄因停步回頭問童淑貞道：「你能不能從這斷崖攀登上去？」

童淑貞仰臉望去，只見當前山峰，是環抱四周峰中最高一座，峭壁陡立，滿積冰雪，所幸峭壁上面有很多枯松岩石，可以接腳，估計借那矮松突石之助，還可以勉強攀登，點點頭道：「晚輩大概能夠上得。」

澄因心中惦記霞琳，也不再多問，縱身一躍，當先向上攀去。

這一陣攀登峭壁，耗盡了童淑貞全身氣力，到達峰頂，已累得她全身是汗，嬌喘不息。她緩了兩口氣，再看澄因時，老和尚已奔到峰中一塊數丈高的大石下面。

童淑貞猛提一口真氣，連著幾個縱躍，也到了那大石上面。

這座山峰雖是附近群山中最高的一峰，但峰頂卻是不大，而且到處是積雪堅冰，直似玻璃造成一般，放眼一色銀白，月光下晶瑩透明。

只見峰中那座獨立的山石，沒有被冰雪掩蓋，抬頭望去，只見一個全身白衣的少女，面東佇立石上，刺骨山風，吹得她衣袂和長髮飄飛。

童淑貞心頭一酸，尖叫一聲：「沈師妹！」一縱躍上巨石。

那巨石上站著的白衣少女，正是沈霞琳，她似乎已失去了知覺，僵直地站在那兒一動不動，對童淑貞那聲充滿著驚恐的尖叫，渾如不覺，連頭也未轉一下。

童淑貞慢慢地站在她面前，月光照射下，看她流在腮間的淚水，已凍結成了兩道冰痕，白色的衣裙上，大都也凝有冰屑。

她仍是那樣呆呆地站著，像一座用美玉雕刻成的觀音神像，是那樣聖潔、莊嚴。

童淑貞緩緩地伸出右手，輕輕地握著她的一隻玉腕，只覺如握到了一塊寒鐵般。

轉臉見澄因肩橫禪杖，滿臉傷痛地站在一側，這位皈依三寶的佛門弟子，眼眶中也含著一片晶瑩的淚水。

只聽老和尚黯然一聲長嘆，道：「她站在這峰頂大石上，到現在已經是兩天一夜多了，沒有哭，也沒有言語，就這樣站著，挺受著風吹雪打，我陪她站了兩天一夜，替她拂拭著身上的積雪，兩天一夜中，我進用了兩次食物，但仍是難以熬受這峰頂酷寒，她卻滴水未進，真不知道這是種什麼力量支撐著她……」

老和尚話到這兒，雙目一閉，滾下來兩行淚水。

童淑貞嗚咽著，問道：「她既然滴水未進，如何能支撐住。師伯，你總得想辦法救救她呀。」說著話，兩臂一伸，向霞琳合抱過去。

澄因大師左臂一橫，攔住童淑貞，道：「現在她人已經快凍僵了，你這一抱之勢，恐怕會傷了她，要知一個內功有基礎的人，一遇外力侵襲，其本身自然能產生一種抗拒之力，抵禦侵襲，現在她全身血氣都已凝結抗拒寒冷，不過，以她功力而論，決難熬受這樣長的時間……」

童淑貞截住了澄因的話，反問道：「你老人家既然知道她難以抗拒峰上酷寒，爲什麼不早把她扶下峰去呢？」

澄因又嘆息一聲，答道：「這半月來，她已相思成癡，每天問我，寰哥哥爲什麼還不回來，從晨至暮，何止千遍。最初幾日我還可以哄騙幾句，慰她愁懷。但時間一久，她知我是在騙她，再也不肯相信我的話了，每天倚門而坐，只望著那滿天風雪發呆，再也不問我什麼了。」

童淑貞自和霞琳相見之時，對她甚是憐愛，現下見她這等神情，心中極是痛惜。聽完老和尙幾句話，不及思索，就脫口責道：「那你爲什麼不把她強留在茅舍中，卻放她跑到這峰頂之上受寒風侵襲之苦？」

澄因搖搖頭，道：「她如果每天痛痛快快哭一場，把那一腔幽傷情懷發洩出來，我也不會隨她心念所欲放她出來，但她終日裡倚門獨坐，不言不笑，我雖想盡辦法逗她說話，她只是一聲不響，直坐了兩天兩夜，在我苦苦勸慰之下也只吃了一點水果而已。」

童淑貞無限感傷，搖著頭，嘆道：「這麼說，她已經四、五天未吃東西了？」

澄因老淚縱橫地答道：「唉！這孩子要再餓下去，恐怕難以再支撐得住了。她懷思成癡，悲傷中元，再加上饑寒交加，以她那點內功基礎而論，很難再熬受三天。」

童淑貞幽幽追問道：「那她又怎麼會走到這峰頂來呢？這等嚴寒之處，冷風如針刺骨，別說琳師妹數日未進過食物的嬌弱之軀，就是師伯恐怕亦難熬受上三日五夜。」

澄因突然放聲一陣呵呵大笑，發自丹田，聲劃夜空。童淑貞聽那笑聲，極是特異，激昂、悲忿，直若傷禽長嗚。

老和尚停住笑聲後，頂門上的汗水和眼中熱淚，混如雨落，半晌工夫，他才長長的吁了一口氣，答道：「前天寅時光景，不知怎的，她會突生奇想，告訴我說，寰哥哥快要回來了，她要到最高的一座山頂上去看他。我初聞之下，心中甚覺奇怪，難道精誠所感，果能靈犀相通嗎？後來我細鑒她臉色神情，果是若喜若愁，但瞬息間又是一臉茫然，忽而輕輕嘆息，忽而又作微笑。經我一番思慮後，知她是半年來日夜相思，愁懷難解，陷入了一種幻覺之中。我雖明白了她是受幻覺所至，但卻不敢去攔阻揭破，只怕一旦揭破，支撐她的精神潛力陡然消失，一病倒療治不易，只好隨她心念，來到這座峰頂上，今夜雪停雲開，我才能趁機會暫離峰頂。」

童淑貞咬牙切齒，恨聲說道：「可恨楊夢寰負心忘情，害得琳師妹這等模樣，我一定要懇求師父，請命掌門師伯，傳下令諭，按派規治他一個死罪。」

澄因大師突然慈眉軒動，雙目圓睜，面現殺機，冷笑一聲道：「不用你稟請師父，老衲也饒不了他。此次東行，如尋得楊夢寰，必要他濺血杖下……」

澄因話未說完，突聞身後一個熟悉宏亮的聲音接道：「寰兒要當真背棄了師門訓誡，不用你動手，我也放不過他，不管他走避到什麼地方，踏遍了天涯海角，我也要把他追殺劍下。」

澄因轉頭望去，不知何時，一陽子已到了他們身後兩丈左右。月光下，一陽子已飄身躍到了霞琳身側，細看沈姑娘僵立模樣，也不覺一陣感傷，長長嘆息一聲，道：「這孩子恐怕已受

傷不輕，咱們得先救了她再說。」

說完，右掌疾向霞琳背後「命門穴」上拍去。

澄因大師陡然一欺步，左掌一招「迴風弱柳」，把一陽子右手逼開，冷冷說道：「你既知她受傷不輕，怎麼能輕率出手，你這一掌可以救她，但也可以置她於死地，要是毫無危險，我早就出手救她了，還用等到你來不成？」

一陽子自和澄因大師相識之後，彼此互尊互敬，從未見過老和尚用這等冷竣的辭色對他，不覺又微一怔神，退了兩步，笑道：「半月來風雪未住，今夜幸得放晴，我特來邀你踏雪賞月。哪知你籬門緊閉，人早不在，如不是你那聲搖山震林的長笑，只恐我還得一陣好找……」

澄因不容一陽子把話說完，又冷笑一聲接道：「我和琳兒已在這峰頂上熬受了數日夜風雪之苦，疲倦得很，恕已無陪你踏雪賞月的雅興了。」

一陽子仰臉望月，呵呵一陣大笑，道：「我們數十年交稱莫逆，難道你對我爲人還不了解嗎？我一生中只收過兩個弟子，大弟子已遭我逐出門牆，他哭求丹室三日夜，流盡血淚我都未允他重返師門，戲言以藏真圖折罪恕過，害得他濺血在玄都觀前；楊夢寰如真行出規外，我絕不會放縱他逃出劍下。你們剛才的話，我已聽得大半，你如一定要到括蒼山去，我自當奉陪一行，現在我們應該先設法救了琳兒。」

澄因大師只覺得一陣感傷，搖搖頭，嘆道：「我受琳兒的娘托孤之重，爲了她我不能遁跡深山，斬斷塵緣，她如有個三長兩短，叫我如何對得住她死去的娘……」

老和尚一時情急，口不擇言，吐露了他胸中部份隱密，一陽子卻微笑著，接道：「霞琳已投入崑崙門下，來日風波，我們絕不會置身事外，現下先設法救她要緊。」

澄因心頭一凜，轉眼望著霞琳，道：「只怕她數日夜內慟外寒，元氣已傷耗殆盡，下手救她，反而會早害了她。」

一陽子這才緩緩伸手，輕輕觸在霞琳額角，只覺如觸冰雪，當下心頭一涼，道：「你怎麼能放任她在這峰頂上待了數日夜之久，要知這峰頂上的冷風，含有萬年積冰的陰寒，就是功力比她再深厚些，也難抵受得住，現在連我也不敢貿然下手推活她的血道了。」

澄因沉思一陣，突然對一陽子道：「我們去找你徒弟楊夢寰回來救她。」

一陽子皺皺眉，奇道：「我都沒有把握，他如何能救得了呢？」

澄因苦笑道：「那就讓他親手把琳兒治死，總比你我治死她好些。」

一陽子呆了一呆，才想通澄因話中含意，看他心情激動，臉色沉重，一時間想不出適當的措辭回答，只好長長嘆息一聲，默然不語。

驀然裡，一縷悽惋的簫聲，遙遙傳來，由遠而近，越來越響。

童淑貞最先受那簫聲感染，熱淚盈眶地抬頭問道：「大師伯，你聽簫聲這等凄涼，可又是那玉簫仙子來了嗎？」

一陽子點點頭，答道：「這女魔頭怎麼還未走呢？」

只聽那簫聲愈來愈覺淒涼哀絕，直如三峽猿啼，絞人夜泣，極度的悲苦之中，又含著幽幽情愁，聽上去，更覺悱惻纏綿，感人肺腑。

一陽子定力雖極深厚，但慢慢地亦爲簫聲所感，澄因大師更是早爲那纏綿簫聲所動，皆因兩人昔年都有一段情傷往事，心靈上刻劃了甚深創痛，是以兩人雖有著數年修爲定力，亦難抗拒那如泣如訴、幽怨淒涼的簫聲魅力。

裊裊清音，愈來愈近，月光下，只見一個長髮披肩的黑衣女人，由東面登上峰頂，手捧玉簫吹奏，慢步踏雪而來。

她似沒有看到一陽子等，竟直對幾人停身的大突石走來。

一陽子等，都沉醉在那簫聲之中，一個黑衣女人登上峰頂，也似渾如不覺一般。

突然，三聲鐘鳴，夾雜在簫音之中傳來，一陽子心頭一震，由昏沉中清醒過來，定神看時，那披髮黑衣女人，已到了突石八、九尺內，正是十餘日前夜探三清宮的玉簫仙子。

這時，她未戴蒙面黑紗，散髮數尺，垂飄背後，柳眉愁鎖，粉頰上滿是淚痕。

一陽子轉臉望澄因時，只見他熱淚盈眶，似尚沉浸在簫聲之中，原來澄因已被那纏綿簫音，勾引起了舊情回憶，數十年前的往事，一幕幕，展現在腦際，那三聲午夜警鐘，竟未把他從沉醉中喚醒過來。

玄都觀主目睹此情，心中突然一動，暗自忖道：沈霞琳悲慟過深，傷了中元，真氣凝聚不散，再加上這數日夜酷寒侵襲，元氣已消耗將盡，全憑著一念癡情，支持著她熬受下去，如待她生命潛力完全耗去，油盡燈枯之時，縱有起死回生靈藥，亦難救得了她。現在下手替她推活穴道，雖然十分冒險，但還有一線希望，老和尚因對她憐愛過深，不願冒此大險救她，此舉無異飲鴆止渴，現下趁他還被簫聲迷醉之時，我何不先替她推活穴道，免得他清醒過來後，又要攔阻，縱能夠把他說服，也得大費一番唇舌，多耗時刻，對霞琳有害無益。

心念一動，右掌猛向霞琳「命門穴」上拍去，緊接著雙手並出，以最快速的手法，又推拿了沈姑娘八處大穴，一陽子心知這一舉動，冒著極大危險，如果這一下推不活她凝聚體內真氣，或者導致她氣血逆行，湧入九處要穴不散，沈霞琳當場就得重傷殞命，那必然要招惹起澄因大師的千丈怒火，不但數十年交情盡付東流，說不定還得來個當場翻臉，動手拚命。

所以，一陽子推拿過沈姑娘九處要穴之後，心中十分緊張，臉上也微現汗水，因霞琳傷得極爲嚴重，他能否解救得了，心中實在毫無把握。

只聽沈姑娘長吁了一口氣，眼珠兒轉動了兩下，悠然閉上，櫻口張處吐出數口鮮血，人便向後倒去。

一陽子早已運功相待，兩臂一伸，接著霞琳嬌軀，盤膝坐下，用推宮過穴手法，推拿霞琳全身血脈。

但見一陽子雙目微閉，兩手不停在霞琳身上走動，頂門上熱氣直冒，汗水如雨。

足足有一刻工夫，才把沈姑娘穴道血脈打通，只見她慢慢睜開眼睛，挺身坐起，目光流動，四面探望，柳眉緊顰，神情茫然，好像這地方對她十分陌生。

突然，她眼光觸到了澄因大師，心神猛然一震，如夢初醒，轉臉又見一陽子盤膝坐在她身側，登時神志全復，緩舉右手，揉揉眼睛，問道：「大師伯，我寰哥哥回來了嗎？」

一陽子心頭一鬆，拂著她秀髮，笑道：「他會回來的，你要好好地靜養著等他。」

霞琳悽惋一笑，道：「我是一定要等他的，十年百年我都不怕。」

一語甫畢，忽覺一縷幽傷簫音，鑽入耳中。

轉頭望去，只見丈餘外月光下，站著一個長髮披肩，全身黑衣的女人，手捧一支玉簫放在唇邊吹奏，音調凄涼，斷腸銷魂，聽一陣，不覺入神，兩行淚水，奪眶而出。

漸漸地，她被那幽幽簫音，勾動了滿腔相思愁懷，終於嗚嗚咽咽地哭了起來。

這一哭，哭出她半年來積存在心中的幽傷愁苦，真是哀哀欲絕，魂斷腸折。

本來就夠悲切感人的簫聲，再混入霞琳那婉轉悲啼，交織成一片悲絕人寰的樂章，剎那間，整個山峰上，都爲一種悲愴氣氛籠罩，愁雲四起。

突然間，簫聲頓住，一縷餘音，裊裊散入高空。一陽子首先清醒過來，霍然起身，抱起霞琳，只見她臉上縱橫交錯的血淚痕跡，都已凍結成冰。

一陽子氣聚丹田，陡然一聲大喝，只似沉雷驟發，澄因、童淑貞，都被這一聲大喝驚醒，老和尚伸手摸下臉上淚水結成的冰條，心中暗叫幾聲慚愧。

玉簫仙子也似乎被一陽子喝聲，由那幽怨情愁中驚醒一般，目光緩緩從澄因、童淑貞等臉上掃過，慢慢地走到了玄都觀主身邊，問道：「楊夢寰回來沒有？」

一陽子冷然答道：「沒有。」

霞琳突然睜開了眼睛，抬起頭，目光盯住玉簫仙子，接道：「你要找我寰哥哥，去問黛姊姊就知道了。」

玉簫仙子哪裡能聽得明白，呆一呆，又問道：「你寰哥哥可是叫楊夢寰嗎？黛姊姊又是什麼人呢？她住在什麼地方？」

霞琳正待掙扎著再答問話，一陽子卻陡然轉身一躍，到了八、九尺外。

玉簫仙子冷笑一聲，黑衣飄動，如影隨形般追過去，玉簫一橫，攔住一陽子去路，道：「玄都觀主，你抱的這位姑娘是誰？爲什麼不讓她把話說清楚就走？」

一陽子長眉一揚，道：「什麼人你管不著。」

玉簫仙子臉泛怒容，道：「我不過看在楊夢寰的份上，不願和你們崑崙三子結怨，你認爲我是怕你不成？」

一陽子只怕她突然出手傷了霞琳，急忙又一轉身疾躍，到了童淑貞身邊，正待把霞琳交出，玉簫仙子已隨後追到。

童淑貞當先出手，振腕一劍刺去。

玉簫仙子隨手一簫，把童淑貞寶劍蕩開，緊接著一招「笑指天南」，把童淑貞逼退三步。

一陽子知玉簫仙子武功奇高，下手毒辣，自己抱著霞琳，萬不能和她動手，只得又向右側躍去。

玉簫仙子心中本不願和一陽子動手，只是想聽霞琳說出夢寰下落，但見一陽子一味左躍右避，不肯讓霞琳接說下去，不覺動了真火，嬌叱一聲，一招「龍形一式」，連人帶簫，猛向玄都觀主撞去。

這一發之勢，快速無倫，一陽子剛剛站好腳，玉簫已挾著勁風點到。

玄都觀主匆忙中一個「落馬回身」，讓開玉簫，飛起右腳，踢向她握簫手腕。

但聽玉簫仙子一聲冷笑，不避敵勢，左掌一沉，纖纖玉指，反取一陽子右腳「太沖穴」，左手玉簫「畫龍點睛」探臂追襲，疾點「氣門穴」。

要知兩個武功相若，或者差別有限的人動手，手中有否兵刃，關係極大，何況一陽子還抱著一個沈霞琳，吃玉簫仙子一招，以攻迎攻的追打，逼得仰身倒退一丈二、三，饒是如此，右腳面仍是被玉簫仙子手指掃中，只覺一陣熱辣辣地生疼。

玉簫仙子正待再施出幾招絕學，先把一陽子制服，以便追問夢寰下落，突覺一股疾猛勁風，由背後襲到。

玉簫仙子久經大敵，聽風辨音已知偷襲者功力不弱，倒也不敢輕敵大意，柳腰一挫，向前躍去，疾比弩箭離弦，讓開一招偷襲，玉簫仙子「寒梅吐蕊」，仍然追襲玄都觀主。

這襲擊玉簫仙子的人，正是澄因大師，適才因聽她連聲追問夢寰下落，心中又動了懷疑，想在她和一陽子答問之間，聽出個所以然來，因而忘了出手攔擊。

哪知一陽子始終避不作答，玉簫仙子急怒間連著幾招快打，一陽子兩手捧著霞琳，無法抗拒，鬧得險象環生。老和尚一看苗頭不對，再要不及時出手，縱然傷不了一陽子，也要傷到他抱著的霞琳，心頭一急，來不及再先發話警告，陡然縱身而上，一杖打去。

誰知玉簫仙子，竟不迎敵，疾躍避杖，仍然逼攻一陽子。

澄因心中更急，怒吼一聲，猛躍追襲，鐵杖一招「潮泛南海」，直向玉簫仙子攻去。

玄都觀主剛才吃了一次小虧，這次也不再冒險還攻，見玉簫仙子來勢奇猛，雙足用力一頓，向左側躍避開一丈多遠。

玉簫仙子正待再施追襲，澄因已連人帶禪杖一齊攻到。

這一次，老和尚含怒施招，威勢非同小可。杖風呼嘯，當頭罩下。

玉簫仙子生性本極狂傲，怎麼還能忍得下去，雙肩微一晃動，陡然側讓五尺，避開了澄因一杖劈打，嬌軀疾轉，玉簫快如電閃，瞬息間攻出三招，分襲澄因「玄機」、「將台」、「氣門」三大要穴。

老和尚吃了一驚，急退三步，禪杖橫掄「力掃五嶽」，捲起一陣狂飆攔腰橫擊。

玉簫仙子一聲嬌叱，左腳後退一步，仰身吸腹一讓，禪杖掠胸掃過，隨勢又一個翻轉身，踏中宮，欺身直進，右腕疾吐，玉簫電奔，一招「春雲乍展」，若打若點，直攻澄因大師「丹田穴」。

老和尚隨著掃出杖勢一躍，向左邊飛出一丈二、三尺遠，饒是他避讓夠快，仍被玉簫仙子掃中僧袍，嗤的一聲輕響，吃玉簫帶下一片僧衣。

這是老和尚三十年來從未遇到過的羞辱，不覺激動真火，慈眉軒動面湧怒容，一聲斷喝，施出生平絕學伏龍杖法猛攻過去。

但見杖影如山，狂風捲起，剎那間把玉簫仙子圈入一片杖風之中。

這時，一陽子已把霞琳交給了童淑貞，手橫寶劍，一側觀戰，看老和尚伏龍杖法威勢奇大，把玉簫仙子罩入了一片杖影中，似是已穩操勝券，心中暗暗讚道：老和尚這伏龍杖法，果然不枉稱獨步武林絕學，比我們追魂十二劍並不遜色。

他心念初動，驟聞一聲清叱，玉簫仙子竟從那排山倒海般的劍影中，躍了出來，接著嬌軀凌空飛起，玉簫仙子探臂一擊，身懸半空，突演絕學，玉簫左飛右舞，瞬息間，化一團白光，當頭向澄因罩下。

澄因大師心頭一震，禪杖急施一招「彩雲聚頂」，舞起一團光幕，護住頭頂。

玉簫仙子人若飛燕，呼的一聲，從澄因頭上掠過，連人帶簫，向玄都觀主攻去。

一陽子看她凌空出簫，竟能收發自如，心中亦甚驚奇，振腕一劍，迎掃過去。但聞得一聲金玉交鳴，玉簫和長劍相接，玉簫仙子就借簫劍一觸之力，嬌軀突然又升了一丈多高，在空中一連兩個翻身，嬌笑聲中，玉簫又向澄因大師背後的命門穴直攻過去，迅如飄風，輕靈至極。

老和尚一個急縱，向前躍了八尺，反手一杖「巧打金鐘」，直點過去。

哪知玉簫仙子比他更快，雙腳一觸實地，人又騰空而起，澄因禪杖點到，她已升高了一丈五、六，仰身一個「巧燕翻雲」，又到了一陽子頭上，玉簫閃電擊下。

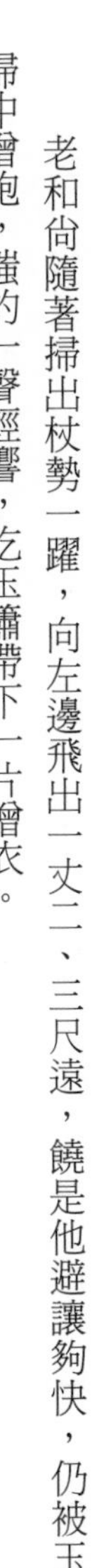

十六　隱身奇人

這一招奇快無比，饒是一陽子久經大敵，也幾乎鬧得手忙腳亂，一個大翻身閃開數尺，劍演「長虹經天」，人劍一齊飛起，猛向玉簫仙子撞去。

只聽又一聲清越的簫劍交響，那玉簫仙子又借一陽子長劍彈震之力，升起兩丈多高，借著下落之勢，又向澄因攻去。

這正是玉簫仙子生平絕技，摩雲十八招，只見她嬌軀如掠波燕剪，穿來飛去，忽攻一陽子，忽攻澄因大師，借兩人劍杖彈震之力，升高攻敵，常常很久不落實地。

初打一陣工夫，一陽子和澄因大師還不覺得有何特異之處，只是感到她輕身功夫，超人一等，借力飛升，運用靈巧而已，但打了一盞熱茶工夫之後，漸漸地覺出不對了，只見她在空中穿飛，花樣愈來愈多，明明是由前面攻來，陡一個觔斗，到了後邊，隨手攻出一簫，就指向要害穴道，有時看她是向澄因大師攻去，但一個轉身，反攻向一陽子來，而且她手中玉簫也愈打愈奇，有時順手一簫就走，有時卻疾攻幾招再退，忽左忽右，來勢難測。

漸漸地，一陽子和澄因大師，都得凝集了全神對敵，這兩大武林高手，竟被玉簫仙子那飄忽如風的身法，鬧得無法還手，空負一身本領，讓盡敵人先機。澄因和一陽子相對而立，兩人相距也就不過是一丈多遠，玉簫仙子像一隻遊空黃雀般，穿梭飛舞在兩人之間，忽而猛攻澄因大師，忽而又指向玄都觀主，玉簫配合著她輕靈的身法，攻勢愈來愈是奇猛，招數也越打越是精奧。

一陽子一面留心防守著玉簫仙子偷襲，一面暗自忖道：這女魔頭，聲名果不虛傳，爲自己生平中所遇有數勁敵之一，我們這樣一味地等她襲擊、挨打，實非長策，不如全力和她搏拚幾招，看看能否把她凌空襲擊的怪異身法破去。

心念轉動，立時提氣行功，準備全力一擊。

這時，玉簫仙子正凌空轉對玄都觀主攻來，一陽子早已有備，猛地大喝一聲，縱身躍起一丈多高，手中長劍疾施一招「萬蜂出巢」，但見滿天銀星流動，反向玉簫仙子罩去，同時左掌凝力不發，待機劈出。

這招「萬蜂出巢」，是追魂十二劍中最爲精奇的一記絕學，劍化千條寒光，如一片狂濤捲下。

玉簫仙子看劍勢這等威力，倒也不敢硬接，當下一沉丹田真氣，突然把疾衝的身子收住，忽地向下落去。

一陽子想不到她身子懸空，仍能這等運轉隨心，這一招「萬蜂出巢」，竟被她閃避開去。玄都觀主一擊不中，人卻從玉簫仙子頭上飛過，趕忙氣沉丹田，腳落實地，回頭望玉簫仙子，她已再次騰躍而起，向澄因大師攻去。

一陽子心頭火起，一個縱身躍撲過去，橫劍怒道：「這等取巧游鬥，算不得什麼本領，看來你玉簫仙子，也不過是徒具虛名而已。」

玉簫仙子吃玄都觀主拿話一激，果然不再攻澄因大師，仰身一翻疾退了一丈五、六，又橫

玉簫，冷笑一聲，道：「你不要用話激我，不管你劃出什麼道子，我都奉陪，不過你們得賭點什麼才行。」

一陽子笑道：「賭什麼？你說吧，就是賭上人頭，我也答應。」

玉簫仙子幽幽一嘆，道：「要是我輸了，我就斷簫落髮，遁跡深山，從今後不履江湖。」

一陽子點點頭，道：「我輸了，我就自斷一條右臂，從今後再不用劍。」

玉簫仙子卻搖搖頭，道：「那又何苦呢？你輸了，只要告訴我楊夢寰的行蹤就夠了。」

一陽子聽她言詞中，對夢寰深情無限，心中大是震驚，一時間沉吟難答，他對夢寰本有著極強的信任，相信他不會做出羞辱師門的事，所以，慧真子在他面前責備夢寰忘情負義時，他總是一力維護夢寰，但此刻，他的信心開始動搖了，臉色十分凝重地望著玉簫仙子，問道：「你這半月間，兩來金頂峰，可都是爲著要見楊夢寰嗎？」

玉簫仙子點點頭，悽惋一笑，道：「本來我不想再見他了，可是我不自覺地又跑了回來。」

一陽子沉聲問道：「你找他究竟有什麼事？須知我們崑崙派門規極嚴，門下弟子只要有點背棄師門戒律之處，就難免受到極重的派規制裁，你不能信口開河，使他蒙受不白之冤！」

玉簫仙子突然仰起臉，一陣格格大笑，笑聲尖銳刺耳，充滿著悲忿憂傷，只笑得一陽子不自主地打了兩個冷戰。

她笑聲一落，忽地圓睜星目，注視著一陽子，哼了一聲，道：「你們只要敢對楊夢寰有所妄動，我就邀人把你們三清宮燒一個片瓦不存。」

一陽子怒道：「楊夢寰是我教出來的徒弟，我爲什麼不敢動他？你要邀人燒我們三清宮，

儘管去邀，崑崙三子還不是怕事的人。」

玉簫仙子笑道：「燒你們三清宮算不得什麼大事，不信在一年內我就做給你們看看，眼下還是先談談我們比技打賭的事，你輸了，是不是可以告訴我楊夢寰的行蹤？」

一陽子望了澄因大師一眼，看老和尚橫杖靜立，神情十分嚴肅，當下一振手中長劍，轉對玉簫仙子道：「好吧，你只要能勝了我，我就告訴你。」說完，目光又轉視在澄因身上，道：「你先把琳兒送下峰去，她已再難受這峰上陰寒之氣。」

玉簫仙子本想出手攔擋，但見玄都觀主已蓄勢待發，她剛才與一陽子交手幾招，已知玄都觀主功力不凡，如果心神旁分，只怕難以擋他全力一擊，好在已有約在先，比技打賭，只要能勝了他，不怕他不說出夢寰行蹤。

兩人運功相持了一陣，玉簫仙子當先發難，玉簫疾吐，指奔前胸。

一陽子反手一閃避開，隨手又攻一劍。兩人這次動手，和剛才形勢大不相同，這次交手，不只是招術上的搶攻制機，而且還加上內家真功的拚搏，一劍一簫的攻勢中，都含蘊了千斤內家真力，任何一方只要一露破綻，對方即趁勢發出含蘊在劍簫上的真力，排山倒海地攻過去。

所以，誰也不肯隨便出手，但出手一招，必然是充滿殺機。

不過，看上去兩人卻不像在當真打架，彼此凝神互視，相持了很久一陣，才突然交攻兩招，而且倏合即分，瞬息躍開，仍變成個相持之局。

其實，這是武林中很難得見的打鬥，包括了功力、機智、經驗和招術的全面交拚，表面上看不出什麼，實則危亡繫於一髮，生死決於剎那。

兩人耗鬥了一個時辰，仍是難以分出勝負，玉簫仙子逐漸不耐起來，陡然嬌叱一聲，嬌軀

凌空而起，一陽子哪肯放過她這個破綻空隙，振腕一劍「起風騰蛟」追襲過來。

但見一道銀虹快擬電掣雷奔，沖霄直上，眼看就要點中玉簫仙子下盤，猛見她雙腿一收，半空中忽地翻了兩個觔斗，閃讓開一陽子追襲劍光，接著柳腰一展，玉簫疾點過來。

一陽子一擊未中，趕忙一提丹田真氣，左腳一點右腳腳面，就這一借力，身子又升起四、五尺高，長劍斜出，架開玉簫，陡然一聲大喝，劍演「八方風雨」，挾著滿天流動銀星，猛向玉簫仙子罩去。

只聽玉簫仙子一聲嬌笑，雙腿一收，又翻兩個觔斗，翻出去一丈多遠。

一陽子不禁心頭一震，暗道：此人輕功實在高明已極，她這空中閃避身法，恐怕當今之世，再也無人能與比擬。

他兩擊不中，身子難再在空中停留，疾沉而下，落在峰上。

一陽子雙腳剛剛落站實地，突覺頭上勁風下襲，趕忙向前一躍，反手一劍，舞起一片銀光，封住門戶。

但聞一聲金玉交響，玉簫仙子又借這簫劍相觸的彈震之下，飛高了一丈六、七，半空中翻了個觔斗，頭下腳上，再次捲風下擊，距一陽子頭頂五尺左右，玉簫疾點出手，只見光影流動，有如千百支玉簫一齊下擊。

這是玉簫仙子在摩雲十八招中，最精奇的三記絕學之一，威力奇大，簫影籠罩了一丈方圓大小。

一陽子吃了一驚，趕忙凝集全神，運氣行功，力注劍尖，振腕一招「迎雲捧日」，劍化一片光幕護住頭頂，反向下擊玉簫迎掃。

玉簫若狂雨下擊，劍風如冷颶捲迎，簫劍再度交觸，如磁吸鐵般沾在一起。

一陽子長嘯一聲，奮起全身真力，振腕一彈，玉簫仙子借勢又飛入高空，陡然一個翻身，又到了一陽子頭上，探臂下擊。

兩入又打了二、三十個回合，仍是個不勝不敗之局。一陽子雖被玉簫仙子摩雲十八招，鬥得無能還手，但他卻慢慢想出了對付玉簫仙子的辦法，以靜制動。

久戰不下，激動了她心中怒火，腳落實地，功行全身，凝神橫簫，慢慢向玄都觀主逼近。

一陽子長劍斜指，右掌運功平胸，兩人都運集了畢生功力，準備作生平一搏之拚。

玉簫仙子當先發難，嬌叱一聲，玉簫疾點玄都觀主前胸。

一陽子振劍封簫，還攻兩劍，玉簫仙子架開兩劍後，簫化「雲龍三閃」，玉簫連點三點，三股潛力，指奔一陽子「當門」、「肩井」、「期門」三穴。

玄都觀主長劍疾劃半圈，隨劍捲起一片凌厲劍風，銀光電掣，劍奔玉簫仙子「玄機穴」，同時平胸左掌，空然拍出一掌，一陣掌風，把玉簫仙子點來三股潛力震開。

兩人同感到了心神微一震盪，劍簫隨著一慢，不約而同，各自向後倒退五尺。

玉簫仙子略一喘息，又縱身撲上，距離玄都觀主還有五尺左右，玉腕疾伸，一簫點去，一縷勁風隨簫而出，劈空打去。

一陽子振劍虛空一封，劍風似輪，把玉簫點來潛力震開，左腳向前疾踏半步，長劍倏然收回，準備還擊。

玉簫仙子未待一陽子還擊出手，突然一收猛衝嬌軀，繞著玄都觀主疾轉起來，玉簫憑空發招，每一出手，必有一縷尖風直奔一陽子的要穴。

玄都觀主卻是凝神站在原地，把全身真力都貫注劍上，隨著玉簫仙子轉動，長劍也是隔空劈擋，劍風嘶嘶作響，把玉簫打來之尖風全部震開。

兩人相距的空間，潛力激蕩逼人，但劍簫卻始終距離數尺，互不相接。

這種打法，最是耗消真氣，不過一刻工夫，兩人臉上都見了汗水，但兩人神色，卻是愈來愈凝重，彼此心中都明白，這場拚搏，已到了勝負即分，存亡將決之時，誰要稍有大意，中敵一擊，輕則重傷，重則殞命，誰要能多支持一陣工夫，誰就得到勝利，這是一場武林中最忌的內功真力耗拚。

兩人又耗鬥十幾個照面，一陽子已是汗如雨下，濕透了寬大的道袍。

玉簫仙子也累得急喘不息，星目圓睜，轉身出簫，逐漸緩慢下來。

兩個人都已快到筋疲力盡之時，但都奮起餘力拚命苦撐，再打下去，必然要兩敗俱傷。

突然間一聲大笑，起自兩人身側，玉簫仙子和玄都觀主全都一驚，不約而同地停住手轉頭望去，只見丈餘外站著一個大漢，背上斜插兩支虯龍棒，站在月光下，縱聲大笑。

玄都觀主和玉簫仙子都認識來人，正是崆峒派掌門人，陰手一判申元通，兩人對申元通突然在此現身，都感大出意外，不覺微微一怔。

一陽子一怔神後，拱手笑道：「什麼風把申兄大駕吹到了崑崙山來？恕我一陽子未能遠迎。」

申元通不答一陽子的話，卻轉對玉簫仙子冷笑一聲，道：「你就是跑到天涯海角，我也能把你找到。」

玉簫仙子陡然一揚柳眉，忽地心中一動，暗道：我和一陽子打了半天，真氣消耗將盡，

如果再和他說翻動手，只怕難以撐到二十個回合。眼下情勢，只有暫時忍耐，待真氣調息復元後，再想法子收拾他不遲。

心念一轉，強按下心頭怒火，冷冷答道：「你找到我又怎麼樣？」

申元通凝目望著玉簫仙子，只見她力戰後，粉臉上香汗淋漓，嬌喘吁吁，月光下神態愈發動人，惜憐頓生，早把半年來苦尋奔勞，全都忘置腦後，放下臉笑道：「我是說怕你一個人受人欺侮，所以我不惜走遍天涯海角，也得把你找到……」

玉簫仙子看他瞬息間換了兩種絕不相同神態，心中又是氣，又是覺著好笑，瞪他一眼，忍不住微微一笑。

申元通卻認爲自己幾句話，博得了玉簫仙子的歡心，轉臉望了玄都觀主一眼，問道：「兄弟久聞貴派天罡掌和分光劍法，獨步武林，剛才又見道兄身手，果然高明，兄弟也想討教幾手，尙請道兄不吝絕學，讓我也開開眼界，會會高人？」

一陽子剛才碰了他個釘子，心中早就不悅，現下又聽他當面叫陣，不覺怒火沖霄，雖明知在疲累之時和他動手，難免要吃大虧，但他忍受不下，一橫長劍，冷笑道：「貧道雖然已力戰半夜，但仍願捨命奉陪，申兄只管發招就是！」

申元通縱目向四面張望了一陣，這座山峰上除了玄都觀主和玉簫仙子外，再無別人，心中暗道：三清宮就在前面不遠，何以兩人在這裡打了半夜，崑崙派竟無援手趕來？他心中在想，手已從背後撤下來一對虯龍棒，暗中運氣行功，準備全力施襲。

因爲申元通已看出一陽子消耗真氣極大，尙未調息過來，故而想集聚全身功力出手，希望能一擊成功，早把玄都觀主傷在虯龍棒下，以便和玉簫仙子早些遁走，耗延時刻，對自己大是

不利。

如果讓玉靈子和慧真子聞警趕來，不但無法傷得一陽子，恐怕還得一場凶險拚鬥才能脫身。

一陽子神目如電，如何看不出陰手一判的用心？但他生就傲骨，雖明知以疲累之身，難擋申元通全力一擊，仍是不肯示弱，強提真氣，凝神待敵。

陰手一判嘴角間泛起一種陰森森的微笑，雙棒一分，正待出手，陡聞玉簫仙子一聲嬌叱，道：「我和玄都觀主打賭比技，誰要你來多事插手！」

說著話，玉簫已自出手，剎那間攻出三招。

申元通猝不及防，幾乎吃她玉簫點中，迫得他連封帶閃才把三簫躲過。

這就更激起申元通怒火千丈，暴喝一聲，虯龍棒捲著一陣風，猛向玄都觀主撲去。

他這一擊，運聚了全身功力，威勢奇猛無倫，一陽子揮劍接架四棒，竟被震退了三步。

如果以兩人功力而論，玄都觀主並不比申元通差，只因他剛才和玉簫仙子耗拚了兩個時辰內力，真氣尚未調息復元，是以難硬擋申元通凌厲的攻勢。

一陽子自知難和陰手一判硬拚，架開四棒後，振腕一劍「朔風狂嘯」，劍聚一片銀光劈下，申元通閃身避開，一陽子不容他緩氣還手，立時展開追魂十二劍，劍勢似江河倒瀉般，連綿攻上。

這十二招劍術奇學，不但威力奇大，而且詭異難測，劍如飄雪，尖化瑞氣，一招比一招速快，一著比一著凶辣，申元通被一陽子快奇的劍勢所制，被迫得無力還手，虯龍棒舞起一片護身光幕，衝出了繞身劍光。

一陽子收住劍勢，心中暗自忖道：崑崙派和崆峒派素無嫌怨，何以申元通以一派掌門之尊，竟不顧武林規矩，對我全力施襲？他正待喝問，陰手一判突然揚手一掌劈來。

一陣冷飆隨掌捲出，玄都觀主知他這掌非同小可，自己氣力未復，不敢硬接，向後一躍閃避開去。

申元通冷笑一聲，道：「久聞道兄盛譽，何不接我一掌試試？」說著話，縱身追來，他存心要把一陽子傷在掌下，故而出言相激，想使他硬接自己陰風掌。

一陽子還未及回答，正在此時，突聞一陣衣袂飄風之聲，轉頭望去，玉靈子、慧真子、澄因大師全都趕來峰頂。

玉靈子縱身一躍，擋在一陽子面前，手橫長劍，冷冷說道：「申兄到我們金頂峰來，可是存心示威來的嗎？貧道代師兄拜領申兄幾招試試。」

陰手一判見玉靈子、慧真子等都到了，就知今天這局面已難討好，回身走近玉簫仙子，低聲說道：「我擋他們一陣，你先到峰下等我。」

一陽子見申元通處處對玉簫仙子低聲下氣，心中忽有所悟，所以不顧一派宗師身分，對自己連下毒手，定是有了誤會，想到此處，不覺啞然失笑。

玉簫仙子毫不爲陰手一判惜愛之情所動，連望也不望他一眼，卻款步走到一陽子面前，悽惋一笑道：「今晚上我們沒有分出勝敗，七天內我再來找你較量。」

一陽子答道：「那自然遵命奉陪。」

玉簫仙子慢慢舉起玉簫放在唇邊，一縷淒涼清音，隨即響起，她卻轉過身子，緩緩下峰而去。

陰手一判雙目注視那窈窕背影，心中感慨萬千，不知他是愛是恨，臉上神情忽愁忽怒。

玉靈子振劍一聲大喝，拔步欲追，卻被一陽子伸手攔住，勸道：「不要追她了，她並非尋釁而來，讓她去吧！」但聞簫聲由近而遠。

申元通直待那簫聲完全消逝，才如夢初醒般長嘆了一口氣，轉身一掠數丈。

玉靈子早已對他留上了神，見他一轉身，立即搶先一步躍起，長劍一橫，擋住了去路，冷笑道：「申兄以崆峒派掌門之尊，跑到我們金頂峰來，無緣無故地鬧一陣，就這樣輕輕鬆鬆走嗎？」

申元通目光一轉，看一陽子、慧真子等已採了合圍之勢，當下一分手中虯龍棒，道：「你們崑崙三子一齊上呢？還是推行一個出來和我單打獨鬥？」

一陽子微微一笑，故意問道：「貴我兩派素無嫌怨，不知申兄何以會突然找上了我們金頂峰來，而且趁貧道久鬥力倦之時，又連對我施下辣手，誠心要把貧道傷在你虯龍棒下，但請申兄說出一番道理，我們絕不敢仗人多藉故刁難大駕。」

玉靈子又冷笑一聲，接道：「申兄既不願多作口舌之辯，咱們還是從武功上分個勝敗吧？」

申元通被一陽子幾句話問得啞口無言，再吃玉靈子一激，不覺惱羞成怒，厲聲喝道：「這樣最好不過。」

虯龍棒一招「雙龍出水」合擊過去。

玉靈子一劍「野火攻天」，化開申元通一擊，刷！刷！刷！疾刺三劍。

這三劍都是追魂十二劍中招術，迅速無比，迫得申元通連封帶躲，才把三劍讓開。

一陽子縱身躍在兩人中間，橫劍攔住玉靈子，勸道：「彼此素來並無嫌怨，何必多結仇恨，我們忍讓點吧！」

說完一陽子又對陰手一判道：「申兄剛才對貧道頻下毒手，想其中必有誤會。申兄身掌一派門戶，如果今夜裡造成一場凶鬥，不管哪個受傷，勢將牽動兩派門戶紛爭，茲事體大，並非我們個人生死之爭，尚望申兄日後做事三思而行。」

說完話，向旁一閃，讓出一條路來。

申元通自知理虧，何況當前形勢對自己極是不利，假如崑崙三子合力出手，自己絕難保得性命。心念一轉，按下一腔怒火，收了虬龍棒，對崑崙三子一拱手，疾躍下峰而去。

玉靈子橫劍望著他身形消失不見，才回頭望了大師兄一眼，垂首無言。

慧真子卻忍不住說道：「大師兄，你心懷仁慈，處處讓人，本意無可厚非，只是這對我們崑崙派的聲譽，影響非淺。日後江湖上傳言開去，說我崑崙派怯人怕事，讓人家崆峒派欺上了門，也不敢和人爭論，這樣做，何以對得起本派歷代祖師聖靈。」

一陽子淡淡一笑道：「天龍幫幫主海天一叟李滄瀾，雄心萬丈，羅致天下無門無派高人，獨樹一幟，存心要和武林九大門派一爭長短，三年內江湖上必要掀起漫天風浪，三百年前的比劍排名之爭，勢將重演，如果我們今夜傷了申元通，必將引起崆峒派的全力報復，縱然我們勝了崆峒派，亦必大傷元氣，只怕無力再應付那比劍排名之爭了。」

慧真子聽完大師兄一席話後，自是再沒話說，玉靈子更是暗中佩服，敵人既去，幾人也一齊下了山峰。

玉靈子直奔三清宮，一陽子、慧真子卻隨澄因大師到茅舍中去看霞琳。

慧真子已近月未見霞琳了，她心中對這位美如嬌花的徒弟，有一份特別的偏愛，她把她看成了自己的化身，她本身已經忍受了數十年情感的磨折，親身體會到個中的痛苦，她不願再讓自己心愛的弟子，重演恨事。

她心中掛念著霞琳病況，當先直奔茅舍，匆匆穿過梅林，推開半掩籬門，直向霞琳住房闖去。一陽子和澄因大師都默默地跟在她後邊，進了左邊兩間靜室。

房中高燃著一支松油巨燭，熊熊火光，照得室內通明。沈霞琳閉著眼睛，靜靜躺在床上，童淑貞蘊含著兩眶淚水，坐在床沿。

慧真子急走兩步，到了床前，童淑貞起身迎接師父，盈盈拜倒在地，慧真子一揮手急聲問道：「你琳師妹傷勢如何？」

童淑貞答道：「弟子奉命來探看琳師妹，可是她早已不在。澄因師伯帶弟子到那絕峰上面，可是她被風雪凍僵了。澄因師伯告訴我說，琳師妹已在那峰頂上凍了三天三夜。」

慧真子點點頭，童淑貞繼續說道：「後來大師伯也來了，正要設法解救師妹，偏偏那吹簫的黑衣女人，也趕巧到了峰上，那女人吹了一陣簫，又和大師伯談了幾句話後，就動上手，我和澄因師伯借機把師妹扶下峰來，初入茅舍，她還能言笑啼哭，但漸漸聲息微弱下來，就這樣沉沉睡去，澄因大師想盡了辦法，仍不能使她醒轉，後來，澄因師伯去請師父，我就在這裡守著師妹。」

老和尚長長嘆息一聲，望著慧真子，接道：「被琳兒陡然轉劇的傷勢，鬧得我也慌了手

腳，忘記了山峰上還有著一場生死拚搏，待我想起去請兩位時，已過了不短的時間。」

原來老和尙被霞琳急轉直下的病情，鬧昏了頭，他匆匆跑到三清宮去找玄都觀主，及見到玉靈子和慧真子後，才突然想起一陽子還在那絕峰上和玉簫仙子拚命，這才和玉靈子等急急趕去，正遇上申元通對玄都觀主下手。

且說慧真子聽完經過，心中登時涼了半截。她知那峰頂冷風中，挾帶著萬年冰雪的陰寒，絕非霞琳所能抵受得住，心中感傷千萬，不禁泫然垂淚。

一陽子低聲勸道：「她被玉簫仙子的簫聲所感，已經大哭了一場，胸中積存的幽傷悲忿，早已發洩出來，現在只要有人把侵入她身上的陰寒除去，就可無事了。」

慧真子回頭望了他一眼，問道：「琳兒是你推薦入我門下，要是她死了，怎麼辦呢？」

一陽子看她臉色十分嚴肅，星目中滿蘊淚水望著自己，澄因大師更是黯然淚垂。

一陽子嘆息一聲，道：「你先用推宮過穴手法，推活她血脈再說。不管怎麼樣，我們總得先盡盡人事。楊夢寰只要犯有一點錯誤，我就不會饒他！」

澄因搖搖頭，接道：「我已經試過了推宮過穴之法，但卻沒法使她醒來！」

一陽子走到榻邊，低頭細細查看，只見她過去嬌若春花的臉上，此刻卻蒼白得毫無一點血色，雙目緊閉，氣息微弱，的確是十分嚴重，不覺暗暗吃了一驚。心中忖道：她在山峰上站得過久，雪打風吹，再受那萬年冰雪陰寒侵襲，身上血脈和幾處穴道，都被寒氣侵傷，只要設法先把血脈推活，並非無可救藥。

慧真子看他神情輕鬆，心中覺著寬慰不少，立時默運內功，雙手在霞琳身上各處要穴推拿。

約有頓飯工夫，慧真子臉上已見了汗水，但霞琳仍是閉著眼睛靜靜躺著，動也沒動一下。

慧真子停下手，望了一陽子一眼，又繼續運功推拿霞琳各處穴道。

這時，天色已經大亮，千道曙光由窗子透射進來，照著躺在床上的霞琳，照著慧真子臉上滴落的汗水，照著澄因大師焦急、悲痛混合的異常神態。

汗水濕透了慧真子的道袍，滴在靜躺著的霞琳身上。玄都觀主一面留神看霞琳的反映，一面暗中調息真氣，以便慧真子停下手時接替。他心中明白，以慧真子和自己精深的內功，雖無法替霞琳除去侵入體內陰寒，但至少可以使她醒轉過來一陣工夫，只要沈姑娘能甦醒一次，就暫可使澄因和慧真子平靜下來，然後再慢慢想法子替霞琳除去體內陰寒。

又過了一陣工夫，突聽得霞琳長長吁了一口氣，身子轉動了兩下。

慧真子不顧滿頭大汗，雙手越發加速推拿，童淑貞急拿一條絹帕，替師父擦著頭上汗水。

只聽沈姑娘輕微地嘆息一聲，慢慢地睜開了眼睛，凝望了慧真子一陣，淒涼一笑，「師父，我剛才看到寰哥哥了！」

慧真子未及答話，霞琳已閉上雙目，身子略一轉動，又似沉睡過去一般。

澄因一臉淒傷，望著一陽子問道：「她略一甦醒，即再沉睡，恐怕內傷很重了？」

玄都觀主見霞琳初醒即告昏迷，已知挽救之望十分渺茫，但他又不願據實說出，那將使老和尚心肝痛碎。所以，他不得不故作鎮靜，伸手摸著霞琳額角，笑道：「不要緊，她不過是受凍過久，血脈一時間難以暢通，先讓她安靜地睡半天，再設法打通她閉塞的穴道。」

慧真子聽他講得輕鬆，心中憂慮略減，目注一陽子，半信半疑地問道：「我剛才已盡了生平功力，自信已把她血脈打通，為什麼她只略醒轉後，又暈迷過去呢？」

一陽子道：「那峰頂酷寒，侵肌透骨，她呆站兩日夜以上的時間，以她功力而論，自是無法抵受，何況那透骨冷風中還挾帶著萬年冰雪的陰寒，想她的脈穴，定遭陰寒侵傷不輕。你剛才運聚了畢生功力，替她把血道打通，可能因幾處脈穴傷的較重，陰寒散而復聚，是以她甫告清醒後，又陷昏迷。讓她先靜靜休息一陣，我再動手替她調通血道，這樣連續數次，也許能逐散她體內的陰寒。」

玄都觀主一席話似是而非，慧真子知他素不輕言，功力又比自己深厚，雖仍覺可疑，但已相信了八成。

澄因大師早已亂了方寸，他根本就沒心情去想一陽子的話是否可疑？當下三人一齊退出了霞琳臥室。

沈姑娘的房中只留一個童淑貞，坐在床沿上，呆望著閉眼靜躺的小師妹，心底泛上來無窮感傷。她想起半年前一件往事，那晚上她和霞琳同宿在浙東客棧，沈姑娘問她是不是喜歡寰哥哥，當時她反問小師妹，要是楊夢寰變了心她怎麼辦？一句閒話，害得霞琳兩腮淚落，半夜裡要去找楊夢寰問他會不會變心？她說，要是楊夢寰一旦移情別戀，她勢難再活人間……難道這一句閒話，竟當真不幸而言中？童淑貞想一陣，腦際中浮現出楊夢寰的音容笑貌，而且是那樣明晰清楚。短短月餘小聚，她在不知不覺間，心底深處竟也刻下夢寰的影子。

她只感到一陣酸楚，忍不住兩行熱淚奪眶而出，好像胸腔中窩藏了萬千委屈，剪不斷，理還亂，千頭萬緒，她只說不出心頭裡是一種什麼滋味，只想好好地大哭一場。

一陣山風，送來了陣陣梅香，童淑貞抬頭望去，不知何時慧真子已到了室內，當門而立，

兩道眼神深注著她，似乎要看透她心中的秘密。

童淑貞悚然一驚，由深沉的感傷中清醒過來，霍然站起，盈盈拜倒。

慧真子一把扶起她，道：「你剛才在哭什麼？」

童淑貞答道：「弟子想那楊師兄實在可恨，害得沈師妹這等模樣。」

慧真子輕聲一嘆，緩步踱到床側，右手輕按霞琳胸前，只覺她心臟跳動緩慢，氣息異常微弱，不禁皺眉頭，問道：「你師妹一直沒有翻動一下嗎？」

童淑貞剛才迷迷糊糊地想了半天心事，霞琳是否翻動過，她根本就不知道，呆一呆，搖搖頭，答道：「沒有。」

慧真子嘆道：「你也一晚沒睡了，快去休息一會兒。」

童淑貞道：「弟子毫無倦意，我還是在這裡守著沈師妹吧！」

慧真子看她精神很好，不再勉強，慢慢退出淨室。

童淑貞送走師父後，突覺一陣內急，隨著退出房去。

兩人剛走不久，後窗人影閃動，躍進來金環二郎。他尾隨澄因、童淑貞到那山峰上面，隱在暗處，把那峰上一切經過，盡都看在眼中。澄因和童淑貞扶霞琳下峰之時，一陽子正在和玉簫仙子動手，他欲報祁連山中仇恨，故尾隨澄因等下峰，藏在崖邊一塊大石後面，準備等兩人打到筋疲力盡時，他再借機對玄都觀主下手。哪知陰手一判和玉靈子等先後趕來峰上，使陶玉一直沒有下手的機會，他本是工於心計之人，沒有絕對的把握。不肯冒然出手。

但他並未退走，又跟隨一陽子等，到了梅林茅舍，藏在霞琳臥室後面斷崖間的松樹上。

一陽子、慧真子、澄因大師都為霞琳的事，鬧得分了心神，竟都未發覺茅舍外斷崖間隱藏有人。

他一直耐心地等到童淑貞離開了房中，才由斷崖間溜下來，從後窗躍入。

這時，太陽已爬過了山巔，朝暉由窗中透射進來，照到靜躺在床上的霞琳身上，過去那艷紅的嫩臉，此刻已變得十分蒼白，長長的秀髮，散亂枕畔，黛眉輕顰，星目堅閉，已不見那經常掛在嘴角間嬌媚的微笑。

陶玉毫無顧忌地伸手在霞琳身上按摸一陣，只覺她身上幾處重要脈穴，都已僵硬，氣若游絲，情勢十分危險，如再延誤下去，傷穴擴大，血道閉塞，體內傷脈硬化，縱有起死回生靈丹，也難救得。

他自得覺愚傳授武功後，本領已精進很多，近來又經常研究三音神尼手繪拳訣，更是獲益不淺。

他按摸一陣後，找到了霞琳傷源，是被峰上萬年冰雪陰寒之氣，侵傷了體內經脈，陰寒凝滯幾處要穴不散。因為她傷的是體內脈穴，所以一般的推宮過穴手法，不能奏效。

陶玉慢慢地仰起頭，心中暗忖道：我如以本身功力，打通她體內經脈，雖然能救了她，但自己功力還淺，此舉必然大傷元氣，為救人性命，消耗本身真氣，實在大不該為。

他心念一轉，數月來思念霞琳之心頓時一變，低頭望望沈姑娘憔悴蒼白的容色，已不復過去的嬌艷，正待轉身退出，突然一段往事，電光般在腦際中閃過。

那是在祁連山中，沈姑娘被大覺寺的和尚打傷，他救了她，騎著赤雲追風駒，跑到了一個幽靜的山谷，丟下了楊夢寰一個人拒敵群僧。

霞琳傷勢不輕不重，神志半醒半迷，誤把陶玉當成了楊夢寰，偎懷呻吟，嬌柔無限，一種少女甜香使陶玉無法再克制慾念，他把她帶到一座山洞中，解開了沈姑娘羅衫褻衣，他撫摸過那凝如羊脂、雪白美麗的肌膚，柔若無骨的胴體，引起他熾烈的慾火，他忘了她是個無比善良純潔的天使，正要再進一步摧殘這善美無邪的少女時，卻被人用「透骨打脈」的手法打傷，醒來時霞琳已不知去向……往事如繪，重在他腦際展開，再看那纖纖的玉指，臉形輪廓，依然是那樣美麗，人清瘦了，另有一種淒楚動人的神韻。

陶玉陡然間由心底沖上一陣惜憐，暗自責道：陶玉啊，陶玉！如果放過了沈霞琳，難道今世還會有比她更美麗、更溫柔的女人嗎？當下潛運功力，右手瞬息間連走霞琳身上十二大穴。

要知陶玉從三音神尼拳譜上，研得了人體內經脈分布之處，是以他出手極準，只是功力還淺，又是初次出手動人體內脈穴，不免精神緊張，耗消真氣過多，所以，他只把霞琳奇經八脈的三脈打通後，已累得上氣不接下氣，出了一身大汗，不得不停下手來休息。

他明白這次損耗的真力，至少需三至七天的時間，方能調息復元，在真力未復前，無法再動手替霞琳療傷，此刻正值筋疲力盡之時，如果被崑崙派的人撞上，只有束手待縛，所以，他略一休息後，立時又從後窗躍出。

陶玉剛走不久，童淑貞就推門進來，她是個心思異常縝密之人，在離室前，把室中一切東西放置所在，均能詳細默記心中，所以她進門第一眼就是看到霞琳蓋的被子，似是被人動過，不覺吃了一驚，一個縱身，躍到床邊，見霞琳靜躺無恙，才放下心中一塊石頭。

她略一定神，細看小師妹臉色已然好轉不少，不禁心中大喜，正待轉身跑去告訴師父，突聽霞琳夢遊似地叫道：「寰哥哥，我們去捉魚玩吧？」

說著話，翻了個身，又沉沉睡去。

童淑貞怔下神，收住剛剛要舉起的腳步，伏下身子叫道：「琳師妹，琳師妹。」

但霞琳又沉迷如夢，不動不應，童淑貞伸手連推師妹兩下，仍不見她反應，心中陡然一驚，暗道：她莫不是迴光反照吧？立時轉身奔向澄因大師臥室。

老和尚正坐在一把竹椅上，仰著臉發呆，神情木然，慈眉愁鎖，一陽子和慧真子對面而坐，閉目養息。

澄因大師雖然睜著兩隻眼睛，但他卻似未看到童淑貞一般，仍然靜坐不動。

一陽子微閉的雙目，忽地睜開，問道：「是不是你師妹傷勢有了變化？」

童淑貞道：「琳師妹剛才醒來一次，說了兩句話，又昏迷過去，我看她臉色好轉了許多，所以，我擔心她是……」

慧真子截住了童淑貞的話，問道：「她剛才說了兩句什麼？」

童淑貞莫名其妙地臉一熱，答道：「她說要和楊師兄去捉魚玩。」

慧真子冷笑了一聲，望著一陽子道：「你那寶貝徒弟不回來，只怕她的病永難醫好。」

一陽子苦笑一下，起身答道：「咱們先去看看她再說。」

當下幾人一齊向霞琳房中走去。

一陽子細看霞琳臉色，果然好轉了不少，心中暗感奇怪，其中原因難解，不便妄作推論，潛運功力，推拿了霞琳幾處要穴。

只見沈姑娘一聲長長的嘆息，慢慢睜開了眼睛，望了幾人良久，才淒苦一笑，道：「師父、師伯、貞姊姊。」

慧真子見她神志清醒過來，心中極是高興，坐在床沿，無限慈愛地拂著她的秀髮，問道：「你現在覺著哪兒難過，快些告訴師父。」

霞琳道：「我心裡冷死了！」

慧真子拉下棉被，替她蓋好，道：「你在那山峰頂端，站了數日之久，被山風挾帶萬年冰雪陰寒侵傷了身體，養息幾天就會好的。」

霞琳輕輕吁了一口氣，笑道：「我到那峰頂上去望寰哥哥，可是他還沒有回來，我就被凍病了。」

一陽子接道：「你好好的養病吧，他很快就會回來！」

霞琳嘆道：「不知他幾時回來，他要是現在回來，我就不能去接他了。」

幾句話輕描淡寫，驟然聽上去，沒有什麼，但細細琢磨，卻是字字情愛如山，句句感人肺腑。

慧真子輕輕嘆息一聲，正要勸霞琳幾句，忽聞身後的澄因大師怒聲接道：「要是楊夢寰永不回來……」

霞琳突然張大眼睛，臉上神情極是奇特，望著澄因大師，慢慢地接道：「寰哥哥一定會回來的！我要耐心等他，他就是不跟我好了，也會回來告訴……」

沈姑娘話未說完，突然一陣急喘，閉上了眼睛睡去。

澄因大師吃一驚，右手推開一陽子，搶到床邊，叫道：「琳兒，琳兒……」

但只聽霞琳深長急促的呼吸之聲，人又陷入昏迷狀態。

一陽子皺皺眉頭，又用推宮過穴手法，推拿了霞琳幾處要穴，卻已失靈驗，玄都觀主推拿了霞琳二十四處大穴，沈姑娘還是昏迷不醒。

要知霞琳奇經八脈，只被陶玉打通三脈，尚有五脈未通，是以清醒不久又昏迷過去，一陽子推宮過穴手法，不能動及體內脈穴，自然毫無作用。

玄都觀主停下，搖搖頭，道：「看她情形，傷勢確已好轉不少，怎麼陡然間會又昏迷過去呢？」慧真子亦是束手無策，想不出霞琳傷勢惡化的原因。

老和尚除了驚急之外，心中多了一層不安，他誤認是剛才言詞傷了她的心，促使霞琳傷勢惡化。

三人思索良久，仍難找出原因，只好暫時退出霞琳臥室。

靜室中，又只餘下了心思縝密的童淑貞，她對小師妹陡然好轉，忽又惡化的情形，十分懷疑，她已守在霞琳身側三、四個時辰以上，而霞琳傷勢轉好，卻在她離開靜室的一刻工夫，她剛才為霞琳傷勢突變驚喜得亂了方寸，現在細細一想，覺著個中疑竇甚多。

突然，她目光接觸到後窗木框上一塊冰屑，心中登時一跳，一縱身從後窗躍出，但見白雪皚皚，梅香撲鼻，哪有半點人蹤。

她細心地查尋半晌，仍未再發現可疑之處。

原來陶玉也是異常細心之人，偷入霞琳臥室之前，已看好進退之路，繞道由梅林而入，並未在茅舍附近雪地上留下腳印，但他百密一疏，沒想到會在後窗木框上，留下一塊冰屑。

童淑貞雖然再找不出其他蹤跡，但她並未稍減心中懷疑，她認定那後窗冰屑和小師妹的傷勢轉變，有著密切的連帶關係，不過，在未尋獲確切證明前，她不願去告訴師父。

她回房中不久，霞琳忽然又清醒過來，不過，頓飯工夫左右，又入昏迷，以後沈姑娘傷勢就這樣繼續下去，忽醒忽暈，連續了數日之久。

童淑貞一直守護在霞琳身側，她就在小師妹床邊搭起一張小竹床，陪守伺候。慧真子白天來看霞琳，晚上返回三清宮。一陽子留住茅舍，和澄因同室而居。這僧、道兩人，過去在一起時，常常剪燭夜話，通宵不眠，這一次卻大不相同，老和尚爲霞琳的傷勢，焦慮得快要發瘋，日夜長吁短嘆，一陽子雖然從旁勸慰，但仍難解澄因愁懷。

童淑貞漸漸地發覺了霞琳昏迷、清醒，都有一定的時間，十二個時辰之內，總要清醒三次，她默記了霞琳清醒時間，在醒前把吃的東西備好，待她醒來時就服侍她吃下。

轉眼五天過去，霞琳逐漸地又轉趨沉重，每天雖仍醒三次，只是清醒的時間愈來愈是暫短，童淑貞心中的疑竇，也隨時日逐漸地淡漠下來。

她數日夜留心查看，始終未再發現可疑線索，自然慢慢地心灰意懶了。

第六天，又開始飄大雪，童淑貞倚窗而坐，望著日漸消瘦的小師妹，心中愁苦千種。驀地裡，一條人影，由斷崖直瀉下來，童淑貞心頭一驚，伸手從壁間取下寶劍，來人身法奇快，轉眼間已到窗外，她爲霞琳安全，不敢離病室去通知師伯，就這略一沉思，來人已飄然由後窗躍入。

童淑貞舉手一劍刺去，來人一閃避開，右掌隨勢一拂，把童淑貞寶劍震開，嬌笑著取下蒙

面黑紗，款步姍姍，走到椅子邊坐下。

童淑貞看來人是玉簫仙子，心知自己武功和她相差懸殊，如果動手，無疑自找苦吃，且又怕她傷了霞琳，好在此室距一陽子和澄因大師現住的房子不遠，兩人功力均甚精深，耳目靈敏，只要能和她問答個三言兩語，兩人必可聞聲趕來，心念一動，故意提高聲音問道：「你跑來這裡做什麼？你睜開眼睛看看，這是什麼地方？」

玉簫仙子目光觸到了靜躺在床上的霞琳，淡淡一笑，問道：「她是你什麼人？好像病得很厲害？」

童淑貞道：「是我師妹。」

玉簫仙子慢慢地站起身子，走到床邊，摸摸霞琳額角、脈搏，笑道：「病勢的確很重，如再拖延下去，只怕更難治癒了。」

童淑貞聽她口氣，好像能夠醫得，心中一動，嘆道：「她是一個無比善良的孩子，不知為何，上天偏要加給她重重磨難？」

玉簫仙子笑道：「你是想讓我替她療治，現在也沒有工夫。」

她話剛落口，一陽子和澄因，已聞警趕到。玄都觀主微微一笑道：「女英雄果是言而有信……」

玉簫仙子回頭接道：「今天是我們相約比武的最後一天限期，咱們找個幽靜無人之處，好好地打一場，分個勝敗出來。」

一陽子笑道：「好極！好極！」

玉簫仙子一個縱身，躍出室外。但見雪如鵝毛，下得比剛才更大，陰雲瀰山，看不清四外景物。

一陽子笑道：「距此不遠，有一處十分隱密的山谷，咱們到那裡去比劃一場如何？」

玉簫仙子道：「我也選得一處地方，請道長和我一起去查看查看。」

一陽子大笑道：「你既早留上心，選的地方決錯不了。」

玉簫仙子縱身，躍出去兩丈多遠，一陽子也跟著躍起追去，倏忽間已到了十丈之外。

澄因大師氣聚丹田，大聲喝道：「兩位請暫留步，貧僧還有幾句話說！」

一陽子、玉簫仙子不得不停住身子，老和尚一連幾個縱躍，到了兩人身邊，說道：「兩位動手比武，貧僧去作見證如何？」

一陽子搖頭笑道：「咱們有幾十年的交情，你決不會看著我傷人手下，忍不住難免要出手幫忙，依我看，你還是不去爲妙。」

老和尚嘆息一聲道：「彼此本無深仇大恨，何苦爲一點意氣之爭，就要拚命……」

玉簫仙子已聽得甚爲不耐，當先轉身向前奔去，一陽子苦笑一下，對澄因道：「這女魔頭的武功實在不弱，我們鹿死誰手很難預料，武林中恩怨牽纏不休，說起來，都不過是爲一個『名』字，古今多少英雄豪傑，都爲名所害，像天機真人和三音神尼那等人物，也難免俗，兩人素不相識，天各一方，三音神尼，奔走了萬里行程找上括蒼山去，和天機真人比武，打了幾天幾夜，招術上難分勝敗，復以上乘內功相拚，最後落個兩敗俱傷，爲什麼？還不是那天下武功第一的稱號害人！他們兩人究竟修行較深，能在大難臨頭之際，大徹大悟，化敵爲友，把兩人絕世武功合錄成一本《歸元秘笈》。在兩人合錄秘笈時，只是不願那絕世武學失傳，但他們

卻沒想到那本《歸元秘笈》，又給後代武林中留下了一番愁慘的爭鬥。」

話至此處，倏然住口，面色突轉嚴肅，一陽子伸手取下髮上玉簪，交給澄因道：「我如果在一日夜之內仍不回來，那就是凶多吉少，這支玉簪交你保管，如果楊夢寰有忘情負義之表現，你就代我清理門戶。」

澄因接過玉簪，不自禁老淚紛垂，一陽子霍然轉身，頭也不回地向前奔去。

玉簫仙子正在崖下等得心焦，見玄都觀主追來，才一笑說道：「我還認為你不來了！」

一陽子臉色一變，冷笑道：「一言既出，駟馬難追，就是刀山油鍋，貧道也不致失信於姑娘！」

玉簫仙子幽幽一嘆，欲言又止，忽地轉身向崖上攀去。

一陽子隨後緊追，但見兩條人影疾如電奔，聯袂搶登斷崖，消失不見。

澄因大師望著兩人去向，呆站著出神，心中回想著六天前和玉簫仙子動手情形，實難測老友此番是凶是吉？一陣感慨，黯然淚下。

不知過去了多長時間，他身上積雪已遮掩了灰色僧袍，兩行淚痕也結成了冰條。

這當兒，突見一條人影穿過梅林走來，轉眼間到了澄因大師身邊，合掌一禮後，叫道：「老禪師想什麼，這等入神？」

澄因如夢初醒般，啊了兩聲，才看出來人是慧真子，趕忙合掌答道：「老衲正在推想，不知令師兄能否勝得那玉簫仙子。」

他一頓沒頭沒腦的話，聽得慧真子十分糊塗，怔了一怔，追問道：「怎麼，玉簫仙子那女

魔頭又來惹事生非了？」

澄因點頭答道：「她和令師兄相約尋地比武去了。」

慧真子吃了一驚，答道：「他們到什麼地方？走的哪個方向？」

澄因指著北面斷崖，答道：「他們從那斷崖攀登上去，到什麼地方，我就不知道了。」

慧真子不再多問，轉身奔向斷崖，提氣縱躍而上，消失在漫天大雪之中。

澄因又出了陣神，緩緩向霞琳臥室走去，進門一看，登時把老和尚驚得目瞪口呆。

只見童淑貞手握劍把，倒臥門側，看樣子似是剛剛進門，就被點了穴道。

老和尚愣怔一下，急向霞琳床邊奔去，低頭一看，只見沈姑娘睡得十分香甜，蒼白的嫩臉，微泛紅色，傷勢又似輕了許多。

這突然的變故，使得老和尚如墜入五里雲霧，心中重重疑竇，百思莫解。

轉身走到門邊，扶起童淑貞，仔細察看，果然是被人點了右後肩的「風府穴」，所幸來人下手並不太重，老和尚運功一陣推拿，童淑貞立時悠悠醒轉。

她神志恢復，立時向霞琳床邊奔去，看師妹酣睡無恙，才放下心中一塊石頭，這才轉身走到澄因大師身邊說出經過。

原來玉簫仙子和一陽子相約尋地比武時，童淑貞也跟著出了靜室，後來兩人先後奔向斷崖，澄因也隨後追去，童淑貞自知無能相助，轉身返回靜室，哪知剛一進門，突覺背後風生，手握劍把，人還未及閃避，已吃人點中右後肩「風府穴」，暈了過去。

澄因聽完經過，皺起兩條慈眉，心中暗自忖道：何以這數日之內，素來清靜的金頂峰後，

竟會接連出現高人？玉簫仙子、陰手一判，還有一個點制童淑貞穴道的人，這人作為非敵非友，用意難測，實使人大費疑猜。

童淑貞看澄因只管埋頭沉思，知他正在用心思解個中原因，隨即轉身，走到霞琳床邊。

沈姑娘忽地睜開眼睛，手腳伸動一陣，笑道：「貞姊姊，我很累呢。」

說完話，掙扎著要坐起來，童淑貞忙伸手按住她，搖著頭道：「快給我乖乖地躺著，不要起來。」

霞琳長嘆一口氣，問道：「貞姊姊，我寰哥哥回來沒有？」

童淑貞搖搖頭，道：「還沒有。」

霞琳道：「你說他還會不會回來看我？」

童淑貞勉強一笑，答道：「我想他會回來看你的，所以你要好好地養息著等他。」

霞琳臉上綻出來一絲笑容，答道：「嗯！姊姊說得不錯，寰哥哥不是被黛姊姊留住不放，就是在路上遇到了事情，所以他這樣久還沒有回來，但他總歸是要回來的。」

童淑貞心中一動，暗道：糟！這一段時日之中，大家都在抱怨楊夢寰負情忘義，把他在旅途可能遇上麻煩的事給忘了。如他果真在路上出了什麼差錯，我們這樣背地裡責怪他，實在是太冤枉他了。

她一想到楊夢寰可能在路上遇到麻煩，莫名其妙地發起急來，連聲說道：「不錯，不錯，他可能是在路上出了事啦！」

霞琳看她發急神情，不禁也發起急來，忽地坐起來，大聲叫道：「師伯！師伯！」

澄因大師正在用心推想霞琳傷勢突然好轉的原因，心無二用，並不知霞琳已清醒過來，他

剛剛想出一點眉目，卻被沈姑娘的叫聲打斷思緒，回頭望去，只見霞琳擁被而坐，兩眼圓睜，神情十分緊張。

說不出澄因的神情是驚是喜，一縱身躍到床邊，兩眼滴著熱淚，嘴裡卻又呵呵笑著，叫道：「琳兒，琳兒，你的病好了嗎？」

霞琳不答澄因問話，顰著柳眉兒，反問道：「寰哥哥還沒有回來，一定是在路上出了事啦，我們趕緊去接應他！」

澄因大師聽得一怔，激動神情逐漸平復下來，暗道：琳兒說得不錯，楊夢寰不像負心忘情之人，他這樣長的時間還未回到崑崙山來，恐怕當真是在路上出了問題……

突然另一個新的念頭，在腦際中掠過，回憶起半年前祁連山中一段往事。朱若蘭拒敵受傷，楊夢寰送她回括蒼山去，澄因冷眼旁觀，發現了朱若蘭對夢寰鍾情極深，要不然她決不會追到祁連山中助陣，想起來這件事，老和尚心中不無愧憾之感。他和一陽子聯袂赴祁連山聳雲岩大覺寺，欲求雪參果替慧真子療治蛇毒，哪知雪參果未求到，反著了人家的道兒，誤飲了一杯藥茶，被人家關在石牢中數日之久，朱若蘭夜入大覺寺，破牢門放出兩人，算起來朱若蘭對他有救命之恩，但她卻又是霞琳的情敵。

楊夢寰送她回括蒼山時，兩個人同乘一鶴，括蒼山和崑崙山遙距萬里，朱若蘭決不會放心讓楊夢寰走路回來，既是能一鶴雙乘，爲什麼她不能遣靈鶴把夢寰送回西域來？這一想，登時把夢寰在旅途出事之念，完全推翻了。搖搖頭對霞琳道：「他可以乘朱若蘭靈鶴飛來，絕不會在旅途遇上麻煩……」

澄因大師話未說完，沈霞琳突地仰身向下，接道：「那一定是黛姊姊留住他，在那裡玩

了！」

說完一句話，臉上神情一變，瞪著一對大眼睛，望著屋頂出神。老和尚看得心中極是難過，伏下身子，輕輕拂著她的頭髮說道：「琳兒，快些閉上眼睛好好休息，等你病好了，我帶你到括蒼山找他！」

霞琳慢慢把眼神移注在澄因大師臉上，淒苦一笑，道：「我不要去括蒼山，我知道寰哥哥一定會回來的。」

澄因大師嘆息一聲，道：「那你要好好的養息，等著他回來。」

沈霞琳嘴角間浮動著淒涼的笑意，點點頭，閉上眼睛。澄因站在床邊，看她臉上自憐自惜的神情，心頭如一支利劍洞穿，想自己是遁身世外的人了，怎的卻無法斬斷這愛情煩惱，霞琳的娘因誤會移情沈士郎，刺碎了他一顆心，使他看破紅塵，遁世逃避，哪知數十年面壁苦修，仍無法把一縷情絲斬絕，收養霞琳，無非是舊情難忘，哪知十餘年朝夕相處，竟又對霞琳產生了無限慈愛，名雖師徒，情逾父女，老和尚舊創未復，又被捲入下一代的情愛煩惱。看來一個人如真想做無我無相，太上忘情，實在不易……他一直呆呆地在床邊站著想著，不知過去了多少時間，直待霞琳沉沉入睡，他才緩步退出病室。

童淑貞隨後追出來，叫道：「師伯請慢走一步，晚輩還有話稟告。」

澄因收住腳轉過身子，童淑貞緊走幾步，追到身側，合掌一禮，說道：「沈師妹傷勢突然好轉，師伯是不是覺著其中有很多可疑？」

澄因點頭答道：「有一個人暗中替她療傷，已無疑問，那暗中替她療傷的，也就是點制你穴道的人。不過，那人武功極高，依據我觀察所得推斷，他療治琳兒傷勢方法，並非用的藥

物，而是仗本身精深的功力，要知琳兒傷在體內，一般的推宮過穴手法，都無效用，來人必是用一種極特殊的獨門手法，打通她體內脈道，逼出陰寒，第一次未竟全功，所以，她時暈時醒，天下有這等功力之人，本就不多，有這等功力，而又可能到崑崙山來的，更是絕少，據我所知，只有一人……」

童淑貞已聽霞琳告訴她祁連山中之事，聽完話，立時明白，脫口說道：「師伯所指，可是那替我師父療治蛇毒的朱若蘭嗎？」

澄因道：「不錯，除她之外，我再也想不起第二個人，能醫得琳兒傷勢。」

童淑貞略一沉吟，道：「我記得她在饒州替我師父療治蛇毒時，也是陡然就到了師父的房間中，當時我還未曾入睡，瞥眼見師父榻邊人影晃動，立時由臥榻躍起，哪知腳還未站實在，已被人點中了穴，一直到現在，我還想不出她用的什麼手法，真個是快速無比，剛才那點我穴道的人，身法亦是快極，我聞警轉身，已自不及，說起來實夠慚愧，人家點了我的穴道，我卻連人家面貌也未看清楚。」說完，粉臉上微現羞紅，垂下了頭。

澄因大師勸道：「他隱在門後，突然出手，你自然無法防備，不過動手點你穴道的人是否就是朱若蘭，還有可疑之處。如果真的是她，盡可以光明正大的和我們見面，爲什麼要隱現無常的駭人？再說琳兒的病勢第一次好轉，是在五、六天前，今天又突然好了許多，當中相距有數日之久，如果是朱若蘭，她會在什麼地方藏身呢？你師伯、師父、師叔，連老衲算進去，得領一份救助之情，琳兒和她更是投緣，無論從哪裡想，她都無隱身必要。」

童淑貞哼了一聲，連啓兩次櫻唇，卻未說出話來，她心裡本想說，不管多寬大胸襟的女人，都免不了一個妒字，別的事她都可以讓人一步，但要涉及情愛二字，決不肯讓人，朱若蘭

如果真對楊夢寰生了情愫，親妹妹她也是不肯退避，何況她和琳師妹不過是數面之交……但她幾次話到嘴邊，都羞於出口。

澄因大師看童淑貞欲言又止，自是不便追問，淡淡一笑，繼續說道：「不管來人是誰，我想他還會重來，咱們隱在暗處等他。」

童淑貞仰起臉兒想一下，道：「這法子不錯，我就藏在琳師妹的房間裡，一則可看清他究竟是什麼人？二則可相機保護。」

澄因點點頭，道：「你留在房中的辦法很好，但切記不要莽撞出手，先設法傳出警訊，我好趕來接應你。」

當下兩人計議妥當，由澄因在室外附近巡視，如果發現了來人行蹤，立時通知房中的童淑貞，如果來人潛入了霞琳病室，而澄因尚未發現，由童淑貞用訊號通知老和尚趕來接應，約定之後，澄因立即退出了霞琳臥室。

這時，風雪逐漸減少，屋外梅林，經這風雪一催，吐艷競放，萬株梅樹，一片花海，紅白交輝，香氣襲人。

老和尚停步凝目，望著那萬樹盛開梅花，心底泛起無窮感慨。如果一個人能擺脫塵寰間一切情愛牽纏，無憂無慮地笑傲山林，打發去那悠悠歲月，既不費心機，又無煩惱，多好！自己本已是避世遁禪的人了，世間一切事物，原已和自己無涉無關，那曉得因霞琳這個孩子，又捲入是非漩渦，當前重重磨折，已是心神憔悴，更不知最後是一個什麼結局？

這是個極難思索透徹的問題，看去很簡單，想起來卻十分繁雜，澄因望梅出神，思索良久，仍難想出個所以然來。

十七　人心叵測

再說玄都觀主和玉簫仙子各出全力，搶登斷崖，兩人輕功不相上下，登上峰頂，仍然是並肩聯袂，一步不差。

玉簫仙子陡然收步，揚起手中玉簫，遙指前面一座突出的高峰，道：「那座峰腰間，有一片突出冰岩，下臨千丈絕壑，掉下去非摔個粉身碎骨不可，咱們在那冰岩上動手，就是分不出勝負，只要有人用力踏裂那積冰也可能掉在山谷中摔死。」

一陽子淡淡一笑，道：「姑娘別具匠心，選的地方實在不錯。」

玉簫仙子臉色突地一變，慍道：「你看此處距那高峰有多少路程？」

一陽子吃力一打量，笑道：「大約有二十里左右。」

玉簫仙子冷笑一聲，道：「這段行程總不能白白地放過，咱們邊走邊打如何？」

一陽子仰臉一陣呵呵大笑，道：「妙極！妙極！姑娘果是名不虛傳。」說罷，翻腕指出一劍。

玉簫仙子突然向前一躍，反手一簫點去。

一陽子揮劍架開玉簫，一挫腰，人劍飛起，疾如流星，指襲後背。

兩人一面走一面打，既要搶在前面，又要攻敵防襲，各出生平絕學，打得花樣百出，但

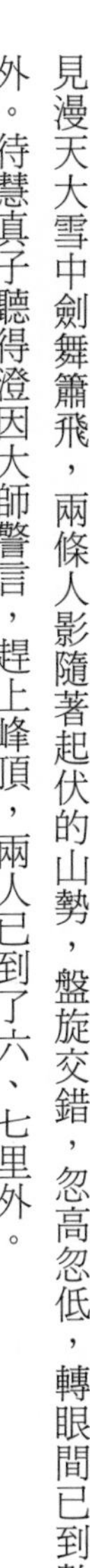

見漫天大雪中劍舞簫飛，兩條人影隨著起伏的山勢，盤旋交錯，忽高忽低，轉眼間已到數十丈外。待慧真子聽得澄因大師警言，趕上峰頂，兩人已到了六、七里外。

她佇立峰頂，心中暗自發愁，四外盡都是連綿不絕的群山，到哪裡去找兩人呢？突然間，正東方陰雲下遙現一點黑影，快如破空流矢，倏忽間已到慧真子站的峰頂上，待她看出那是朱若蘭養的大白鶴時，巨鶴已掠空飛過。

慧真子心中一動，暗道：這巨鶴既在此地出現，如不是朱若蘭遣送夢寰回來，定是她親身到此……

心裡想著，不覺轉臉向那巨鶴望去，只見一點黑影在空中流動，瞬息間隱沒不見，低頭見峰下怒放梅花，如錦如繡，風雪中越覺得繽紛耀目，傲冠百花。

忽然間一條人影，在那梅林中一閃而逝，慧真子心頭一震，正想縱身躍下斷崖，入林察看，心中突又一動，反而轉身向後退去，然後藉岩石松樹隱身，復登峰頂，藏在一株巨松後面，凝神下看。

足足等了有一頓飯工夫，才見那梅林濃密之處，走出一個奇裝少年，因爲距離很遠，又下著雪，慧真子目力雖然很好，也難看清那人形貌，但從衣著體形上看，可辨出那人既不是楊夢寰，亦非朱若蘭，好像在哪裡見過他那身裝束，但一時間卻想不起來。

只見那人藉梅樹掩身，向霞琳住的茅舍處走去。

距茅舍大約還有十幾丈遠，霍然縱身躍上梅樹，竟施展出輕功，踏樹飛渡，快到茅舍時，突然停下，一飄身，落在屋頂上面。

慧真子看得暗吃一驚，忖道：此人輕功不凡，童淑貞絕非敵手，如不及時趕去救援，只怕

要出差錯，當下顧不得再隱身形，疾躍下峰，直撲茅舍。

慧真子全力急奔，快似出雲飛車，不過片刻之間，已近茅舍，只見那人微閉雙目，盤膝坐在屋頂，似是正在運氣調息。澄因大師已搶先一步趕到，站在屋頂一側，手橫禪杖，蓄勢戒備，兩人相距，也就不過有六、七尺遠近，但那少年卻視若無睹，仍然閉目靜坐。慧真子停住步，仔細看那少年兩眼，只見他面如冠玉，美似處子，手套金環，背插一支奇形長劍，端坐雪中，氣定神閒，不禁一怔，喝問道：「你是什麼人？」

那少年慢慢睜開眼睛，目光一轉，橫掃了慧真子和澄因一眼後，笑道：「二位真是健忘得很，咱們在祁連山中見過一面，不過才隔半年，兩位怎的就忘記了呢？」

要知當時陶玉傷脈正重，除了一陽子替他推拿穴道，印象較深之外，澄因和慧真子都不過是一瞥而逝，如何能記得清楚；但他數度夜入三清宮，暗探茅舍，已見了崑崙三子和澄因數面，隱身絕峰看玄都觀主力鬥玉簫仙子時，更從幾人言詞之間聽得很多內情，他本是極端聰明之人，把聽得許多片段之言，聯起一想，心中早已了然，崑崙三子在祁連山中大概經過，知慧真子和澄因都是當時在場之人。

慧真子想了一陣，突然憶起大師兄在祁連山一座石洞中救人之事，微微一笑，答道：「閣下可是天龍幫李幫主的門下弟子嗎？半年前得令師妹李瑤紅引見，和閣下見過一面，不過那時你正在病中……」

陶玉冷笑一聲，截住慧真子的話，道：「不錯，我叫陶玉，在祁連山時，我不是生病，而是受了人家的暗算，我這次到崑崙山來，就是想找暗算我的人，清結一下舊帳。」

慧真子一皺眉頭，道：「暗算你的人，在我們金頂峰嗎？」

陶玉格格一陣大笑道：「起初我懷疑是你們崑崙三子之一，但現在我知道不是你們了。」

慧真子看他神態狂妄，不禁心中有氣，臉色一變，微慍道：「崑崙三子非但不是暗算你的人！而且還是你救命恩人……」

陶玉又打斷慧真子的話，接道：「救我也許確有其事，不過，我陶玉不領這空頭人情，如單憑玄都觀主那幾下推宮過穴手法，只怕我早已葬身在祁連山冰雪之中了。」

慧真子冷笑道：「救人性命，意在行仁，並不要你心存感激；我只問你到這裡來做什麼？」

陶玉緩緩站起身子，暗中試行運氣，只覺勁力難達四肢，心知元氣未復，不宜和人動手，微微一笑，抖抖身上積雪，答道：「我來酬謝祁連山相救之恩，替你們門下弟子療傷。」

慧真子笑道：「她傷勢很重，只怕你不能醫得。」

陶玉道：「我要不替她療治，恐她早已抱恨九泉。」

澄因半信半疑地接口問道：「她現在尚未全好，你既醫療過她，爲什麼不把她完全醫好？」

陶玉轉臉望了澄因一眼，冷冷答道：「你們提杖橫劍，如臨大敵，我要替她療傷，是不是先得和你們動手打個勝敗出來才行？」

澄因收了禪杖，躍下屋頂，陶玉緊接著飄峰而下。老和尚當先領路，陶玉走中間，慧真子走在最後，到了霞琳臥室門口，澄因陡然轉過身子，目注陶玉問道：「你要是信口開河，當心我手中禪杖！」

陶玉冷笑一聲，答道：「只怕你手中禪杖，未必就能勝得我一雙肉掌。」

澄因大師臉色一變，呵呵大笑道：「小施主好大的口氣！」

說罷，霍然一閃身，讓開去路。

金環二郎傲然一笑，大踏步直對霞琳臥榻走去。

童淑貞本來手橫寶劍，坐在師妹床沿，見陶玉直對臥榻走來，只得站起退到一側。陶玉走近榻邊，低頭望了霞琳一眼，見她正沉睡未醒，心知是剛替她打通的四脈，血道初活，必需要睡一段時間，才能醒來，轉臉掃了澄因和慧真子一眼，說道：「她受冰雪陰寒侵傷了體內脈穴，必需打通她奇經八脈，傷勢才能好轉，我已爲她打通了八脈之七，現在單餘一脈未通，你們去準備一碗薑湯，待我把她最後一脈打通，把薑湯替她灌下，然後給她蓋上被子，大約沉睡一個時辰左右，清醒後就算完全好了。」

這當兒，澄因和慧真子，只得照他吩咐去辦，慧真子指名童淑貞準備薑湯，自己卻走到霞琳床邊，目注陶玉，靜待他動手療傷。

金環二郎知她目的在保護霞琳，似是對自己的話還不十分相信，冷笑一聲，潛運功力，左手閃電般把霞琳嬌軀翻轉，右手拍中沈姑娘的背心。

慧真子本想出手攔阻，但一眼看見陶玉頂門上的汗珠兒，心頭一凜，停下了手。陶玉拚耗本身元氣，替霞琳打通了最後一脈，已累得輕聲喘息，停住手，退兩步，道：「她奇經八脈已通，一個時辰之內，必可清醒。」

說完，緩步向外走去，澄因大師急搶兩步，擋在門口笑道：「小施主不惜耗損本身功力，捨己救人，老朽感激萬分。現在風雪正大，如何能夠走得，請到老朽房中，吃杯清茶，俟風雪

稍住時，再走不遲。」

陶玉知他並非真情留客，留客作用無非是怕自己暗中對霞琳下了毒手。但金環二郎心中卻很明白，霞琳奇經八脈全通，在頓飯工夫之內，必可清醒過來，自己剛剛損耗不少元氣，正好借機會調息一陣，當下微一點頭，隨在澄因身後，進了老和尚臥房。

澄因倒了一杯松子水，送給陶玉，金環二郎毫不客氣地接過一飲而盡，隨手把茶杯放在桌子上，謝也不謝一聲，就在澄因臥榻上盤膝坐下，閉上眼睛運功調息。

老和尚雖然修養極高，但也受不了陶玉的冷傲神態，不禁一揚慈眉，正要發作，突地心念一轉，暗道：如果他真能把霞琳醫好，我就忍點氣也不要緊，如果他醫治不好霞琳，等會兒和他一起清結總帳，現在還是忍受些好。

他心念一轉，暫壓下心頭一股怒火，在陶玉對面坐下。

表面上看去，兩個人相對靜坐，都在運氣調息，進修內功，其實兩人心中都在想著心事，澄因擔心霞琳傷勢，是否正在好轉，假如陶玉在霞琳未醒之前要走，又用什麼方法留他？

陶玉心中也在想著一件難題，他想：沈霞琳奇經八脈已通，雖然元氣未復，但她內功基礎甚好，勉強行功，當無問題，問題是如何想法騙得她心甘情願地跟自己走？以及怎生闖過澄因和慧真子的攔阻？

突然間，門上竹簾起處，童淑貞急奔而入，跑近澄因身側，低聲說：「琳師妹已清醒過來，師父要我請師伯即刻過去看看。」

老和尚聽得一躍而起，急向室外奔去。陶玉睜開眼睛，深注著童淑貞微微一笑，雙目倏然復合。這一笑，十分動人，只笑得童淑貞心中卜卜亂跳，她急奔兩步，搶到門口，卻忍不住又回頭望了金環二郎一眼。

只見他盤膝閉目，靜坐榻上，金環束髮，膚白欺霜，嘴角間帶著笑意，唇紅齒白，神態極是迷人，說風流明艷，比萼寰尤勝一籌，看一陣，不自覺心中又是一陣亂跳，慌忙閃身，退了出去。

再說澄因大師急奔到霞琳臥室，沈姑娘果然已擁被而坐，人雖比過去清瘦許多，但臉色隱泛紅光，病勢已大大好轉。

老和尚心頭一樂，跑過去摸著霞琳額角，嘴裡呵呵笑著問道：「琳兒！你覺著好些嗎？」

霞琳點點頭道：「我病了幾天，把你和師父都急壞了，我病好了，一定要好好孝順你和師父！」

澄因進門後，只管留心霞琳病勢，忘記了慧真子也在房中坐著，聽得霞琳一說，趕忙轉身對慧真子合掌一禮，笑道：「老和尚失禮了。」

慧真子急忙還了一禮，道：「大師見外了，我心中有點疑問，故而請你來商量一下。」

澄因道：「什麼事儘管吩咐，老和尚洗耳恭聽。」

慧真子一皺眉頭，道：「替琳兒療傷之人，可當真是我們在祁連山中所遇的陶玉嗎？」

澄因道：「這倒不會錯，他那身怪異裝束，一見即可分辨出來。」

慧真子道：「事情難解之處，就在這裡，他在祁連山受傷不輕，當時李滄瀾等都已退走，李瑤紅也和我們一起離開了祁連山，什麼人替他療傷？還有，他替琳兒打通的奇經八脈，是人身體內的經脈，這門功夫，江湖上雖有傳聞，但什麼人有此功夫，卻未曾聽人說過，海天一

叟雖然名播四海，但未必就通達這門功夫，朱若蘭在饒州替我療治蛇毒時，打通我體內奇經八脈，陶玉替琳兒療傷，也是打通她奇經八脈，這中間重重疑竇，好生教人費解？」

澄因聽得怔了一怔，道：「不錯，不錯！」

慧真子微微一笑，接道：「剛才我在後面山峰上，看到了朱若蘭那隻巨鶴，現在靜心一想，其間頗多破綻。夢寰半年未歸，但卻陡然間出現了一個陶玉，他又爲什麼自願替琳兒療傷？鶴現人不見，更屬可疑。我懷疑他是受朱若蘭遣派而來！」

老和尚只聽得雙目圓睜，不住點頭。

慧真子輕輕一聲嘆息，道：「朱若蘭技似天人，貌比花嬌，她和楊夢寰……」話到唇邊，突然收住了口。

只聽得沈霞琳幽幽長嘆一聲，悽惋笑道：「師父，您怎麼不說了？怕我聽到了難過嗎？」

慧真子一揚柳眉，道：「如果我推斷不錯，這件事你將來總要知道，倒不如現在讓你知道好些。」

澄因大師合掌宣了一聲佛號，連道：「冤孽，冤孽。」

慧真子接道：「朱若蘭肯爲我療治蛇毒，又追到祁連山中來助陣，施恩目的，無非在取悅夢寰，我懷疑是她救了陶玉後，授以武功，派他來金頂峰有所作爲，不過她準備怎樣對付琳兒，卻令人難以料想……」

一語未落，突聞半空鶴唳，慧真子、澄因不約而同雙雙躍出室外，抬頭看，漫天大雪中一隻巨鶴低掠而過，鶴飛過於快速，一瞥間，隱過山峰不見。

澄因臉色凝重，回顧慧真子一眼，道：「一點不錯，果然是朱若蘭那隻巨鶴，這麼看起

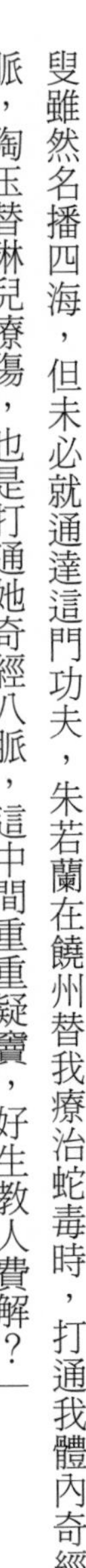

來，事情確實可疑，也許你料想不差。」

慧真子正待答覆，轉眼見陶玉由澄因房中出來，漫步踏雪而去。顧不得再答澄因的話，一頓足，猛追過去，起落之間，就是兩丈多遠，三個縱躍，已超到金環二郎前面，回身攔住去路，道：「這大風雪，如何能走?再說你不把事情辦完，回去如何交差?」

陶玉聽得一怔，退兩步，冷笑道：「我已償還了你們崑崙三子在祁連山中相救之情，還有什麼事情可辦?」

一面答話，一面暗中運集功力，準備動手。

慧真子笑道：「朱若蘭派你來，就是爲救沈霞琳嗎?試問這萬里行程，她怎的知道霞琳被萬年冰雪陰寒侵傷?」

金環二郎聽得十分不解，但他卻誤認是慧真子藉故留難，不覺心頭火發，臉色一變，怒道：「什麼朱若蘭，我根本就不認識。你要藉口找事，我陶玉捨命奉陪就是。」

說著話，暗中一提真氣，就要出手發難。

哪知他剛替霞琳療傷消耗元氣未復，這一提氣，登時覺著眼前一黑，心知如果勉強動手，對自己損害太大，權衡利害，忍耐爲上，當下一收攻勢，反退三步。

慧真子雙掌已相錯護身，看陶玉陡然停手不攻，反向後撤，正想猱身欺進，試試他武功如何，突聽霞琳高聲叫道：「師父!他是寰哥哥的朋友!」

兩人轉頭望去，不知何時霞琳已離了病室，而且正對兩人緩步走來，白衣長髮，隨風飄飛，清瘦的臉上，浮現著嬌淒的笑意，澄因大師緊隨她身側相護。

霞琳先到師父身邊，問道：「他和寰哥哥很好，我去和他談談好嗎?」

慧真子微一點頭，霞琳又轉身到陶玉身旁，笑道：「你那天生病時，我叫你你就不理我，一定是你病得很厲害，聽不到我的聲音了。」

陶玉先是聽得一愣，繼而想起她是說半年前祁連山中的事，點點頭，笑道：「不錯，我當時是傷得很重。」

霞琳道：「我病時，有師父、師伯、貞姊姊等照看我，你一個人生病在大山裡，實在可憐。」

陶玉被她說得心中一陣悵然，淡淡笑道：「一個人總難免生死離合，生病也沒有什麼好可憐的。」

沈霞琳睜著一雙淚水瑩然的大眼睛，望著陶玉笑道：「人病了，心裡總是會難過的。你的病怎麼好的？在那樣大的山中，又沒有一個人照看你。」

金環二郎只覺她柔和的眼神中，如有無限熱力，頓使人冷心一暖，縱是想說謊言，也覺難以出口，微微一笑，道：「我遇上一個老和尚，替我把病醫好。」

慧真子淡然一笑，接道：「只怕是一位年輕美麗的少女吧？她給你療治好傷勢之後，又用靈鶴遣送你到金頂峰來了。」

陶玉聽不懂話中含意，只冷笑兩聲，不理慧真子，卻轉身對霞琳道：「你奇經八脈剛被打通，必需好好休息幾天……」

金環二郎話未說完，突見霞琳打了一個冷戰，舉起右手按在額角叫道：「我頭暈了，心裡冷死啦。」

澄因吃了一驚，一個箭步，躍到霞琳身側，扶著她連聲叫道：「琳兒！琳兒！」

只見沈姑娘泛紅的嫩臉，霎時間變成蒼白顏色，櫻唇轉青，全身發抖，星目輕合，搖晃欲倒。

驟然的變故，使慧真子也失去鎮靜，兩個人只管照顧霞琳，陶玉卻借機溜走，待慧真子想起來時，金環二郎已走得沒了影兒。

慧真子氣得一頓腳，嘆道：「果不出我意料，他明爲霞琳療傷，暗裡下了毒手，你快扶她到房中休息，我去追他算帳！」

澄因抱起霞琳，站著不動，看不出他臉上神情是怒是恨，雙目圓睜，慈眉倒豎，全身不住地輕微顫抖，這一瞬間，他腦際中空空洞洞，木然愣在雪中，寒風吹飄著他灰色的僧衣，宛如一尊石塑羅漢。

足足有一盞熱茶工夫，才聽他長長嘆了口氣，低頭望著懷中的霞琳，泫然泣道：「琳兒！琳兒！你當真就這樣夭壽嗎？天道瞶瞶，爲什麼把這諸般苦難，盡加在這善良無邪的孩子身上。

慧真子本想去追陶玉，但看老和尚情傷欲絕神態，只得暫時停住，勸道：「大師不要太過傷神，現在救人要緊，先把琳兒扶到房中看看是否有救，她既已投入我們崑崙門下，這報仇之事，崑崙派自當全力以赴。」

澄因神志恢復，漸趨鎮靜，當下幾個縱躍，已到霞琳臥室，慧真子緊跟著也進房中。見霞琳床上枕橫被亂，這就突然使她想起童淑貞來，這半晌工夫，一直沒見她面，不知到哪裡去了。

想起了童淑貞，慧真子心中又緊張起來，一翻身退出霞琳臥室，向外尋去。

出了茅舍竹籬，只見童淑貞背靠在一株大梅樹上，仰望著梅花，呆呆出神，青色的道袍上，已有不少積雪，看樣子，她似乎已站在那裡不短時間了。

慧真子心頭一震，想道：糟，這孩子一定是被人點了穴道，放置在那裡……縱身一躍，直掠過去。

童淑貞正在仰著臉想心事想得入神，慧真子飄落她身側，她還不覺。

慧真子細看童淑貞，不像受人點了穴道的樣子，不覺心頭火起，沉下臉喝道：「貞兒，你發的什麼呆？你師妹病得要死，你還有心情賞梅？」

童淑貞回頭看是師父，嚇得疾退兩步，拜倒在雪地上，道：「弟子……弟子……」

慧真子聽她「弟子」了半天，還是說不出個所以然來，心中愈發氣惱，正要發作，突然發現她一臉惶恐神色，和已往受責時，垂首聆教神情大不相同，不禁心生疑竇，皺皺眉頭，按下怒火，問道：「你一個人在這風雪之中，想的什麼心事？」

童淑貞幼失父母，三歲時即被慧真子救到金頂峰三清宮中，恩養了十八寒暑，同門幾位師姊妹中，她是受師恩培育最深之人，也是慧真子最爲寵愛的弟子，平時，她總是隨侍師父左右，名雖師徒，情似母女；但自霞琳投入慧真子門下之後，這情勢略有轉變，對霞琳寵愛日增，好在沈姑娘心地純真，根本就不懂和人爭寵奪愛，童淑貞十分清楚霞琳的性格爲人，儘管有不少不太了解霞琳性格的同門爲她叫屈，但她和霞琳卻相處得情逾骨肉。

慧真子在江湖上行道時也常常帶著她走走，童淑貞的江湖閱歷也很豐富，再加她幼年失去父母的重重磨難，使她看透了人間的險惡，決心改易道裝，隨恩師皈依三清宮。

玉靈子門下首座弟子，雖對她一往情深，十年不變，但童淑貞的一顆心堅如鐵石，並不爲首座師兄的摯情所動，她已下了決心，今生不委身事人。

哪知適才和陶玉匆匆一面，不自覺地爲他風流明艷的神態所迷，更壞的是陶玉不應該望著她含情一笑，只笑動了童淑貞一懷柔情，她永不事人的意志，開始動搖……這心事，自不能坦然對慧真子講，沒法子，只得巧言飾辨，道：「弟子不便聽師父和澄因師伯談話，因此才冒雪賞梅。」

這是她有生以來，第一次欺騙恩師，說過話，自己臉上倒先紅起來。

她這神情，如何能騙得過慧真子一雙神目，不過慧真子並沒有當時點破，師徒相處十八年，她對童淑貞了解極深，如非有難言苦衷，童淑貞絕不會騙她，當下故作相信，點點頭，道：「你師妹病勢突然惡化，人又暈了過去，你快些回去看看。」童淑貞一拜起身，抖抖身上積雪，急步向茅舍中奔去，一口氣跑到霞琳房中。

只見沈姑娘閉著雙目，仰面臥在榻上，澄因大師急得在房中走來走去，慈眉愁鎖，一臉感傷，老和尚當真是急瘋了心，口中喃喃自語，不知在說些什麼。

童淑貞一下子撲到霞琳床上，拂她秀髮叫道：「琳師妹，琳師妹……」

她連叫了七、八聲，但除了聞得霞琳微弱的鼻息聲音之外，連眼皮也未睜動一下。

突然，身後飄傳來一個清脆動人的聲音接道：「她害的什麼病，這等厲害？」

聲音不大，但卻字字清晰。童淑貞回頭望去，只見一個丰儀絕世的青衣少年，緩步對著臥榻走來，舉步輕逸，恍如行雲流水，絕美之中，含蘊著逼人的高華氣度，耀眼生花，使人不敢

仰觀。童淑貞還未及開口，卻聽澄因大師怒道：「朱若蘭！你跑來這裡做什麼？」

朱若蘭聽得一怔，停住了步，兩道冷電般的眼神，逼視在澄因臉上，慢慢地反問道：「為什麼我不能來？」

聲音雖然甜脆動聽，但那甜脆聲音中卻似含著無上威力，入耳驚心，老和尚不禁一呆。

童淑貞在饒州客棧和她見過一面，知她出手快速無比，心存戒懼，不自覺伸手拿起寶劍。

朱若蘭冷笑一聲，緩步對她走去，直把那三尺霜鋒當做草芥，連看也不看一眼。

澄因一橫身攔在霞琳臥榻前面，雙掌含勁當胸，蓄勢待敵，童淑貞也一躍而起，寶劍斜垂，封住門戶。

朱若蘭臉上微現詫異之色，眼光橫掠兩人一掃，投落在仰臥床上的霞琳身上，只見她臉色蒼白，雙目緊閉，看情形似是病得十分嚴重，不覺一揚柳眉兒，怒道：「她病勢那等沉重，你們不想辦法給她醫病，卻橫劍蓄勢攔我做什麼？」

澄因聽得一怔，繼而又冷笑一聲，道：「她病死了，不是正稱你的心嗎？」

朱若蘭再難忍受，右手一舉，嬌叱一聲，欺身直進，封住澄因當胸雙掌，左手伸縮之間，已把童淑貞手中寶劍奪下，反手一投，寶劍直向室外飛去，劍勢快如電掣雷奔，正好把身後躍襲而來的慧真子攻勢擋住。

她一出手，同時制住三人。一步到了霞琳床邊，伸手摸著她額角，低喚了兩聲琳妹妹，琳妹妹。

這時，澄因大師、慧真子都已躍到了霞琳榻邊，緊靠朱若蘭身後站著，兩人運功蓄勢，含勁掌上，只要朱若蘭有加害霞琳之意，立即一齊劈出。

但朱若蘭卻十分鎮靜，對兩人含勁待發的掌勢，渾如不覺，慢慢轉過頭來，問道：「她怎麼病得這麼沉重，你們爲什麼不早一點替她醫治呢？」兩道冷電般的眼神，緩緩從慧真子等臉上掃過。

慧真子一觸到她的眼光，心中驟然浮現在饒州療毒情景，一陣惶愧，不覺把運勁待發的掌勢緩緩垂下。

澄因一側臉，避開朱若蘭的眼光，冷冷答道：「她爲想念楊夢寰，冒著風雪站在一座高峰上望他歸來，數日夜不言不食，被山中積存的萬年冰雪侵傷了體內經脈……」

話到這兒，突聽得朱若蘭啊了一聲，粉臉變色，大眼睛閃了兩閃，神光迫人，盯在澄因臉上，追問道：「什麼？楊夢寰還沒有回到金頂峰來？」

澄因冷笑一聲，答道：「不放楊夢寰回來也就罷了，遣陶玉對霞琳暗下毒手，那才是心比蛇蠍！」

朱若蘭似乎沒留心澄因答些什麼，仰臉凝神想了一陣，自言自語道：「他送我到括蒼山後，第二天就留書不辭而別，屈指已七個多月，無論如何，他也該早到家了？莫非是在路上出了事情？」

慧真子冷眼旁觀，看朱若蘭驚愕神情，似非故意裝作，正想開口把事情說清楚，澄因已搶先說道：「只怕他還在括蒼山沒有動身？」

朱若蘭只氣得打了個哆嗦，右手一揚，突又緩緩收下，從懷中取出一紙白箋，遞到慧真子手中，冷笑一聲，道：「這是他留給我的告別信，你看看是不是他的筆跡？」

慧真子展開白箋，只見上面寫道：弟本愚質，承蘭姊不棄折節下交，楊夢寰何幸如之，本

應待玉體康復後再走，乃因師門正值多事之秋，弟忝為崑崙門下弟子，豈能托護蘭姊，獨善其身？西望師恩，歸心似箭，留書依依，祈祝早復。楊夢寰手上。

下款留書日期是五月十六日，距此時已半年以上。

慧真子看完了信，朱若蘭輕輕嘆息一聲，道：「當時我正療治傷勢，待我傷癒後，他已走了旬日之久……」

說時一頓，沉吟良久，接道：「這半年時間中，我因趕習一點武功，未離開括蒼山一步……」

慧真子看完夢寰留書，又聽了朱若蘭幾句話，雖然其中幾點疑竇，還難完全了然，但心中已明白確實錯疑人家了。當下合掌一禮，接道：「朱姑娘如果不親身來此，我們確實難以料得出事情經過這樣單純，再加幾點巧合，使我們錯疑了姑娘。」

說著，嘆息一聲，把陶玉替霞琳療傷的種種經過，很詳盡地說了一遍。

朱若蘭悽惋一笑，道：「既有這些巧合，你們錯疑我自是難怪。當前最為要緊的事，是先把琳妹妹的傷勢醫好再說。」

說罷，伏下身子，很細心地查看霞琳傷勢。

澄因、慧真子、童淑貞，六道眼神，一齊投集在朱若蘭臉上，三個人心中都明白，沈姑娘能否得救？在此一舉。

只見朱若蘭臉上的神情，隨著她在霞琳身上移動的兩手，逐漸緊張起來，終於她臉上變成了一種茫無所措的神色，停下手，嘆口氣，慢慢轉過臉，道：「她全身奇經八脈暢通無阻，實難找出傷在何處？」

兩句話直如萬把利劍洞穿了澄因的心，登時急得老和尚頭上汗水如雨，只聽他長長嘆息一聲，合掌宣了一聲佛號，吟道：「菩提本無樹，明鏡亦非台，著相三十年……」吟著，轉身大步向室外奔去。

慧真子吃了一驚，急起一躍，擋在門口，說道：「琳兒並非無救！你如何能夠走得？」

澄因笑道：「和尚已無牽無掛，只餘下搏殺齊元同一樁心事未了……」

說時一頓，探手入懷，取出一支玉簪，接道：「這是令師兄椎髻玉簪，在他和玉簫仙子尋地比武之前，交給了我，要我幫他查明楊夢寰惡跡後，憑玉簪替他清理門戶，僅此轉贈，寄語令師兄無緣再見。」

說完，把玉簪交到慧真子手中，雙掌一分，先發推出。

慧真子想不到澄因會突然出手，只覺一股奇猛勁道，直逼過來，急向旁側一閃，老和尚卻趁機躍到了院中，急步走入自己臥室，匆匆整理一些應用之物，提著禪杖出來。慧真子心頭一急，拔劍攔住去路道：「大師縱然一定要走，也望能見我大師兄一面！」

澄因仰臉一陣哈哈大笑，聲音極是特異，若笑若哭，充滿著幽傷悲忿，只笑得慧真子心底冒上來一股寒意。

慧真子望著澄因背影，心中極是爲難，如果放他滿懷悲忿離去，道義上實難說得過去，但如再要攔他，恐怕有得一場架打，她心中風車般地打了幾個轉，決定不管如何，先把他留住再說。振劍一掠，大聲叫道：「大師如不待我師兄回來，恐怕沒有這麼容易走得！」

澄因大師回身橫杖怒道：「你要怎麼樣？」

慧真子笑道：「我要留你多停幾個時辰，等我大師兄回來再走！」

澄因狂笑一聲，捲起一股杖風，道：「只怕你擋不住老衲手中禪杖！」

慧真子心知已非言詞能留得住他，揚了揚手中寶劍道：「這倒未必見得！」心念一動，立出絕學，施出追魂十二劍中連環三招「起鳳騰蛟」、「朔風狂嘯」、「霧斂雲收」，劍聚一片銀光，如狂飆捲襲而下。

澄因果被慧真子排山般的劍勢，逼退了三尺左右，這就更激得老和尚怒火千丈，正待揮杖搶攻，突聽身後一個清脆熟悉的聲音，喊道：「師伯，你爲什麼要和我師父打架呢？」

澄因回頭望去，只見沈霞琳站在丈餘外雪地上，白衣、長髮，隨風飄拂，滿臉茫然不解神色，朱若蘭緊隨著她身後站著，眉宇間微泛怒意，雙目中神光閃動，愈覺得威儀迫人。

老和尚愣了一愣，悲忿的心情，登時鎮靜下來，丟掉手中禪杖，一個縱躍到霞琳身側，叫道：「琳兒！琳兒！你……你好了嗎？」

霞琳一步投身在老和尚懷中，仰起臉，笑道：「黛姊姊本領最大，她來了，我的病不管多厲害，她也能把我醫好！你是在和我師父打著玩嗎？」

澄因臉一熱，笑道：「不錯，不錯，我和你師父在切磋武功。」

朱若蘭嘴角一撇，冷笑一聲，道：「那麼大一把年紀了，還是一點沉不住氣，要是傷了人，怎麼辦呢？」

她這幾句話，也不知是指哪個，反正慧真子和澄因，都聽得臉泛紅彩。

朱若蘭目睹兩人窘態，不覺嫣然一笑，又道：「也怪我一時大意，找不出她傷在何處，才害得你們兩人切磋武功。」

慧真子紅著臉笑道：「琳兒自小就在他恩養之下長大，憐憂心切，自難免悲痛過深，這也是人之常情，不知琳兒現在傷勢如何？」

朱若蘭笑道：「琳妹妹雖被人打通奇經八脈，但卻未把經脈中侵入的陰寒迫出，反而集攻五腑，滯留不散，因而更加嚴重。現在我雖把她五腑陰寒逼散，但尙未把陰寒迫出體外……」

澄因不待朱若蘭話完，就急急接口問道：「這麼說來，朱姑娘也無能療治她的傷勢？」

朱若蘭兩道清澈的眼神，慢慢地移到霞琳身上，嘴角間緩緩露出笑意，答道：「爲了琳妹妹，我縱然損耗一些功力，亦無所惜，只是有一件事，需得勞動兩位的大駕！」

澄因笑道：「朱姑娘但請吩咐！赴湯蹈火，老和尙萬死不辭。」

朱若蘭嘆息一聲，說道：「現下陰寒已侵入她內腑，縱有靈丹也難奏效，唯一療救之法，是把滯留在她五腑的陰寒迫出體外，我縱然不惜消耗本身真氣，也非一、兩天時間能夠收效。以她內功而論，總得五日夜工夫，在這五日療治期間，最忌有人搗亂，一旦不好，不但傷勢加重，說不定還得害琳妹妹走火入魔，就是晚輩本身，也要蒙受極大損害，所以，必須有兩位武功極高之人，護守關期！」

澄因望了慧真子一眼，道：「這個老和尙自是責無旁貸。」

慧真子一笑接道：「沈霞琳是崑崙門下弟子，崑崙派自不能袖手旁觀，貧道親率門下弟子，布守關期。」

朱若蘭笑道：「人多了反易壞事，有兩位已經足夠，煩請準備一些食用之物，晚輩現就動手替她療傷！」

沈霞琳一翻身，奔到朱若蘭的身側，眼眶中滿含淚水，笑道：「姊姊待我這樣好，只怕我一輩子也沒有法子報答你了！」

朱若蘭微微一笑，秀目凝著霞琳，臉上神情若悲若喜，心中洶湧著萬千感慨。

當前這傷勢奇重的少女，正是她心目中最大的情敵，就自己過去觀察所得，楊夢寰對霞琳情愛極深，沈姑娘在世上，楊夢寰絕不會移情他人，此刻，如果自己不出手救她，沈姑娘絕對難熬過一個月。她死了，楊夢寰不難移愛自己……但她又不忍看著這嬌稚善良的孩子死去……

這是個十分微妙難解的問題！包括了人性、愛欲、妒嫉、憐惜，饒是朱若蘭聰明透頂，一時間也想不出個所以然來。沈霞琳看朱若蘭一直望著她，很久很久，仍然一語不發，心中甚覺奇怪，忍不住問道：「黛姊姊，你在想什麼？」

朱若蘭如夢般啊了一聲，笑道：「我在想你寰哥哥怎麼還不回來？他要是看到了你病成這等模樣，一定十分難過。」

霞琳幽幽嘆道：「他不回來，一定是在路上出了事啦！我要是沒有病，咱們就可以一起出去找他了。」

朱若蘭笑道：「你要找他，拉我一起去幹什麼呢？」

霞琳聽得滿臉茫然問道：「你不是和寰哥哥很要好嗎？爲什麼不管他呢？」

朱若蘭被問得暈生雙靨，眨眨眼，拉著霞琳一隻手，低聲笑道：「我和你說著玩的，等你傷好了，咱們就去找他。」說著，扶霞琳回到靜室。

慧真子吩咐童淑貞爲霞琳去準備應用之物，自己和澄因卻借這段空閒，靜坐養息。

這時，風雪已住，滿天陰雲隨風散去，一抹夕陽返照，天色已近黃昏。

童淑貞準備好食用之物，送入靜室。朱若蘭讓霞琳食用一些湯餅後，立時動手替她療傷。

她讓沈姑娘面壁而坐，自己也盤膝坐在霞琳背後，口授了沈姑娘玄門吐納導引口訣，伸出右掌頂在霞琳後背「命門穴」上，默運本身真氣，一股熱流，緩緩攻入霞琳體內。

第五天上，沈姑娘體內陰寒，已大都被迫出體外，神情逐漸恢復。她在這四、五天的時間中，除了行功療傷之外，因習朱若蘭口授玄門吐納導引之術，獲益極大。要知玄門吐納導之術，是一種極高的內功修爲密訣，和一般內功進修之法不大相同，不但有助功力精進，而且體命雙收，駐顏益壽，如至大成境地，更能化氣成力，凝神還虛，克敵於舉手投足之間，飛行於江河激流之上，飛花殺人，摘葉傷敵。霞琳因禍得福，學得了玄門吐納導引真訣。

到中午時候，朱若蘭已替霞琳完成了第六次治療，停住手，笑道：「現在你的傷勢，已是大部痊癒，午時過後，再作一次療治，迫出殘餘陰寒，就算大功告成了。」

霞琳笑道：「我們就可以一起去找寰哥哥啦？」說著話，慢慢轉過頭來，目光一觸到朱若蘭臉上，登時驚得她啊呀一聲，呆在那兒，說不出話。

只見朱若蘭勻紅的嫩臉，此刻卻變成了一片蒼白，神態萎靡，霞琳心頭一酸，兩行清淚，順腮流下，幽幽說道：「黛姊姊，我不再治病了！」

朱若蘭笑道：「那怎麼行？如果不把那殘餘陰寒迫出，日久難免復發。」

霞琳泣道：「姊姊爲替我療治傷勢，累得臉都變成了蒼白顏色，一定是耗損很多元氣，把我的傷醫好了，可是姊姊卻累傷了，我又不能給姊姊醫傷，怎麼辦呢？」

朱若蘭笑道：「我不要緊，養息幾天，就會復元，你如果不肯作最後一次療治，姊姊這幾天消耗的元氣，不都是白白糟蹋了嗎？」

霞琳黯然一斂，緩緩偎入朱若蘭懷中，淚如泉湧，但她卻說不出一句感激之言。

朱若蘭扶正她身子，說道：「你現在傷勢還未全好，不宜有所感傷，快些坐好運功，免得功虧一簣，你要不聽姊姊的話，我以後就不理你了。」

霞琳勉強收淚坐好，依言行功，朱若蘭略一休息，又凝神運集真氣，助她療治體內殘餘陰寒。

大約有頓飯工夫，只見沈霞琳臉上汗珠兒，如雨一般滾滾而下，漸漸的全身各處，冷汗泉湧，浸透衣裙，有如水淋。

正值這緊要當口，突聽靜室外傳來了澄因大師一聲怒吼，接著一聲金鐵交鳴，房門吃人一腳踢開，人影閃處，陶玉手執金環劍衝了進來。

霞琳轉臉望去，看陶玉仗劍急奔而來，心神一分，正待出言相詢，卻聽朱若蘭急促低聲吩咐：「快些閉上眼睛，照常行功，不要分散心神。」

霞琳經朱若蘭輕聲一喝，頓時收住心猿意馬，轉臉面壁，重又凝神行功。

陶玉目睹一個青衣少年和霞琳同榻而坐，不禁妒火中燒，冷笑一聲，一躍近榻，振腕一劍，直奔朱若蘭前胸點去，他含忿出手，劍勢如迅雷奔電，猛快至極。

朱若蘭頂在沈霞琳後背「命門穴」上的右手不動，左掌半屈，迎著劍勢拂去，直待將要接觸到金環劍時，食、中二指，突然一齊彈出。

這是武學中一種至高絕技「彈指神通」功夫，陶玉哪裡識得，但覺握劍右腕一麻，不自主地鬆開五指，金環劍脫手向後飛去。

就這一擋之勢，澄因大師已追蹤躍入，鐵禪杖一招「飛鈸撞鐘」，猛點陶玉後背。

金環二郎一閃身，讓開背後點來一杖，施出三音神尼手繪拳譜上，所記身法「移形換位」，膝不彎曲，足不跨步，一晃身，已欺到澄因大師身邊，右手一把抓住禪杖，左掌一招「揮塵清談」，疾劈澄因握杖右腕。

老和尚剛才在室外和他交手過幾招，只覺他出手劍勢，怪異難測，隨手兩劍，就把自己逼退，衝入霞琳療傷靜室，他隨後追入，心中本早已有備，哪知仍然沒有看清楚人家用什麼身法欺到自己身側，不禁呆了一呆。

就在這一刹那，陶玉右掌已切到腕上，老和尚不鬆手丟杖，手腕勢非受傷不可，只得一鬆右手，讓開陶玉切來一掌，左手卻探臂一拳，向陶玉前胸打去。

金環二郎想不到他避掌、還擊，能一齊出手，這一拳迫得他向後疾退三步。

澄因趁勢搶攻，右腳飛踢小腹，左手卻閃電伸出，又抓住了禪杖，用力一帶。

這一著用的恰當至極，陶玉手中握著禪杖，驟然被澄因一帶，身子向前一栽，正好向老和尚踢出的右腳迎來。

可是金環二郎武功，實已今非昔比，側身一讓，右手不放禪杖，左手探處，抓住了澄因右腳，用力一抬，老和尚重心頓失，身子向後倒去。

澄因吃了一驚，暗道：此人武功當真高強，心裡在想，左手仍緊握禪杖不放，借力一拉，已經向後倒去的身子，突又挺起，右手一招「潮泛南海」平推過去。

兩個人各抓著禪杖一端不放，身子相距不過兩尺遠近，各以單掌攻敵，近身相搏。

十八 名山孽戀

手臂伸縮之間，即可遍及對方要害、穴道，略一失神，非死即傷，這別開生面的打法，包括了機智、武功、對敵經驗等全面的搏鬥，慘烈緊張，觸目驚心。

倏忽間，兩人已對拆了二十多招，澄因勝在功力深厚，陶玉卻以奇詭的手法，彌補了功力的不足。

金環二郎一面打，一面偷眼向床上望去，只見那青衣少年，右掌頂在沈姑娘後背「命門穴」上，肅容端坐，對眼前激烈無倫的打鬥，渾如不覺，看也不看一眼。

沈霞琳神情卻有些激動，但還能勉強自持，不爲兩人打鬥所亂。

這時，陶玉心中已有點明白，那青衣少年是在替霞琳療傷，費解的是自己已把沈霞琳奇經八脈打通數日，傷勢早就應該全好，難道她傷勢好轉之後，又突然復發不成？他心中只管思解霞琳傷勢惡化原因，手下略慢，吃澄因搶了先機，呼的一掌，逼攻過去。

這一掌威勢奇大，而且攻襲的又是要害，陶玉警覺到時，已來不及出手化解，只得一鬆手丟了禪杖向旁側一閃，著地掃出一腿，擋了擋澄因攻勢，探臂撿起金環劍，躍到門口，橫劍而立，目光卻投在木榻上朱若蘭和霞琳身上。

澄因奪回禪杖後，本想趁勢掃攻兩杖，把陶玉迫出靜室，哪知陶玉鬆手放了禪杖後，卻撿

起了地上的金環劍，他剛才在靜室外面，已和陶玉交手過幾招，知他劍招的詭異，較拳掌尤爲難測。

老和尚想一想，也停手不再搶攻，橫杖護守榻前，和陶玉相峙對立。

金環二郎見澄因守榻前，蓄勢相待，不再迫攻，已猜知他的心意，是怕傷了霞琳，他本是極端聰明而又城府深沉之人，心中打了幾轉，立時變了主意，望著澄因笑道：「那位穿青衣的書生是誰？可是在給沈姑娘療傷嗎？」

澄因答道：「什麼人你管不著，她在給琳兒療傷倒不是錯，你問這些幹什麼？」

陶玉收了金環劍，冷笑一聲，道：「我問問有什麼要緊？既然有他給沈姑娘療治傷勢，我倒省了不少麻煩！」說完，轉身向門外走去。

澄因大師一縱身，追到門邊，叫道：「聽你口氣，倒好像是存心爲霞琳療傷來了？」

陶玉回過頭，冷冷答道：「如果我要存心害她，她就是十條二十條命，恐怕也沒有了。」

澄因還未答話，突聞一聲嬌脆的冷笑道：「嗯！如果不是你打通她奇經八脈，她還不致於陰寒攻心，傷得這樣厲害。」

陶玉抬頭望去，只見那青衣書生，帶著一臉困倦容色，站在靜室門口，兩眼望著自己，眉宇隱泛著一種不屑和鄙視的神氣。

陶玉心中本就氣他，聽完話冷哼一聲，正待出手給他點顏色看看，突想起他剛才雙指彈劍的本領，不禁一陣猶豫。

只聽身後又一陣冷笑響起，轉眼望去，慧真子手橫寶劍擋住去路，成了前後夾擊之勢。

金環二郎目睹當前形勢，心中暗自忖道：慧真子和這老和尚，已難對付，再加那個武功莫

測高深的青衣書生，萬一要動上手，對自己大是不利，想一想，不宜久留，趁空縱躍逸走。

這時，霞琳身上陰寒已完全被迫出體外，一躍下榻，迎著朱若蘭，笑道：「黛姊姊，剛才和我師伯打架的陶玉走了嗎？」

朱若蘭道：「那個人最壞了，你以後再遇上他時，千萬可要小心，半年前在祁連山中，不是我趕到的時機湊巧，你早已……」

早已怎麼樣？她卻是難於出口，微微一頓，正在忖想措詞，霞琳已搶先，說道：「他和寰哥哥是很要好的朋友，我要是開罪他，怕寰哥哥生我的氣。」

朱若蘭知她心地純潔，不知人心險惡，一時間，無法給她說得清楚，輕輕嘆息一聲，不再答話，躍上木榻，盤膝坐下，運氣調息。

霞琳看她合眼端坐，知在用功，不敢再問話打擾，輕輕走出房門，直往澄因撲去。

老和尚看霞琳臉色紅潤，精神充沛，舉步靈快，病勢似已全好，心中極是高興，呵呵大笑兩聲，問道：「琳兒，你的病全好了嗎？」

霞琳點點頭，答道：「我的病是好啦，可是把黛姊姊給累壞了。」說著話，舉目四外張望了一陣，問道：「怎麼不見我師父和童姊姊呢，她們哪裡去了？」

澄因嘆口氣，道：「你大師伯和玉簫仙子相約尋地比武，一去五、六天，還沒有回來，你師父爲替你守護關期，這五天中就沒有離開茅舍附近，剛才見你黛姊姊離開靜室，逐走陶玉，知你關期已滿，她才去找你大師伯去了！」

霞琳抬頭望著澄因，眼眶中淚水盈盈，長長地嘆口氣，道：「師伯，你在這裡守護著黛姊姊吧？我去找大師伯和師父去。」

澄因道：「你傷勢剛好，如何能夠走得，你留在這裡，陪你黛姊姊，我去找他們。」說罷，轉身急步縱躍，已到十幾丈外。

霞琳追出竹籬，澄因已走得蹤影全無。她已十餘天未出籬門一步，抬頭見萬株梅花怒放，如錦如繡，景物幽美已極。

再說陶玉遭朱若蘭指風掃中，已知非人敵手，再打下去，勢必要傷在人家手中，立時見機而退，穿過梅林，直向斷崖上攀去。

奔了有十餘里後，突然覺著左肩、右肋，被朱若蘭指風拂中之處，微微作疼起來，心中吃了一驚，趕忙停下身子，試行運氣，傷處突然一陣麻木，瞬息之間，擴及半身，一陣陣巨痛刺心，連舉步也覺著十分艱難，這才知道，對方已暗中下了毒手。

這時，他正停身於一處斷崖所在，下臨千丈絕谷，深不見底，一失神滑落下去，必要摔個粉身碎骨，四周又都是連綿的山勢，傷勢既已發作，決難再越絕峰，不如暫時停下來，調息一陣再走。

想了想，索性盤膝坐在地上，緩緩地運氣行功。

過了頓飯工夫，忽聽一陣急促的步履聲，傳入耳中，陶玉睜開眼睛，回頭望去，只見一個三旬左右的健壯大漢，手提長劍，直對自己奔來。

那人到了陶玉五尺左右處停住，長劍一指陶玉，問道：「你是什麼人？坐這等荒涼的地方幹什麼？」

陶玉仔細看了大漢兩眼，認出正是自己初入山時，遇到那個和道姑比劍的大漢，這時，

他已覺出傷勢好了許多，冷笑一聲，答道：「崑崙山又不是你們崑崙派私產，爲什麼我不能來？」

那大漢聽他一開口，就說出自己是崑崙派門下弟子，不禁怔了一怔，神凝雙目，從頭到腳把陶玉看了一遍後，答道：「不錯，在下正是崑崙門下弟子，這崑崙山雖不是我們私產，但在金頂峰數十里內，也不准閒人亂闖。」

陶玉一縱身，跳起來，笑道：「我闖了，你又怎麼樣呢？」

那大漢怒道：「你這人好生無禮。」說著話欺身直進，一劍刺來。

陶玉冷笑，閃身讓開劍勢，一晃肩，已到那大漢身側，左手一揚，拍出一掌。

那大漢心頭一驚，再想閃避陶玉掌勢，已是遲了一步，眼看這一掌就要打中，對方突然一沉左臂，退了兩步，那大漢趁勢一躍，向左方讓開數尺，橫劍發楞。

原來陶玉掌勢打出一半時，左肩傷處，突然又一陣麻木，一條左臂，登時不聽使喚，他怕那大漢劍勢回掃過來，因而疾退兩步。

那大漢望著陶玉出了一陣子神，長劍封住門戶，慢步逼來。

他剛才一劍躁進，幾乎吃了悶虧，這次已不敢再稍存輕敵之念，全神貫注，蓄勢緩進。

金環二郎剛才拍出一掌後，已知自己傷勢不宜運氣和人對敵，上半身算是不能用了，要想除掉眼前敵人，只有用兩條腿和人一拚……

這個和陶玉動手的大漢，名叫黃志英，是崑崙派掌門人玉靈子門下的首座弟子，在三清宮崑崙門下數十個男女弟子中，是武功最高的一個。

他見陶玉閃避自己的劍招身法，快速靈活，武功決不在自己之下，如果他也要動用兵刃，自己實無致勝把握，奇怪的是，他用臂對敵，單是飛躍閃擊，施用兩腿和自己纏鬥，初還認爲他自負武功，有意賣狂，到後來看他累得滿頭大汗，身法漸慢，臉也變了顏色，但他仍是不肯用手還擊，心中暗感奇怪，收住劍勢，向後一躍，喝道：「你要再不肯亮兵刃動手，不出十回合，必然要傷在我劍下，生死大事，豈是兒戲？再說我黃志英也不願殺一個不用兵刃的人！」

陶玉喘息一陣，冷笑道：「我只要一出手，你不死即傷，遑論讓我施用兵刃？」

黃志英大怒道：「好狂妄的口氣，你不妨出手試試，看你能不能傷了我？」說著話，揮劍而上，疾攻三招。

這三招極爲迅猛，直把金環二郎迫到斷崖邊緣，黃志英只要再多攻一劍，陶玉勢必被逼下那千丈深澗不可。

黃志英收劍笑道：「就憑你這點本領，也敢大言不慚，你如不亮兵刃，那是自取死路，可別怪我下手狠辣了。」

陶玉回頭望望身後千丈絕壑，長吸兩口氣，把翻湧的氣血穩下，使上半身恢復舒暢，冷冷接道：「不信你試我一招？」說著話，陡然欺身而進。

黃志英揮劍一封，哪知陶玉身形隨著他劍勢一閃，已滑到身側，身法之奇，簡直是聞所未聞，不覺心頭一震，仰身疾退三步，掃出兩劍，寒光霍霍，封住門戶。

只見陶玉身子一轉，竟從劍勢空隙中直滑進去，咬牙出手，右手一伸，已托住黃志英握劍的右肘關節。

黃志英吃了一驚，左掌疾隨攻出，當胸劈去。

陶玉一側身，黃志英的掌勢掠著前胸掃過，隨著左手一翻，又托住黃志英左肘，如在陶玉

未受傷前，黃志英雙肘關節早已被他折斷，但此刻的情勢卻又不同，陶玉雖然擒拿住了黃志英兩肘關節，可是他左肩、右肋的傷勢，使他兩條臂使不出一點氣力，勉強凝神運功，力量還未用出，傷勢卻先發作，一陣劇疼，不自主地鬆了黃志英的雙肘。

這不過是一剎那間，黃志英雙臂一分，向後躍退了五、六尺遠，一臉驚奇神情，望著金環二郎，他對陶玉的奇詭擒拿手法，佩服至極，但對他擒拿自己雙臂後的微弱力量，卻又感到十分意外。他望了陶玉良久，才一聲長嘆，道：「承蒙手下留情，黃志英感愧得很。」說罷，轉身疾奔而去。

陶玉臉色冷漠，一語不發，直等黃志英背影消失不見，才緩緩盤膝坐下。這時，他左肩、右肋的傷勢劇疼，趕忙閉目調息。

足足過了有一頓飯工夫，傷疼才逐漸平復，雙眼望著天際幾片白雲，暗暗嘆道：難道我陶玉今後，當真就不能再和人動手了嗎？這十幾年辛辛苦苦練成的一身武功，就這樣被人廢去不成？想至此處，恨得他把牙齒咬得格格作響，哪知心氣一動，傷處突然又疼了起來，這時，他才知道，對方真的下了毒手，而且異常殘酷，不但廢了他一身武功，使他今後無法再和人動手，就是連一點氣也不能妄動。

他黯然一聲長嘆，慢慢地站起身子，望著那連綿雄偉的山勢，心中突生淒涼之感，暗自想道：不知我還能活多久，即讓我再活數十年不死，也成了一個毫無用處的廢人了，當真如此，那還不如早些死了的好。

想到這裡，他心裡又有些恨起沈霞琳來，就地一跺腳，自言自語道：「如非爲她，我陶玉怎麼會遭人毒手。」

他這一陣氣急，傷處又隱隱作疼起來，趕緊吁了兩口長氣，使心氣平下。

不知過去了多少時間，猛地心中一動，想起了懷中還帶著三音神尼手繪的拳譜，上面雖然只記載一十三種武功，但卻無一不是絕世奇學，也許那上面能找出療傷之法。

他心機深沉，從絕望之中，尋得了希望之後，人反而冷靜下來，舉目向四外張望了一陣，不見人蹤，才繞向左面一處斜度較大的所在，向谷底走去。

陶玉隨著深谷形勢，向北深入，大約有五、六里，轉過了幾個山腳，眼前景物突然一變。只見地勢突然開朗，成了數十畝大小一片盆地，四周都是排天峭壁，這道深谷，似一條雨道般，通入這片盆地，入口處寬僅三尺多點，除此一條山谷外，四周絕壁封阻，再無可通之路。

盆地中間，有兩畝地大小一片水塘，碧波無痕，水光照天，也許因四周千丈峭壁，擋住了風雪，盆地間不但不見積雪，而且溫暖如春，和外面刺骨寒風，恍如兩個世界。

青青短草如茵，紅白山花競艷，一陣陣襲人芳香，三、五隻水禽，景物幽美，如臨仙境。

陶玉目睹這等清絕景物，心中十分高興，暗道：這所在當真是好，只是不知有沒有容身的山洞突岩。

當下沿著峭壁繞行過去，不及半周，果然被他找到了一處棲身所在。

這是北、西兩處峭壁交接的地方，一道寬約尺許，高可及人的石洞，深入三、四尺後即向右彎去，洞口被北面延伸峭壁擋住，如不走到跟前，很難看得出來。

陶玉順著夾道，向裡面走去，深入不過十尺左右，已然轉了兩、三個彎。前面一片漆黑，不知有多深多長。他停住步，定定心，心中忖道：這種深山古洞之內，不是藏著虎豹之類的猛獸，定是蟄伏著巨蟒毒蛇。現下內傷正重，不知能否轉好，如果聽任傷勢惡化下去，恐怕也難免一死，把心一橫，繼續向前走去。

又拐了兩個彎，夾道已盡，眼前是一座三間大小的石室，緊靠裡面石壁，並放著兩座玻璃製成的巨燈，燈中清油半滿，突出幾條燈芯，陶玉燃起火摺子，點燃燈芯，細查四壁，只見東北角處石壁，微現裂痕外，其他處再無可疑。

他本是工於心計的人，見到石室兩個玻璃燈中積存的清油，已知此處，早已經人發現，那壁間微現裂痕，說不定是一座密室門，只是自己武功已失，無法打開一窺究竟，看來此處也非久留之地，但現下清靜無人，何不藉此時機，先查閱一下三音神尼手繪拳譜，看看有否療傷之法再說。

金環二郎小心翼翼地取出懷中拳譜，仔細翻閱起來。這是他唯一的生存希望，是以字字不肯放過。

陶玉聚精會神地把拳譜閱讀一遍，雖然又體會出不少拳、劍、身法上的竅訣，但最後兩種習修內功之法，卻是一點不明白，更找不出一篇療傷有關的記載。

突聞一陣步履之聲，自外傳來，陶玉顧不得再讀拳譜，一口氣把燈吹滅，急走幾步，隱在入口石壁後，探懷取出一把毒針，暗暗想道：能有人陪我葬在山洞之中，倒是不錯。

只聽那步履聲愈來愈近，瞬息間已到入口外面，但聞一聲嬌脆的驚叫，一條人影飄然而入。

陶玉手舉毒針，正待打出，哪知他心中略一緊張，不自覺地運加在控針右手的勁力，未及

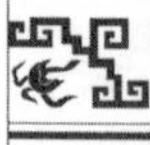

打出，傷疼復作，右臂登時軟垂下來。

那入室之人，似已警覺，亮出寶劍，振腕回掃過來，身隨劍轉，目光也同時投在陶玉身上。

金環二郎向左一躍，避開一劍，已看出來人是童淑貞，那人也看清了陶玉，微帶驚顫地一聲嬌喝道：「是你！」

倏然收劍躍退，左手探懷取出火摺子，點燃琉璃燈，收了寶劍，目光望在陶玉臉上，問道：「你跑到這裡做什麼？」

陶玉趕忙把手中一把毒針收入懷中，喘了兩口氣，答道：「爲什麼我不能來，這又不是你崑崙派的地方？」

童淑貞一揚手中寶劍，正要發作，突然軟軟垂下，幽幽嘆道：「你不知道這是什麼地方，自然怪不得你。」

陶玉道：「難道這山洞之中，還住著你崑崙派的祖師爺不成？」

他這句本是氣忿之言，哪知童淑貞聽了，卻點點頭，答道：「不錯，這座石室裡面，正是我們崑崙派歷代師祖坐化之處，一向劃爲禁地，除了奉到掌門令諭之外，任何人不能進這石室。」

陶玉道：「我又不是你們崑崙門下弟子，自然不受你們的門規約束。」

話到此處，倏然而停，放聲大笑起來。

童淑貞聽他笑聲特異，看他臉上汗水隨著笑聲直滾，心中納悶，忍不住問道：「你是在哭呢？還是在笑？」

原來陶玉放聲一笑，氣血浮動，傷勢又疼起來，他笑得越厲害，傷勢也越是疼得厲害，因他自知傷勢奇重，已難有復元之望，滿腔感傷忿怒，一笑全洩，一時間無法收住，是以傷處劇疼也急速加重，只疼得他滿臉汗水，直向下流。

童淑貞看他越笑越不對頭，笑到最後，竟是涕淚橫流，她本早對陶玉動情，此刻見他這等模樣，不禁憐惜頓生，丟掉手中寶劍，急奔過去，問道：「你這人究竟是怎麼啦！」

說著話，雙手伸出欲扶陶玉身子，手快觸到陶玉身上時，突然感到一陣羞赧，又把雙手縮回。

就這一剎那之間，金環二郎已自不支，笑聲嘎然而止，人也暈倒地上。

童淑貞看陶玉暈倒地上，再也顧不得男女授受不親之嫌，伏下身子，用推宮過穴之法，推拿他「肺海」、「玄機」兩處要穴。

陶玉只不過憋住了一口氣緩不過來，經童淑貞一陣推拿後，立時醒轉，眼看自己半依著童淑貞嬌軀而坐，不禁一陣感愧，急忙挺身而起，一揚眉頭，話還未說出口，右肋處又是一陣急疼，不自主地雙手捧著傷處蹲了下去。

要知一個武功有著基礎的人，本可運氣抗拒痛苦，即使是未學過武功的人，一遇傷疼，也會本能地運氣集勁，抵受苦疼。但陶玉此刻，都是大反本能，氣血一動，傷疼立時加重，任他一身精純內功，但卻絲毫運用不上，反不如一個平常的人耐受疼苦。

童淑貞目睹他忍受苦痛神情，心中憐惜倍增，扶著他柔聲勸道：「你傷得這等嚴重，還逞什麼豪強，這地方，異常清靜，你就在這裡養息幾天，等傷勢好了再走。」

陶玉也覺出這短暫一、兩個時辰之中，傷勢已加重不少，不知對方用的什麼手法，使自己

傷得這等厲害。事已到此，再逞強好勝，只是徒討苦吃，當下嘆息一聲，閉目靜心調息。

兩盞清燈，光焰熊熊，只照得石室通明。童淑貞望著對面閉眼靜坐的陶玉，心底泛上來無窮煩惱。這座石洞中，供藏著崑崙派歷代師祖們的法體，派中弟子從不許擅入一步，何況對方非崑崙門下，只此一樁，已犯了武林大忌，何況他眼下還是崑崙派的仇人，依據派中規矩，自己本應把他擒押三清宮，聽候掌門師尊發落，但不知怎地，卻感到無法下手……

正當她胡思亂想之際，陶玉忽地睜開眼睛，冷冷說道：「此地既是你崑崙派歷代師祖法體供藏之所，必不准外人涉足，我現在一身武功盡失，你正好擒我回去邀功請賞。」

童淑貞被他幾句話逼得呆了一呆，搖搖頭，笑道：「這荒山幽谷之內，你自然猜想不到這是我們崑崙派劃為禁地之處，在那入谷要隘所在，本派有守值之人，不知怎的竟被你闖了進來，我適才由外面進來時，還遇到他們守在谷中要隘……」

陶玉目光凝注在童淑貞臉上，靜靜地欣賞當前這道裝少女的風韻，寬大的道袍，無法完全掩飾起她苗條的身材，秀眉星目，嫩臉勻紅，膚白如雪，櫻唇噴火，低頭弄衣，無限嬌羞。陶玉看了一陣，覺著她的秀美並不比沈霞琳差，另有一種成熟少女的誘人風韻。

沈霞琳未入崑崙門下前，童淑貞在數十個崑崙門下女弟子中，本是最美的一個。只因她平時穿著道裝，再加上幼失父母，從小就追隨慧真子身側，在三清宮中長大，坎坷的身世，養成她一種冷若冰霜的性格。

玉靈子門下大弟子黃志英，藝冠同門，才華標逸，對這位小師妹異常傾心，十餘年相處之中，對她愛護得無微不至，童淑貞自解人事後，黃志英從沒有一次違拗過她的心意。玉靈子、慧真子又都是親身體會到情場遺恨之苦，他們不願下一代也嘗試到情愛折磨，因而對門下的約束並不嚴苛，只要他們能情止於禮，兩人也不願多管，這種餘情甘露，普及了崑崙門下的男女弟子。

可是天下事往往都非人所能謀算，尤其是男女間的情愛，更是奧妙難測。童淑貞自那天在茅舍中和陶玉見了一面，被他那含情的一笑，搖動了芳心，數日來腦際間一直盤旋著金環二郎的音容笑貌。

童淑貞熱情壓制心底，不肯對人稍假詞色，可是一旦被人挑開心扉，熱情立時如狂流洶湧，極難自制，何況陶玉此刻又身受極重內傷，這不禁加重了童淑貞憐惜之心，而且還啓發了她一種潛藏在女性中純潔的母愛。她不自主地移身到金環二郎身側，臉上情愛橫溢，眉宇間憂慮重重，四道眼光交相投注，彼此都感覺周身血流加速。

陶玉只覺小腹中一股熱流，由丹田直沖上身，傷處又隱隱作痛起來，慌忙收斂綺念，調勻呼吸，道：「你就是不肯捉我，我也是活不久了。」

童淑貞慢慢地伸出一隻柔手，握住陶玉兩隻手，無限深情地慰道：「你儘管放心在這裡養息傷勢，這地方只有我和大師兄能來……」

陶玉冷冷接道：「你大師兄既然能來，還不是一樣的要發現我，那和你把我捉住，送到三清宮去有什麼分別？」

童淑貞笑道：「你急什麼呢？就不聽別人把話說完，這座石室，現已經有掌門人指命我和大師兄輪流管理，除了我們兩人外，其他人都不能擅入此室一步，這個月正好輪我當值，今天才十一月十二，還有十八天時間才輪換到我大師兄，這十八天中你可以安心在此養息。」

陶玉看她對自己溫婉慰藉，深情款款，嬌靨生暈，半含羞態，不覺心中一蕩，暗自嘆道：

此女風韻不下李師妹，溫柔不輸沈霞琳，半帶嬌羞，更是撩人。想著想著，右臂探出一抱，正想把童淑貞身軀攬入懷中，突然心念一轉，又想起自己奇重內傷，立時順手一推，冷冷說道：「我傷得極重，就是有三十六天時間，也未必能養息得好。」

童淑貞看他瞬息間，變換了兩種極端不同神情，不覺怔了一怔，顰起兩條柳眉，柔聲慰道：「你先養息幾天看看，也許能夠好轉，我先去給你準備一些食用之物送來。」

陶玉聽得童淑貞一提，突然感到腹中饑腸轆轆，甚難忍受，點點頭，閉上眼睛。

童淑貞慢慢站起身子，一聲輕輕嘆息，附在陶玉耳邊，低聲說道：「你安心在這裡等我，我至遲在晚上二更天前趕來。」

說罷，撿起地上寶劍，轉身出了石室。

陶玉聽她說晚上才能趕來石室，自己還得挨餓幾個時辰，心中甚是不滿，但因傷勢沉重，行動不得，只好耐心等待。

童淑貞出了石室，放腿疾奔，她此刻，滿臉熱情，盡投注陶玉身上，心中只在盤算著，如何能使陶玉傷勢早些好轉，如何給他做點好吃的食物送去，對陶玉剛才冷熱無常的性格，也無暇去思索分析。

她剛剛奔出山口，突聽有人喊道：「童師妹，童師妹！」

童淑貞停住步，抬頭望去，只見黃志英提著長劍，站在三丈外的山坡下，臉上帶著笑意，對她走來。

童淑貞驟見大師兄後，突覺心中一陣惶愧，好像做了什麼錯事一般！不自主地垂下了頭，

不敢再多看師兄一眼。

但聽輕微的步履之聲，慢慢地到了她身側，接著一個低沉而又充滿著關懷的聲音，由身側響起，問道：「童師妹，你怎麼啦？」

童淑貞抬起頭來，只見大師兄兩道眼光中，無限深情，逼視在自己臉上，不禁一陣心跳，強自鎮靜，搖搖頭，答道：「我沒有怎麼？只是剛才經一陣急奔，有點兒累。」

說著話，轉過身子，緩步向前走去。

只聽身後傳來了黃志英一聲悠悠長嘆，童淑貞停步回頭望去，黃志英已離開原地向右面山壁間攀登，舉步緩慢有氣無力，充分流露出頹喪的神情。

童淑貞心頭一酸，忍不住湧出來兩眶淚水，她無法再控制激動的情緒，幾度揚起玉腕，啓動櫻唇，想把黃志英叫回來，投在他懷中大哭一場。

可是陶玉俊俏的影子，和那迷人的微笑，不斷地在她心頭擴張，瞬息間，掩遮了黃志英淒苦的形像……

她伸手抹去眼眶中含蘊的淚水，轉身又向前奔去，待黃志英攀登到壁間一處矮松下，停住身子，回頭望時，童淑貞已轉過了一個山腳不見。他望著被山峰遮住一半的夕陽，說不出心中是愛還是恨，倚松出神，直到暮色蒼茫，才帶著沉重的心情，返回三清宮去。

童淑貞奔回到梅林茅舍，澄因和慧真子去尋找一陽子尚未回來，茅舍中只餘下朱若蘭和沈霞琳兩人，這時，朱若蘭行功尚未完畢，沈姑娘靜靜地坐守一側，瞪著一雙大眼睛看著黛姊姊運氣調息。

一陣輕微的步履聲，驚得沈霞琳霍然立起，抓起寶劍，躍至門口，待她看清楚來人後，垂下了手中寶劍，笑道：「啊！原來是貞姊姊，你看到師父沒有？」

童淑貞搖搖頭，道：「沒有，你的黛姊姊呢？」

霞琳道：「黛姊姊正在運氣調息，已經快三個時辰了，還沒有睜開過一次眼睛，唉！我這場病，實在把黛姊姊給累壞了！」

童淑貞心中突然一動，暗自忖道：陶玉傷在朱若蘭手中，朱若蘭必知解救之法，怎生想個主意，讓她說出來才好？霞琳看師姊不答自己的話，只管低著頭尋思，心中甚覺奇怪，忍不住問道：「貞姊姊，你在想心事嗎？」

童淑貞只聽得臉上一熱，趕忙抬起頭，笑道：「我在想……你寰哥哥怎麼還不回來？」她隨口一句應急謊言，卻勾起沈霞琳沉重的心事，只聽她幽幽一聲長嘆，慢慢抬起頭來，望著天上幾片浮雲，悽惋笑道：「已經快八個月了，他還是沒有回來！不知道是不是在路上出了事啦？」兩行清淚，隨著她嬌婉的聲音，滾下粉腮。

童淑貞想起在石室中養傷的陶玉，不知道有沒有復元之望，一陣心酸，淚水也奪眶而出，霞琳一轉臉，看到童淑貞也是滿臉淚水，遂緩緩舉起左手，用衣袖抹去她的淚痕，說道：「貞姊姊，你心裡可也是在想念寰哥哥嗎？」

童淑貞臉上一紅，岔開話題，問道：「你們吃飯沒有？」

霞琳搖搖頭，答道：「我在守著黛姊姊，還沒有工夫去做。」

童淑貞笑道：「我替你們做飯去。」

霞琳嘆道：「我雖然從小就沒有了爹娘，可是有很多人都待我好，澄因師伯、師父、寰哥

哥、黛姊姊，還有你和寰哥哥的朋友陶玉……」

沈霞琳話還未完，突聽一聲清脆的嬌笑，接道：「那個壞蛋陶玉嗎？以後他再也不能做壞事了！」霞琳回頭望去，只見朱若蘭已站在身後，望著她不斷微笑，不知何時她已運功完畢，出了房門。

童淑貞聽得心中一動，故意問道：「怎麼？陶玉被你殺了嗎？」

朱若蘭笑道：「我雖沒有殺他，但已廢了他一身武功，今生今世，他永遠不能再和人動手了。」

童淑貞只聽得心頭一震，抬頭望著朱若蘭發呆，她本想追問她用什麼功夫傷了陶玉，有沒有解救之法，哪知一和朱若蘭目光相觸，立時被她一種高貴的威儀鎮住，竟是說不出話來。原來她做賊心虛，一觸到朱若蘭那威勢逼人的眼神，好像被人看穿了心中隱秘，是以開口不得。

霞琳卻接口道：「陶玉是寰哥哥的要好朋友，黛姊姊要是把他打死，寰哥哥知道了，一定會很傷心的！」

朱若蘭笑道：「不要緊，他死不了，只是被我用天罡指神功點了他右肋、左肩兩處經脈關節，只要他不再練武功，或是和人打架，安安靜靜地養息，那就和好人無異。」

霞琳滿臉感傷，問道：「姊姊，難道就沒有辦法解救他嗎？」

朱若蘭嘆息一聲，道：「解是有法子解，只是救了他之後，不知道有多少人會毀在他手中了。」

霞琳道：「那姊姊把解救的法子告訴我，好嗎？」

朱若蘭奇道：「你要學解救的法子幹什麼？」

霞琳道：「我以後要是遇上他時，就告訴他解救的辦法，要不然他這一生就不能再練武功了。」

朱若蘭兩道清澈的眼神，凝注在霞琳臉上，沉吟不語。沈霞琳慢慢地走到朱若蘭身邊，攔著她一隻手說道：「姊姊不願意告訴我，那我就不學啦。」

朱若蘭道：「我不是不願意告訴你，只是不想讓他的傷好。」

沈霞琳神情黯然。

朱若蘭淒然一笑，岔開話題，說道：「走！咱們到屋裡去。」

童淑貞望著兩人進了房門，才轉奔到廚下，做了很多油餅，又烹飪幾色精美珍肴，收藏起來。

朱若蘭整理一下沈霞琳鬢邊散髮，接道：「姊姊很愛你，將來姊姊的本領，都要一件一件的傳給你，現在你還不能學習，等到我授你的玄門吐納導引術有了基礎，我再慢慢傳你。」

霞琳嘆道：「姊姊待我好，我心裡早就知道，但你不告訴我解救陶玉傷勢的方法，陶玉的傷就不會好，寰哥哥知道了，定會氣我不好好的待他朋友，何況他在祁連山還救過我，我知道了這件事，怎麼會不管呢？姊姊！不要傳我本領了，只把救陶玉的方法告訴我吧？」

朱若蘭看她臉上滿是惜憐神情，心知如不告訴她，在她純潔善良的心中，將留下一道創痕，嘆口氣，道：「好吧！我告訴你就是。」

霞琳只聽得笑上雙靨，道：「姊姊真好……」

她不知再說什麼，慢慢地把嬌軀偎入朱若蘭的懷中。朱若蘭微微一嘆，道：「妹妹，你這

悲天憫人的善良天性，雖然可愛，只是分不出善惡好歹，實使人為你擔心，縱然將來能學得一身出神入化的本領，只怕也難逃過江湖上重重風險。」

霞琳道：「嗯！寰哥哥人最聰明，將來我不要再離開他，就不怕壞人害我。」

朱若蘭笑道：「他嗎？和你一樣的分不出好人壞人。」

霞琳道：「那我以後更不要離開他了，要是他遇上壞人還不知道，那實在危險得很。」說至此，略一沉思，抬頭望著朱若蘭，接道：「姊姊，你以後也不要離開我們，好嗎？」

這時，童淑貞已端著菜飯，走到霞琳房中。

三人腹中有些饑餓，很快地吃完了飯。

飯後，霞琳幫著童淑貞收拾碗筷，入廚洗刷，童淑貞藉機問道：「師妹，那陶玉是好人還是壞人？」

霞琳笑道：「黛姊姊對我說陶玉壞死了，不過我想他不是壞人，不然寰哥哥怎麼會同他要好呢？不曉得他現在哪裡？也沒法告訴他療傷的法子。」

童淑貞心中一動，問道：「想那療傷之法，定是困難，除了你黛姊姊之外，別人就不知道了，也沒有本領醫得。」

霞琳道：「黛姊姊說用天罡指神功，點了他的少陽、少陰兩脈，血氣不能上下運行，只要血氣一動，傷處立時疼痛，要想醫治，必須腳上頭下，陰陽倒置，再行運功，使全身氣血逆行，俟兩脈通行，再予靜養，即可復元。但要過了七天，血氣凝結，就難醫治了，可是我現在不知道他住的地方，沒法對他說，他是沒法醫好了。」

說完，一聲嘆惜，淚水盈睫，神懷黯然。

童淑貞探得治傷的方法，心中甚是高興，但想到陶玉在石室中忍受饑餓之苦，心中又感焦急，臉上神情也隨著變換不定，忽而笑展雙靨，忽而愁聚眉梢。

初更時分，童淑貞一路急趕，到石室，只不過初更稍過，陶玉正靠著石壁靜坐。

童淑貞攤放下手中食物，笑道：「你一定餓得很厲害吧！這些菜肴、麵餅，都是我親手製的，你吃點嘗嘗看看，味道如何？」

陶玉望了望羅列面前的食物，饑火更是難耐，伸手取來一張油餅，正待放入口中，突然又停下來，眼光逼視在童淑貞臉上，心中暗想道：這方圓數十里內，除一座三清宮，再無人家，她這些菜肴、麵餅，看上去都很精美，不知在哪裡做的？他想到可疑之處，停手不吃，凝注著童淑貞，想從她神色間，觀察出一點破綻來。

童淑貞見他只管瞪著眼望著自己出神，不食不言，一笑問道：「你怎麼不吃呢？只管看著我做什麼？」

陶玉道：「你這些菜肴、麵餅，可是在三清宮中做的嗎？」

童淑貞笑道：「是我在沈師妹住的茅舍中廚下做的，你問這些幹什麼？」

陶玉原是怕那菜肴、麵餅中下有毒藥，自是難以據實說出。

他慢慢撕下一塊油餅，放入嘴中，品嘗良久，覺出沒有異味，才笑應一聲，道：「我不過是隨口問問罷了。」說完，接著大吃起來。

童淑貞靜靜坐在旁邊，看著陶玉吃自己調製的肴餅，直待他吃飽後，放下手中筷子，才笑

著問道：「這些菜餅好吃嗎？」

陶玉道：「就是再好吃，也不能把我的傷勢醫好。」

童淑貞聽得一怔，垂首不語。

陶玉看她臉上滿是憂傷，眼眶中淚光瑩瑩，緊顰柳眉，神態淒楚，心中忽覺不忍，輕聲一嘆，想說幾句慰問之言，但轉念又想到自己愈來愈重的內傷，把到了口邊的話，又嚥回肚裡。

童淑貞看他對自己冷漠神情，不禁心頭一寒，緩緩起身，向外走去。

這時，她自己也不知心中是愛是恨，只覺柔腸百結，芳心欲碎，走出石洞，坐在水塘旁邊出神，突然一陣步履之聲，由身後傳來，回頭望去，只見陶玉踉蹌地走出石洞，直向那山谷口走去。童淑貞忍了又忍，到最後還是忍耐不住，站起身來，追上去，攔在陶玉面前，說道：「山谷中有人把守，你傷勢這樣重，如被他們發現，非被活捉不可。」

陶玉冷冷答道：「我守在你們的石室中，也好不了。」

童淑貞慢慢說道：「你回去，我告訴你療治的法子。」

陶玉聽後微微一驚，突然放聲大笑，道：「我自己既不知療治之法，料你們崑崙派也難知得……」他一陣狂笑，陡感傷疼復作，忍不住右手捧胸，蹲在地上。

童淑貞看陶玉皺眉忍受疼苦的神態，心中又生憐愛，黯然一嘆，走近他的身側，輕伸皓腕，扶著他的右臂，道：「你被人用天罡指點傷了少陽、少陰二脈，如不及早療治，七日之後，傷脈凝結，永成殘疾，不但一身武功全要廢去，而且今生今世，永無療好之望。」

陶玉聽得一怔，調勻呼吸，站起身子，道：「不錯，少陽、少陰均屬體內主要經脈……」

童淑貞不待陶玉說完，就接：「那天罡指是一種極高的內家功夫，能夠透肌傷脈，所以你

外面不見傷痕，其實卻傷得很重，全身血氣不能運轉兩脈，因而一身武功盡皆廢去。」

陶玉聽她說得頭頭是道，心中信了一半，忍不住低頭問道：「那要用什麼方法，才能醫好？」

童淑貞聽他只問療傷之法，對自己一片憐愛之情，毫無一點感激之意，不禁傷心之至，於是不理陶玉問話，轉身慢步而去。

金環二郎本是絕頂聰明之人，如何會看不出童淑貞一番憐愛之情，只是他生情陰沉，不管對什麼人都存戒心，再者他傷勢越轉越重，自知已無復元之望，心中一股怨恨之氣，無法發洩，是以童淑貞雖對他關護備至，卻難得他一句感激之言。

童淑貞走入石室，收拾殘餘的菜肴，回頭卻見陶玉當門而立，臉上似笑非笑，望著她一語不發。她心中一腔委屈，此刻再也忍受不住，怒道：「你還來見我做什麼？快些給我滾出去……」她口中雖在發狠，眼中淚水卻奪眶而出。

陶玉臉色微變，仍是不發一語，童淑貞一縱身躍到門邊，道：「閃開路讓我出去！」

陶玉充耳不聞，動也不動。

童淑貞心頭火起，右手一揚向陶玉身上推去，她只想把陶玉推到一側，自己出去，哪知陶玉被她一掌推個仰面朝天。

陶玉傷勢正重，不能運氣抵禦，童淑貞又在氣忿之時，這一推，用力不小，陶玉哪裡還能站得住腳，竟跌個皮破血流。

童淑貞見他摔得很重，心中隨又覺得不忍，立刻蹲下身子，扶他起來，一面撫摸他的傷處，一面柔聲問道：「你摔得很疼嗎？」

陶玉淡淡一笑，道：「你心裡如果還不消氣，再把我摔幾跤，也沒有關係。」

童淑貞心頭一酸，淚水滴在陶玉臉上，幽幽說道：「你就不知道人家費了多少心機，才探得療治你傷勢之法……」

停了一會兒，童淑貞看著陶玉無限憐惜地繼續說道：「還不趕快起來，調勻呼吸，休息一下，讓我告訴你療傷之法。」

陶玉立起身來，依言調勻呼吸，然後兩人重入石室，童淑貞傳他療治之法，陶玉聽完後，依法作為，腳上頭下，貼壁倒立，俟全身血脈逆行後，暗中試行運氣，傷處雖仍作疼，但已不甚劇烈。

大約過有頓飯工夫，果然覺著傷處疼苦逐漸消失，隨即加重運氣行功，待氣血逆行一周，已累得全身汗水透衣，正身坐定，閉目養息。

童淑貞不勝關懷，問道：「這法子可有效嗎？」

陶玉笑道：「傷處似已好轉許多。」

童淑貞放了心，起身囑道：「既然有效，你就安心在這裡療治養息，我明天再來看你。」說完，退出石室。

陶玉休息一陣，又繼續依法治療，每行一次，傷勢就好轉許多。

再說童淑貞一路急奔，回到茅舍，看天色已到三更，整座房中，一片漆黑，她走到霞琳臥房窗外，手彈窗欞，輕呼兩聲沈師妹，不聽有人答應，心中生了懷疑，繞到門口，推門而入。

那房門本是虛掩，一推而開，隨手取過生火之物，燃起案上松油火燭，定神望去，只見床

上被褥，折疊得十分整齊，朱若蘭、沈霞琳，早已不知去向。

她熄去案上松燭，退出霞琳臥室，茅舍中十分寂靜，靜的使人頓生淒涼之感，她緩步踱出竹籬，向梅花林中走去。

幽幽梅香，撲鼻沁心，但卻無法滌除童淑貞胸中起伏的思潮，一縷情絲，萬千愁懷，亂了她十幾年靜修的禪心。

突然間，一個熟悉的聲音，起自她身後，道：「這樣深的夜了，師妹還沒有安歇嗎？」

童淑貞轉身望去，只見黃志英在她身側，不禁心頭微微一震，定下神，淡淡笑道：「這等深夜，你還到這裡幹什麼？」

黃志英走近兩步，輕輕一嘆道：「我心中積存了很多話，想和你談談！」

童淑貞一皺柳眉，道：「深更半夜有什麼好談的，有話明天講吧！」說完，轉身走了。

她這幾年之中，雖對黃志英處處迴避，但像這等面對面的拒不交談，還是初次，只聽得黃志英呆了一呆，愣在當地。

童淑貞走了幾步，忽然感到這樣做會太使人傷心難堪，停下步，回過頭道：「師兄可有什麼要緊的話嗎？」

黃志英本想好了很多話，但被童淑貞冷冰冰一口回拒，不僅大爲尷尬，而且傷透了心，哪還能說得出口，訕訕一笑道：「我……沒有什麼要緊事，師妹心情不好，我也不打擾你了。」

說完，又一聲長長嘆息，轉身緩步而去。

十九 師門秘辛

童淑貞目睹黃志英繞過幾株梅樹不見，心中泛上來無窮感慨，想起大師兄十多年來的呵護惜愛，不禁黯然神傷，重重一跺腳，滾下兩行清淚，緩步走回茅舍。

推開霞琳房門，點燃起松油火燭，和衣躺在床上，只覺胸中填滿了痛苦委屈，忍不住伏枕低泣起來。

突然間，案上燭光搖顫，兩扇門大開，沈霞琳、朱若蘭一前一後走了進來。

童淑貞翻身躍起，霞琳已奔到她身側，一臉茫然，望著她問道：「貞姊姊，你有什麼傷心事嗎？告訴我好嗎？」

朱若蘭兩道冷電似的眼神從童淑貞臉上掠過，投注枕畔，看著那一大片被淚水浸濕的床單，微微一顰秀眉，眼光又投落在童淑貞臉上，神色凝重，一語不發。

童淑貞只覺她兩道炯炯的眼神如劍，直看透人的五臟六腑，不自主地扭轉了頭，不敢再和朱若蘭目光相觸，抹去臉上淚痕，下了床榻，搖搖頭笑道：「我想起了淒苦身世，忍不住大哭一場。」

霞琳嘆口氣，接道：「是啦！你一定是想起爹娘了，我想起爹娘時，也得要大哭一場。」

童淑貞淒涼一笑，道：「嗯！師妹猜得不錯。」說著話，走出室外。

朱若蘭一直沒有開口，直待童淑貞背影消失，才回過頭，對霞琳笑道：「你師姊好像有很沉重的心事。」

霞琳道：「那是不錯，想起了爹娘，誰都會難過的。黛姊姊，你可有爹娘麼？」

朱若蘭被她問得眼圈一紅，淡淡一笑，道：「我的身世說來話長，而且也很淒涼，以後再慢慢的告訴你吧！」

霞琳走到門口，童淑貞已失去向，她在不到一年時間中，連遇重重變故，增長了不少見識，看澄因房中一片漆黑，知師伯尚未回來，緩緩轉身，走到朱若蘭身邊，道：「姊姊，你說我師父和澄因師伯，去了這樣久還不回來，會不會是遇上了什麼危險？」

朱若蘭笑道：「你師父和澄因師怕，大概不會遇上什麼危險，他們找不到你大師伯，所以遲遲未歸。至於你大師伯，那就很難說了，玉簫仙子的武功不弱，他們如果真的以命相搏，鹿死誰手，實很難說。比武決不會比六、七天還分不出勝敗來！明天咱們騎著玄玉在這附近搜尋……」

她話還未完，突聞一陣輕微的衣袂飄風之聲，朱若蘭星目凝神，向外一掃，笑道：「你師父和澄因師伯都回來啦。」

沈霞琳看不見室外情景，還待回頭詢問黛姊姊，突聞步履聲響，澄因和慧真子一先一後進了房門。

老和尚肩負禪杖，慧真子背插寶劍，兩人臉色都很肅穆，眉宇間憂愁重重。

慧真子勉強一笑，合掌對朱若蘭一禮，道：「多承姑娘援手，免了琳兒一劫。」

朱若蘭閃身一讓，避開慧真子一禮，道：「琳妹妹是人間至善至美的天使，也許有百靈護

佑，所以晚輩才處處趕巧……」說至此一笑而住。

慧真子還未及答話，霞琳已走近她身側，問道：「師父，可找到了我大師伯嗎？」

澄因嘆口氣，接道：「我和你師父分頭尋找，走遍附近十里方圓之地，只在一處突出的冰崖上，見到兩人搏鬥的痕跡，你大師伯卻不知哪裡去了。」

朱若蘭一聳秀眉，問道：「那冰崖上面可有血跡嗎？」

慧真子黯然答道：「那座冰崖，突懸半空，下面是一道千丈以上的絕壑，深不見底，堅冰封凍壁間，滑不留足，就是蛇蟲之類，也難爬行其間，冰崖上雖然未見血痕，但卻有一處積冰崩沉，我擔心他們在拚搏中間，踏崩崖一段，跌入那千丈深谷之內，如非遇上意外，早該回來了，難道他們比武比了七天七夜，還不能分出勝敗嗎？」

她雖然盡力想使自己神情平靜，但卻無法掩住那眉梢眼角間重重憂慮。這自然欺騙不過朱若蘭一雙神目，只聽她一聲清脆的嬌笑後，說道：「晚輩雖未親眼察看那突出的冰崖，但想去必是千萬年以上的堅冰凝成，除非他們兩個人存心同歸於盡，用千斤墜身法，故意踏崩冰崖一段，要不然決不會崩沉絕壑。如果是玉簫仙子存心使壞，以一陽子老前輩的武功造詣而論，決不會上她惡當，這中間唯一可能，就是兩人一段長時間拚鬥後，仍不能分出勝敗，最後以本身修爲的內功相搏，全力施爲，不能兼顧，以致踏崩冰崖，跌入絕壑，不過，這成分非常之小，因爲在冰崖崩落之時，他們還可暫時住手，躍出險地……」

朱若蘭話到此處，微一停頓，目光凝注在慧真子臉上，問道：「一陽子老前輩和玉簫仙子可有什麼深仇大恨嗎？」

慧真子嘆息一聲，答道：「我們崑崙派和玉簫仙子，素無過節，大師兄和她也談不上仇恨

二字。月前她夜入我們三清宮中，指名要找大師兄門下弟子楊夢寰，我告訴她楊夢寰不在三清宮，她似是不信，懷恨而去，旬前她又勾結崆峒派陰手一判申元通，來此取鬧，和大師兄力拚了半夜。後來我和二師兄趕到，她才和申元通知難而退，臨去留言，七日後重和大師兄作一場生死決鬥！」

她話尚未完，朱若蘭臉上神色已變，大眼睛眨了兩眨，射出兩道逼人神光，截了慧真子的話，問道：「她要找楊夢寰做什麼？我看她是活得不耐煩了。」

慧真子道：「我和大師兄問她，但她卻不肯說出原因。」

朱若蘭冷笑一聲，道：「現在已近子夜，那絕壑之中，只怕更是黑暗，明天一早，咱們一起到那絕壑中去查看一下。」

說罷，怒容消散，恢復了鎮靜神色。

慧真子心中雖然不信朱若蘭能從那千丈冰封的峭壁間下去，但卻不好多問，淡淡一笑，合十告辭。老和尚也跟著立掌作禮，退出霞琳臥室。

兩人走後，朱若蘭拉霞琳雙雙登榻，沈姑娘忍不住問道：「黛姊姊，玉簫仙子爲什麼要找寰哥哥呢？」

朱若蘭笑道：「她要找你寰哥哥算帳。」

霞琳奇道：「寰哥哥拿了她的東西嗎？」

朱若蘭笑道：「他偷了玉簫仙子的心，還吃了人家偷來的一粒雪參果。」

霞琳先是一怔，繼而長嘆一口氣，道：「我知道啦，玉簫仙子心裡喜歡寰哥哥，所以找上

金頂峰來看他，嗯！寰哥哥人好，什麼人都喜歡他，你心裡喜歡他嗎？」

朱若蘭聽她問得直截了當，不覺也是一呆，只感粉臉發熱，想不出適當措詞回答。

霞琳見她不說話，又問道：「黛姊姊，我說錯了話嗎？」

朱若蘭搖搖頭，笑道：「沒說錯，是我心裡亂得很，想不出該不該喜歡他？」

霞琳道：「這是一件最容易的事情，你怎麼會想不出呢？我不用去想就知道。」

朱若蘭道：「不錯，在你是一件十分容易的事，但放在我身上，卻成了一件極大的難題，妹妹，我一時間無法決定，你讓我想想再告訴你，好嗎？」

一宵易過。次日一早，朱若蘭就和慧真子等趕到那冰崖所在查看。

那是一座高插雲霄的絕峰，四周都是拱繞的山勢，在高峰下百丈深處，果有一處突懸的冰岩，大約有大半畝大小，上面十分平滑。

朱若蘭突然仰臉作嘯，一縷清脆悠長的嘯聲，直沖天上，聲音聽上去不大，但清越深長，經久不絕，劃空發散四外。

她連作了三聲長嘯後突然縱身一躍，由絕峰之巔直向突出的冰岩上飛去。

慧真子、澄因大師都不禁看得一呆，沈霞琳更是嚇得「啊呀」叫出了聲。

因那冰崖跟峰頂不下百丈之遠，一口氣提不住，勢必要撞在那冰岩上摔得粉身碎骨。慧真子、澄因呆了一呆後，雙雙一進步，向下探望。

只見朱若蘭頭下腳上，快如流星飛瀉，將到冰岩之際，陡然一個翻身，仰臉對兩人招手。

澄因轉臉望慧真子一眼，嘆道：「這人輕功之高，簡直是聞聽未聞，她這飛落冰岩身法，

不知是不是武林中的『凌空虛渡』？」

慧真子見朱若蘭不停招手相催，無暇再作多想，當下答道：「她一身本領，使人高深難測，必是大有來歷之人，咱們先行到冰岩去，看她有什麼話說？」

澄因回頭對霞琳道：「琳兒，你就守在這山峰上，我和你師父下去。」

他在說話之時，慧真子已施出壁虎功，貼著石壁向下游了兩丈，澄因也趕忙施出壁虎功，急急追下。

兩人踏足在冰岩上時，朱若蘭正在默查這冰岩上留下的痕跡。只見不少零亂的腳印，陷入冰中。澄因、慧真子見她全神貫注，不便打擾，只得靜站一旁。

朱若蘭數完那冰岩上留下的腳印，不禁微微一皺眉頭，轉臉對兩人說道：「他們打得很是激烈，以這冰岩上腳印痕跡推斷，誰也沒有占到優勢，這腳印是他們運集內功相搏之際所留……」

說至此處，突然一躍，到了冰岩邊緣。

只見那懸空的冰岩，果有一處崩沉痕跡，向下探望，黑沉沉不見底。

慧真子追到朱若蘭身側，問道：「兩人既都運集內功拚搏，只怕難以分心旁顧，看來他們兩人，都隨那崩沉的一片冰岩，葬身在萬丈絕壑中了。」

朱若蘭道：「看這冰岩上留下的搏鬥痕跡，實在難說，只有晚輩到深谷中查看後，才能斷言。」

澄因道：「這絕壑深不見底，只怕不易下去！」

朱若蘭仰臉又一聲清嘯後，笑道：「除了馭劍飛行外，再好的輕功，也難下去，晚輩雖略

通馭劍竅訣，但尚無此功力。」

一語甫畢，突聞長空鶴唳，一隻巨大的白鶴，由空中斂翼直射下來，待距冰岩丈餘高低時，突然雙翅一展，輕飄飄落在朱若蘭身邊。

慧真子暗道：該死，怎麼把她的大白鶴給忘了，有此靈禽相助，上下這千丈絕壑，就不費力了。

朱若蘭躍上鶴背，巨鶴立時展翼沖霄，在空中盤旋一周後，直向那深谷中沉落。但見一點白影，愈來愈小，逐漸消失在深澗迷迷濛濛的濃霧中。

朱若蘭落到谷底，躍下鶴背，打量四周景物，只見到處都是積冰，陰寒襲人肌膚。

這道山谷雖然很深，但卻不寬，而且很短，朱若蘭細查全谷，不見一陽子和玉簫仙子蹤跡，心中暗自忖道：這谷底壁間，盡被堅冰封凍，不會有蛇獸存在，如果兩人真隨那崩沉的冰岩摔在這山谷之中，就不難找出殘骸血跡，既然找不出一點痕影，兩人必在那冰岩崩沉時，躍出了險地。

她在那山谷中尋找了一陣，不見可疑之處，立時縱身躍上鶴背，巨鶴一聲長鳴，仰首直向上衝，巨鶴剛到冰岩上面，朱若蘭由鶴背一躍而下。

不等慧真子問，朱若蘭笑道：「晚輩查遍澗底，始終未找出一點殘骸血跡。」

慧真子鬆了一口氣，嘆道：「兩人既未失足跌入絕壑，行蹤實教人費解得很，難道他們踏崩一片冰岩後，又往別處去比武功了？」

朱若蘭笑道：「這倒不會，這冰岩上地方還大，足夠他們兩人動手，他們為什麼要離開這冰岩，確使人無法猜出其中原因。」

澄因道：「會不會另外發生了什麼事情？」

朱若蘭沉吟一下，點點頭道：「不錯，必然有一件比他們比武更重要的事發生，才使他們暫時罷手……」話至此處，突然咦了一聲，縱身躍到斷崖下面。

慧真子、澄因大師也緊跟著追躍過去，順著朱若蘭眼一看，只見那斷崖間積冰上，用寶劍刻著：「寰兒遇險，趕赴救援」八個潦草的大字。

看那字痕東倒西歪，即知一陽子走得十分慌急。

這八個字，攪亂了朱若蘭一寸芳心，仰臉清嘯，巨鶴應聲而下，一縱身躍上鶴背，正待催鶴飛起，澄因突然一進步，說道：「朱姑娘請暫留步，老朽還有幾句話說。」

朱若蘭急道：「琳妹妹傷勢已經痊癒，不會再有顧慮……」

澄因道：「這崖間字跡，恐已在數日之上，姑娘不知他們去向，如何個追法？」

朱若蘭呆了一呆，答不上話。

慧真子道：「急也不在一時，咱們先回茅舍去，從長計議，然後分頭追尋。」

朱若蘭躍下鶴背，一跺腳，道：「玉簫仙子這賤婢，可惡極了。」

澄因自和朱若蘭見面後，從未見過她這等焦急模樣，緊顰秀眉，一臉憂苦，這一瞬間，才真正現露她少女的情態。

平時，她總是被一種高貴的風度，和眉宇間凌人的傲氣，掩遮了少女本性，是那樣高不可攀，是那樣冷若冰霜，宛如一顆夜空中的星星，但卻被那迷漫的雲氣籠罩，縹緲在煙霧中，若顰若無，不可捉摸。

一陽子留在那冰崖的八個大字，震動了她的心，使她失去了鎮靜，現露出她的本性。她並非是一顆閃爍在雲霧中的星星，只是一個美麗絕世的少女。

澄因目睹朱若蘭情急神態，不覺心底裡冒上來一股寒意，暗自忖道：看她對楊夢寰如此情深，琳兒的未來實在可悲。論武功才貌，霞琳都不能和她比擬，就是一陽子、慧真子都肯出面，只怕也管不了。他想到傷心之處，不禁黯然一聲長嘆。

慧真子側目看澄因慈眉愁鎖，知他看出朱若蘭對夢寰一片深情後，引起了心中不安，這件事情急不得，急則難免造成悲劇，只怕澄因出言激諷，趕忙笑道：「咱們先回茅舍去吧！只要有此眉目，不難找出他們去向。」

說罷，復用壁虎功，當先向峰上游去。

朱若蘭乘鶴上得峰頂，沈霞琳迎上來，問道：「黛姊姊，可找到我大師伯嗎？」

說著話拉起朱若蘭一隻手，凝目深注，神情淒然。

朱若蘭緩伸皓腕，拂她秀髮，答道：「你大師伯沒有跌入山澗，他去找你寰哥哥去了！」

霞琳臉上驟現喜色，笑道：「大師伯本領很大，自然不會掉在山澗中，他既是去找寰哥哥，咱們就回到茅舍中去等他吧？」

這時，慧真子和澄因，都已游上峰頂，四人一齊向梅林茅舍趕去。

大約有頓飯工夫，到了茅舍，朱若蘭經過一路推想，覺出事情似和玉簫仙子關係不大，楊夢寰既是遇險，自不會親身向師父求援，必是另一個人找到了一陽子和玉簫仙子的拚搏之處，告訴他們夢寰遇險之事，難解的是，什麼人來傳報這次警訊？楊夢寰現在何處？是不是還活在世上？那突出的冰岩，距三清宮只不過二十餘里，一陽子就不肯趕回來通知一聲，事情自然是十分緊急。

這時只聽朱若蘭道：「我們想尋他，怕也不容易。晚輩想先去追尋，兩位前輩不妨隨後再去。」

澄因搖著頭，道：「天涯茫茫，你到哪裡去找？」

朱若蘭淒涼一笑，道：「我只要能查出一點蛛絲馬跡，就可以追索搜尋。」

這當兒，沈霞琳也聽出了夢寰遇險，霍然起身，走到朱若蘭身旁，黯然說道：「黛姊姊，你要去找寰哥哥，帶著我一起去好嗎？」

朱若蘭點點頭，道：「好，咱們現在就走。」

澄因躍起急道：「不行，你們這等茫無頭緒地找，無異大海撈針，救人如救火，豈能拖延時日。如果老朽想的不錯，玉簫仙子和玄都觀主聯袂去救援楊夢寰了。」

朱若蘭暗想澄因的話，其中頗有見地，但她一顆芳心，已盡投注在夢寰身上，要她坐待音訊，哪裡能夠，沉思良久，抬頭笑道：「老前輩說得不錯，但很多事往往會出人意外，晚輩倒有一個兩全其美之策，兩位老前輩不妨守在金頂峰，等侯一陽子老前輩的佳音，晚輩和琳妹妹一起去追尋他們，如果得到消息，當用靈鶴玄玉傳書，恭請赴援。旬日之內，如仍找不出一點線索，自當重返這茅舍。兩位如得一陽子老前輩傳來訊息，可留示說明去向，晚輩自當和琳妹妹趕去相助。」

慧真子道：「這法子不錯，咱們就以旬日爲期。」

朱若蘭故作鎮靜，微微一笑，拉霞琳緩步出房，仰臉清嘯，招下靈鶴，附在沈霞琳耳邊笑

道：「妹妹，你不是想騎大白鶴嗎？今天我讓你騎個夠。」

說著話，拉霞琳躍上鶴背，但聞一聲長唳，巨鶴展翼沖霄而起。

澄因仰臉望著那巨鶴消逝去向，呆呆出神。朱若蘭帶走了沈霞琳，留給老和尚一懷憂慮悵惘……

慧真子看澄因兩條慈眉愁鎖，知他擔心霞琳安危，低聲勸道：「老禪師儘管放心，以我看朱若蘭對琳兒倒是一片真心惜愛。」

澄因長長嘆息一聲，道：「但願如此就好。」

慧真子正待答覆，瞥見童淑貞緩步而來，她看到了師父後，突然加快腳步，奔到慧真子的跟前，躬身一禮，垂手身側。

這兩天來，慧真子和澄因都在忙著去找一陽子，根本就沒有留心過童淑貞，此刻驟然見她，忍不住問道：「貞兒，你這兩天到哪裡去了？」

童淑貞被師父問得心頭一跳，道：「弟子昨晚尚來茅舍，和沈師妹談了話後，即回到三清宮中去了。」

她不知昨夜中，師父是否也回到三清宮去過，是以回答過幾句話後，立時現出不安神色，只怕慧真子一開口，揭穿了她的謊言。

慧真子雖然看出了童淑貞神色有點異常，但因她從小就在身側長大，知她生性純厚，從來不說謊言，也未放在心上，點點頭，又問道：「你掌門師伯，可在三清宮嗎？」

童淑貞聽得師父問話，已知師父昨夜未回三清宮去，心中登時鎮靜下來，笑道：「掌門師伯現在宮中。」

其實，慧真子也是多此一問，玉靈子自從祁連山大覺寺歸來之後，就潛心修練內功，閉居丹室，很少外出，童淑貞心中有數，是以答得理直氣壯。

慧真子轉臉對澄因道：「老禪師請在茅舍中休息，我回三清宮去，請命掌門師兄，以便調派弟子，分訪大師兄的下落。」

說完，合掌一禮，轉身而去。

童淑貞目睹師父去遠，走到澄因身旁，合掌一禮問道：「沈師妹和那位朱姑娘哪裡去啦？」

澄因道：「她們去找你大師伯和楊夢寰去了。」

童淑貞問道：「那要幾天工夫才能回來？」

澄因點頭答道：「朱若蘭和你師父相約旬日為期，如果她們找不到人，十日內重返茅舍。」

童淑貞不再多問，轉過身子，緩步入廚，生起爐火。在這兩日一夜之中，童淑貞大都陪守在陶玉的身側，她已被陶玉的俊俏迷醉了一顆芳心，暫時把師父十餘年養育深恩，拋諸腦後，忘記了崑崙派森嚴的門規，和大師兄黃志英的關顧深情，而把一縷情絲，牢牢地繫在陶玉身上。

她閃躲過派守幽谷要隘的同門，飛越兩重絕峰，到了石室，陶玉正在靜坐調息。

這時，陶玉傷勢已好了大半，少陰、少陽兩脈已通，全身氣血已運轉，他已從三音神尼手繪拳譜上面，悟得了人身奇經八脈之理，是以復元極為迅速。

童淑貞攤開美肴、麵餅，笑道：「那個打傷你的青衣少年，和我沈師妹一起去尋找我大師伯去了，你儘管放心在這裡養息吧！」

陶玉聽得一怔，道：「怎麼?那個青衣少年帶著你沈師妹一起走的?」

童淑貞長長地嘆息一聲，道：「可惜你一片好心，卻被人誤作惡意，我師父和那位澄因大師，雖然也對你存有戒心，但並沒有一口肯定你是壞人，那位朱姑娘卻不同，她說你心地險惡……」

陶玉冷笑一聲截住了童淑貞的話，問道：「原來那個青衣書生，是女扮男裝的?」

童淑貞點點頭，陶玉又冷笑兩聲，道：「她說得一點不錯，我陶玉算不上什麼好人，你還是不要理我的好。」說完話，接著大吃起來。

童淑貞被頂得愣了半晌，才幽幽說道：「你怎麼老是這樣對我，我要是信她的話，也不會這樣待你了。」

說著話，眼圈一紅，淚水順腮而下。

陶玉抬頭一笑，仍然繼續食用肴餅。

只是那微微一笑，似給了童淑貞很多慰藉，擦去臉上淚痕，秋波含情，望著陶玉，說道：「你慢點吃好嗎?好像別人和你搶吃似的。」

陶玉吃畢，放下筷子，又閉上眼睛養息。

要知陶玉本就長得俊俏、明艷，此刻，重傷初癒，在那明艷之中，又微現幾分倦意，只看得童淑貞心中憐愛橫溢，不自覺地移步到金環二郎身側，握著他一隻手，低聲道：「你的傷勢，可覺著好了些嗎？」

陶玉只覺一隻柔軟、滑膩的玉手，緊握著自己左掌，心中一陣激動，再難運氣行功，睜眼望著童淑貞，笑道：「我已好轉不少，大概再有兩天，就可以完全復元了。」

童淑貞突然一聲長嘆，幽幽說道：「你的傷好了，就要離開這裡，不知哪年哪月，再能相見？」

陶玉笑道：「生離死別，總是難免，有什麼好留戀的。」

童淑貞聽得一怔，兩行淚水奪眶而出，垂下頭，默默無言。

陶玉目光凝注在童淑貞臉上，又道：「你們崑崙派門下弟子，可都得穿著道裝嗎？那沈霞琳爲什麼不穿？」

童淑貞心中一動，抬頭望了陶玉一眼，又垂下頭。陶玉也不再追問，又閉上眼睛調息。

童淑貞收拾了殘肴麵餅，退出石室。

陶玉調勻真氣後，又貼壁倒立，使全身氣血逆行，一天過去，已覺著餘傷全癒，心頭一暢，緩步出了石室。

但見水光倒映出天上幾片紅雲，一陣陣花香撲鼻，頓使人精神一爽，想起幾日來療傷石室經過，不覺縱聲大笑起來。

只聽陣陣回音傳來，繞山不絕，足足過了一杯熱茶工夫，他才收住笑聲，這幾日來，他爲療治傷勢，逆行全身血脈，消耗本身真氣不少，狂笑過後，忽覺有些倦意，緩緩踱回石室，斜靠壁間，不自覺地熟睡過去。

待他醒來，天色已入子夜，只覺身上蓋著一件道袍，旁邊側臥著一個青色裹身勁裝的少女，星目緊閉，睡得十分香甜。

陶玉細看那少女，正是童淑貞，半側嬌軀，微聞鼻息，粉面勻紅，香氣襲人，在瑩瑩燈光照耀之下，愈覺嬌態動人。

陶玉看了一陣，突覺心中一陣跳動，周身血脈運轉加速，小腹間一股熱氣，由丹田直冒上來，慾念一動，立覺五內若焚，難以忍耐下去，他生性本極冷僻，只問自己好惡，從不爲人多想，伸手把童淑貞抱在懷中。

童淑貞好夢正甜，身子驟然被人一抱，立時驚醒過來，睜眼看時，自己已被陶玉橫抱懷中，不禁又羞又急，怒聲叱道：「你要幹什麼？快些把我放開……」說著用力一掙，掙脫了陶玉懷抱。

金環二郎慾火已起，哪還容童淑貞逃出手下，嘻嘻一笑，道：「妹妹，你不是很喜歡我嗎？」

童淑貞怒道：「早知你是這樣的人，我根本就不管你，讓你早些死去的好！」

說完，轉身向室外狂奔。

陶玉冷笑一聲，道：「你還能走得了嗎？」縱身一躍，如影隨形般追去，左掌「烏龍探爪」，猛向童淑貞右肩抓下。

這時，他傷勢已好，功力全復，出手快速無倫。

童淑貞聞得掌風近身，反手一招「橫架金樑」，擋開陶玉左手，雙腳連環飛起，猛踢過去。

哪知陶玉陡然一個轉身，讓開兩腳，直欺近身，左肩一揚，斜肩劈下。

童淑貞吃了一驚，急向後面一躍，退了四尺，雖然讓開了陶玉一掌，但因心中慌急，未能取準出口位置，陶玉雙肩一晃，搶在石室門口，回身望著童淑貞，笑道：「你既對我有情，又何必這樣裝模作樣，就憑我金環二郎，難道還配不上你嗎？」

童淑貞聽他出言取笑，更是羞得無地自容。轉臉忽見自己兵刃，立時急搶兩步，抓起寶劍，怒道：「你再不讓路，可別怪我動兵刃了。」

她雖在羞忿之時，但言詞間仍含有情意。

陶玉格格一陣大笑，道：「妹妹，你有好大的本領，儘管施出來就是，今夜想出這石室，那可是千難萬難！」

童淑貞不再答話，振腕一劍，直對陶玉前胸刺去。

陶玉側身讓過劍勢，右掌蓄勢相待，童淑貞剛一進步，他卻呼地一掌劈出，又把她逼退回去。

童淑貞心頭大急，刷！刷！刷！連劈三劍，這三劍可是狠辣至極，已毫無半點情意。

陶玉大意輕敵，幾乎被童淑貞寶劍掃中，不覺激起怒火，冷笑一聲，喝道：「你不吃敬酒吃罰酒，那可怪不得我。」說罷，左掌疾吐一招「力劈華山」斜肩劈下。

童淑貞劍施「迎風斷草」，橫截陶玉左臂，哪知金環二郎左掌倏地一收，竟借勢拔開寶劍，右腳疾上半步，欺入中宮，右手閃電攻出，扣住了童淑貞握劍右腕，微一加勁，寶劍立時脫手。

陶玉用這幾招變化，均是三音神尼所繪拳譜上所載手法，童淑貞哪裡能夠防守得住，微一

怔神，陶玉引劍左臂已回過來，緊緊抱住了她的柳腰。

這一下，兩人胸口相貼，臉兒相偎，童淑貞雖然盡力掙扎，但如何能掙脫陶玉運集的臂力。

童淑貞自懂事以來，從未被人這樣緊緊地抱過，只覺心跳如小鹿亂撞，一種從未有過的緊張使她全身綿軟，勁力全失，逐漸失去了掙扎能力，呼吸急促，嬌靨如霞。

低頭看陶玉時，他一張臉也泛起兩頰紅暈，雙目圓睜，射出來萬丈欲焰，望著她，臉上若怒若喜，嘴角間似笑非笑。

這是人性的另一面，是罪惡，也是本能。

童淑貞激動得熱淚盈眶，她已沒有了抵抗能力，只得低聲求道：「你先放開我，咱們好好地談談，你這樣對我，不是愛我，我死在九泉下，也要恨你。」

陶玉雙臂愈抱愈緊，臉上紅霞也越來越重，慢慢變成了一片血色。

童淑貞雖然有心掙脫，但她周身如電流，綿軟無力，何況陶玉兩手又拿著她「尾龍」、「巨骨」兩處痲穴，別說想掙脫陶玉懷抱，就是掙動一下也很費力。

只覺陶玉火熱的嘴唇，移堵在她兩片櫻唇上面，壓力逐漸加重，一陣陣男人氣息撲鼻沁心。

要知童淑貞還是個素行志慎的黃花閨女，雖然常隨師父在江湖走動，但卻從未和男人肌膚相接過，就是從小和她在一起長大的黃志英，她也從未讓他握過自己一隻玉手。此刻被陶玉這等貼胸相偎，緊緊擁抱，只感全身血脈賁張，心神搖醉，迷迷糊糊，如飄浮在大海中一葉失舵的小舟，隨著那狂風波濤，逐流浮沉。

陶玉見童淑貞不再掙扎，知道時機已至，但他還不放心，兩手微一用勁，輕輕地點了童淑貞「巨骨」、「尾龍」兩穴，才把她放在地上。

童淑貞心中雖然明白即將遭人玷污，但苦於穴道受制，毫無抗拒之法，只得睜著眼睛任人擺布。

陶玉動手，脫去她青色勁裝，又一件一件解去她貼身褻衣。

只見燈光下橫陳著一個美麗的胴體，雪樣的白，雲樣的輕。

陶玉圓睜著被萬丈欲火燒紅的眼睛，手指滑行在柔膩的胴體上，嘴角間帶著笑意，貪饞地望著那豐滿的身體。

童淑貞心知今夜已難逃陶玉的蹂躪，這地方決不會有人趕來救援，她羞愧得流出來兩行淚水，絕望地閉上了眼睛。

陶玉低喊兩聲妹妹，童淑貞睜開星目，又很快閉上。

他迅速地脫掉自己的衣服，隨手熄去燈光，石室中突然黑暗下來。

這一座置放崑崙派歷代師祖法體的莊嚴所在，蒙上了污穢羞辱。

陶玉點制童淑貞穴道的手法本極輕微，一刻工夫後，她受制穴道自行解開。

但她已無能再掙扎反抗，二十年冰清玉潔的身子，已遭陶玉沾污。

一聲聲嬌婉的呻吟，飄傳室外，延續人類生命的本能狂熱，暫時掩遮去她心中的沉痛、悲哀。

燈光又重新亮起，陶玉首先穿好衣服坐起，童淑貞被狂熱淹沒的神志也清醒過來。她隨手拉過衣服穿上，痛定思痛，忍不住悲從中來，伏在陶玉身上，嗚嗚咽咽地哭了起來。

只覺心中湧集了無窮的委屈、痛苦，這一哭竟難遏止，而且哭聲也愈來愈大，淚水浸濕陶玉前胸一大片衣服。

驀地裡，一聲斷喝道：「什麼人在裡面哭哭啼啼？」

這石室沿口雖有數十尺距離，但因谷中幽靜，又在夜深之時，仍聽得十分清楚。

這一聲斷喝，直似巨雷下擊，只聽得童淑貞五腑震盪，那喝聲她異常熟悉，一聞之下，立時辨出是大師兄黃志英的聲音。

她收住哭聲，定定神，對陶玉說道：「我大師兄來了，怎麼辦呢？」

陶玉霍然站起，冷笑一聲，道：「就是你師父來此，我也不怕，你在這裡等我，我出洞去把他殺了。」說完，順手取過金環劍。

童淑貞一把抓住陶玉衣袖，泣道：「你不能出去殺他……」

陶玉冷冷反問道：「不殺他，他也未必饒得了你。」

童淑貞道：「這石室之中，是我們派中禁地，未得掌門師尊令諭，誰也不能擅入。大師兄和我，是經掌門人指派輪流管理這石室，故可自由出入，但這個月輪我當值，大師兄也不能隨便進來，你暫隱在石洞，我去設法把他騙走。」

陶玉聽她言詞柔順不再堅持，放下金環劍，笑道：「這樣做，只是太便宜你大師兄了，但如他不肯退走，你可不能阻我殺他。」

童淑貞不答陶玉問話，急步出了石室。

只見黃志英穿著一身黑色勁裝，手橫長劍，擋在那石洞出口之處，看到童淑貞後，微微一

怔，退了幾步，兩道眼神卻深注在童叔貞臉上。

那眼光中似挾著兩把利劍，只看得童淑貞心跳臉熱，她不自覺地低下頭，看看身上衣服，問道：「看什麼，你難道不認識我？」

黃志英道：「這等深夜之中，你躲在這石洞裡哭？想是有什麼傷心之事？」

童淑貞淡淡一笑，道：「沒有什麼，這深夜了你還沒睡？」

黃志英長長嘆息一聲，道：「三師叔實在太偏心了，沈師妹雖然不錯，但她究竟入門不久……」

童淑貞急道：「大師兄，你不要瞎想亂猜，沈師妹和我情逾骨肉，她對我好極了，師父待我更是和以往無異，你……你……」

黃志英微現愕然，問道：「那你爲什麼要躲在這石洞哭呢？」

童淑貞被他問得一呆，道：「我……我……我是想起了自己淒苦的身世……」

黃志英無限關懷地慰道：「天已經快四更了，你也該回去休息休息，哭壞了身子，那就不值得啦。」

說罷，眼神中無限柔和、關注，停步相待，似是要和她一道同行。

如在平時，童淑貞儘可要他先走，但此刻，她卻提不起這份勇氣，只因她心中有著無限的愧咎，深覺對大師兄不住，悽惋一笑，道：「你在這裡等我去把石室中油燈熄了就來。」

這半年多來，她對黃志英的態度，一直是冷冰冰的，此刻，突然轉變得十分柔和，只把黃志英喜得不斷微笑。

童淑貞只覺鼻孔一酸，熱淚奪眶而出，忙轉過頭去，她怕黃志英看出自己神情有異，急步

向石室奔去，哪知她剛一舉步，突覺下體一陣急疼，不自主地雙手捧腹蹲了下去。

黃志英心頭一驚，一躍到了童淑貞身側，丟了長劍，扶著她手臂，問道：「師妹，你怎麼了？」

童淑貞心知是破瓜的生理變化，咬牙忍耐，一收黃志英扶的左臂，道：「我肚子有點疼，不過，不要緊。」

她一收左臂，正好把一隻左手滑入黃志英的手中，那軟綿滑膩的手，從他手中經過時，他不自覺地加了一成勁力，把她左手緊握住，只感到柔若無骨，如握軟玉，不禁心頭一跳。

童淑貞用力一掙，拋脫了黃志英雙手，奔入石洞。

陶玉倚壁斜坐，神態十分輕鬆，一見童淑貞奔入石室，笑問道：「你大師兄走了沒有？」

她此刻，說不出對陶玉是恨是愛，一見他，恨不得把他抓過來，咬他兩口，然後再伏在他懷中大哭一場。

她用最大的忍耐，控制著心中的激動，淒涼一笑，道：「我大師兄在石洞外面等我，他要我跟他一起回三清宮去。」

陶玉抬起頭，望著她淡淡一笑，臉上神情十分冷漠。

童淑貞再也忍耐不住，只覺一陣心痛如絞，柔腸寸斷，玉腕一揚，劈手向陶玉臉上打去。

金環二郎右手一翻，扣住她玉腕，冷冷說道：「你大師兄現在在石洞外等你，你如果不能保持鎮靜，鬧將起來與你有什麼好處？」

童淑貞心頭一涼，兩行淚水順腮而下，她突然間變得十分柔弱，滿臉愁苦，幽幽說道：

「你……你就忍得下心，不管我了？」

陶玉仰起臉，一聲輕笑道：「你要我怎麼樣管你？」

童淑貞粉臉慘白，一用力，只咬得櫻唇鮮血下滴，狠抓著陶玉雙手道：「我冰清玉潔的身體被你玷污……」

陶玉笑接道：「不錯，你要怎麼樣？」

童淑貞道：「今生今世，我還有何顏面見人？」

陶玉臉上閃過一抹獰笑，道：「那你是想尋死了？」

童淑貞陡伏在陶玉懷中，泣道：「我要你帶著我走！」

陶玉冷冷問：「你不怕你師父派人追殺你嗎？」

童淑貞抬起頭，用衣袖抹去臉上淚痕，道：「世界這樣遼闊，我們找一處隱密地方住下，我……」

陶玉搖頭一笑，接道：「不行，我還有很多事沒有辦完，如何帶你隱身安居？」

童淑貞呆了一呆，道：「那你是存心棄我不管了？」

陶玉還未及回答，突聞石洞外傳來了黃志英的呼叫之聲，他微微一笑，推著童淑貞雙肩，低聲說道：「你師兄在洞外叫你，你先回三清宮去吧！以後的事，咱們慢慢再談。」

童淑貞只怕大師兄闖進石洞，勉強收住眼淚，答道：「你要在這裡等我，我回金頂峰一趟就來？」

陶玉只是微笑靜聽，避不作答。

童淑貞心中慌亂，講完一句話，匆匆奔出石洞。

黃志英正等得心焦，一見童淑貞急奔而出，心中甚喜，迎上問道：「師妹可是在打掃……」

忽見童淑貞兩頰淚痕未乾，不覺一怔，下面的話，隨之中斷。

童淑貞勉強一笑，道：「嗯！我在打掃石室，害你等久了。」

黃志英皺皺眉頭，道：「那你哭什麼？」

童淑貞抹去臉上淚痕，道：「我沒有哭。」說著話，向前奔去。

黃志英追在身後，幾次欲言又止，兩人沿著山谷，聯袂疾奔，心中都像負著千斤重石。

轉過幾個山腳，暗影中躍出兩個橫劍道人，並肩攔住去路，喝道：「什麼人？」

喝聲未完，已看清楚來人是誰，立時收劍，閃開到一邊，笑道：「原來是大師兄和童師姊！」

說著話，斜垂右手長劍，左掌立胸作禮。

童淑貞強作笑顏，還了兩人一禮，匆匆向前奔去。

黃志英卻停下來和兩位師弟閒談幾句。

就在他說話的工夫，童淑貞已奔到十餘丈外。

他本想放步追去，但見兩個師弟的目光，一齊投注在他的身上，臉上微現著神秘的笑意，倒不好意思急急追趕了，只得裝作若無其事模樣，緩步向前走去。

且說童淑貞轉過一個山腳後，全力施展輕功，向前狂奔，她不願和大師兄走在一起，因為黃志英的關顧慰藉，會加深她的愧咎痛苦……她一口氣奔到梅林中，才放慢腳步，哪知這一緩氣，突感小腹處一陣急痛如絞，不自覺地雙手捧腹，蹲在地上。

一陣陣清幽的梅香，沁人心肺，但卻無法使她波動的心情平靜下來，她索性倚樹而坐，仰臉望著梅花出神。

這時，已是四更過後，星光迷濛，隱約可辨景物，看那盛放梅花，依舊迎風散香，但自己二十年冰清玉潔的身體，卻已白璧玷污，這件事如果被師父查出，決難見容門下，大師兄知道了，更是要痛碎寸心，但最使她傷心的，還是陶玉對她的冷漠、寡情。她愈想愈覺著前途茫茫，不禁傷心萬狀，忍不住一腔悲苦，熱淚泉湧而出。

這等無聲低泣，最是傷神不過，不大工夫，童淑貞已陷入昏迷之中。

驀地裡，一個清越聲音，在她身側響起，問道：「是貞兒嗎？你坐在這裡哭什麼？」

聲音雖然柔和，但童淑貞聽在耳中，卻如聞巨雷一般，沉昏的神志，驟然清醒，抹了淚痕望去，只見師父站在身旁，凝神相望，微顰雙眉，滿臉慈愛。

她鎮靜下心神，顫聲叫了一聲：「師父，我……我……」

她本想在師父面前，坦率地說出失身經過，然後橫劍自絕，但又想到那長春谷的石室之中，是崑崙派歷代祖師法體奉置所在，莊嚴聖潔，竟自說不出口。

慧真子微微一笑，道：「你有什麼事，儘管對我說吧，我自會替你作主。」

童淑貞只聽得心如箭穿，一陣氣血翻湧，幾乎暈倒地上，師恩深厚浩大，更使她愧惶得無地自容，定定神，正待答話，突見一條人影疾奔而來。

瞬息間來人已到梅林外面，慧真子一晃身，當先搶出梅林，童淑貞緊隨師父身後奔出。

童淑貞看清來人形像後，不禁驚得一呆，只見他右肩處衣服破裂，鮮血浸濕半身，喘息如牛，一見慧真子，只喊得一聲師叔，人便暈倒過去。

這突如其來的大變，使慧真子也失去了鎮靜，一伸手扶起來人，右掌在他「命門穴」上一陣推拿。

那人緩過一口氣，睜開了眼睛，慧真子已迫不及待地問道：「你怎麼傷成這個樣子，快說？」

來人正是玉靈子門下大弟子黃志英，他長長吁一口氣，強忍著傷痛，目光轉投在童淑貞臉上，一瞥而過，答道：「弟子巡查後山，遇得一個黃衣少年……」

說至此處，一陣急喘，接不下去。

慧真子急道：「那人現在什麼地方？」

黃志英喘息一陣，道：「弟子和那人相遇在長春谷口……」

慧真子不待黃志英說完，回頭對童淑貞道：「快替你大師兄包紮傷處，先把他血止住，送回三清宮交給你二師伯，替他療治。」

最後一句話未完，人已到數丈之外。

童淑貞細看大師兄右肩傷處，長達三寸，血若泉湧，心頭一急，撕下一塊道袍，把他右肩緊緊地包紮起來，說道：「大師兄，我扶你回三清宮去，讓掌門師伯替你敷藥療治。」

黃志英慘然一笑，道：「你快逃命去吧！別管我了！我傷得雖是不輕，但休息一陣，大概還可以支撐著回去。」

童淑貞心頭一震，道：「你！你怎麼？……」

黃志英搖頭一笑，截住童淑貞的話，道：「你不要多說了，什麼事我都已明白，那黃衣少

年武功、人才，都比我強多了，你快些走吧，等三師叔轉來後，只怕你想走也走不成了。」

童淑貞臉色突變，淚垂雙腮，道：「他……他把什麼事都告訴你了？」

黃志英臉上閃掠一抹淒涼的笑意，道：「沒有，但我能猜得出來，貞師妹，也許今生今世，我們已無再見面的機緣了，壓存我心中十幾年的話，今晚上我要一吐爲快，有唐突師妹的地方，希望你能原諒一些才好。」

童淑貞只聽得真情激盪，抱住黃志英，泣道：「我恨死、愧死了，大師兄，你這樣深情待我，不比拿劍來刺我兩下好些……」

黃志英突然挺身而起，拉著童淑貞一隻手笑道：「這地方不是談話之處，咱們換個所在。」

他雖然言笑如常，但頂門上卻是汗落如雨。握著童淑貞的一隻手，也疼得不住顫抖。

童淑貞早已心亂如麻，她聽任黃志英拉著她向前走去，這本是她從小長大的地方，此刻，卻如被拉到了一處陌生的所在一般。流目四顧，神態茫然。

黃志英拉著她穿過梅林，越過了兩座山峰，在一處山崖下面坐下，笑道：「師妹，你還記得這地方嗎？」

童淑貞呆呆地睜著一雙大眼睛，望著天際閃爍的繁星，對黃志英所問之言，渾如不覺。

他長長地嘆息一聲，左手搖撼童淑貞的秀肩，叫道：「師妹，師妹……」

童淑貞啊了一聲，從極度的痛苦下清醒過來，慢慢地把眼光移在黃志英臉上，悽惋一笑，垂下兩行清淚，問道：「大師兄，你心裡恨我嗎？」

黃志英搖搖頭，笑道：「不恨。」

童淑貞陡然伏在黃志英懷中，嗚嗚咽咽哭了起來，一面低聲訴道：「你待我愈好，我心中的愧咎和痛苦愈深，我不能再錯了，我要跪在師父面前，要她老人家一劍一劍的把我剁死，我心中痛苦極了！」

黃志英心情激動，熱淚奪眶而出，左手拂著童淑貞散亂的秀髮，心下湧集了千言萬語，卻不知從何說起。但覺懷中玉人哭聲愈來愈是淒絕，直若啼血杜鵑，聲聲如扣著了他的心弦，不自禁地把她的嬌軀，緊緊抱住……

十餘年來，日夜縈繞他心頭的玉人，一旦投在懷抱，不禁驚喜欲絕，忘記了他右肩極重的傷勢，不自覺一舉右臂，但感傷處一陣急疼，神志突然清醒。

抬頭望天，星光漸稀，他知道該讓她走了，再延誤時刻，對她大是不利，推開童淑貞，霍然挺身而起，道：「師妹，不要哭啦，天已五更過後，你，你該走了！」

童淑貞抹去淚痕，忽然變得一臉堅決，說道：「我不走，我要去見師父。」

黃志英淒涼一笑道：「三師叔縱然愛護你，但她也救不了你，難道你甘願受派規制裁嗎？」

童淑貞道：「我既做錯了事，死也無憾！」

黃志英默然垂頭，沉吟良久，突然抬起頭，笑道：「天地間這樣遼闊，你爲什麼一定要死在三清宮中……」

童淑貞只聽得心裡冒上來一股寒意，暗自忖道：不錯，我縱然拚受派規制裁，但在行刑之前，要召集同門，自白罪狀，死雖不怕，但那自白罪狀，卻是羞於出口。

黃志英見她沉思不語，又道：「天快亮了，小兄也不便再在此久留。」

飛燕驚龍

說完轉身緩步而去。

童淑貞知他話中含意，是催促自己快走，不禁感激萬分，想起過去，對他百般冷漠，更是慚愧至極，哭喊一聲：「大師兄……」縱身追去。

黃志英回頭問道：「你還有什麼話要說嗎？」

童淑貞道：「你待我如此情重，我……我……」

黃志英仰天大笑，道：「這一生我已經夠了，你快些走吧！」

童淑貞看他右肩傷處，又被鮮血浸出，無限溫柔地倚偎懷中，帶著滿臉淚痕，笑道：「大師兄，你再讓我替你包紮一下傷勢，好嗎？」

黃志英點點頭，嘴角間微現出滿足的笑意，兩道眼神凝視著童淑貞，只見她美麗的臉上，流露出無限的溫柔，無限的淒苦，又撕下身上的一塊道袍，很細心地替他包紮好右肩。

黃志英輕輕嘆息一聲，道：「師妹，我雖然不常在江湖上走動，但卻常聽師父談起江湖上的風險，你自己要多保重了，什麼事都要小心謹慎。」

童淑貞眼中淚水，如同斷線珍珠般，滾下粉腮，輕咬著櫻唇，答道：「我都記下了。」

黃志英抬頭望著東方天際，道：「天已快大亮了，你走吧！把你身上的道袍脫去，免得引人注意。」說罷頭也不回，向前走去。

童淑貞呆呆地站著，直待黃志英轉過一個山腳不見，她才轉身上路。

她茫然地奔行在崎嶇的山道上，萬千心事，紛至沓來，回想著悲愴坎坷的孤苦身世，和眼下四顧茫茫的飄零際遇，不禁腸轉百折，心傷十回……

世界雖這樣廣大，但她卻感到存身無處。

二十　愛恨交迸

且說黃志英轉過了一個山腳後，隱住身子，回頭探望，只見童淑貞緩緩轉身而去，一個淒涼的背影，逐漸消失在蒼茫的夜色中。

他雖然想盡了方法，勸童淑貞走，但她真的走了，他卻又感到悵惘若失，呆在那兒半晌工夫，才清醒過來，急奔三清宮而去。

他剛到觀外，瞥見人影閃動，四個背劍道人，衝出觀門。

那些道人看到了黃志英後，立即一齊合掌躬身道：「大師兄回來得正好，我們正要出去找你。」

黃志英心頭一跳，道：「師父呢？」

最左側的一個道人，答道：「師父現在後殿，等待大師兄回話。」

黃志英啊了一聲，急步向觀中奔去。

穿過了幾層殿院，到了後殿，那四個道人，也魚貫隨在他身後入殿。

這是一座雄偉的建築，雕樑畫棟，朱瓦粉牆，八支兒臂粗細的巨燭，只照得全殿通明。

只見玉靈子穿著一襲青色寬大的道袍，坐在大殿中間，身後站著兩個眉目清秀，年約十四歲的道童，四個道裝男子守護兩側，靠右邊一張松木椅子上，坐著三師叔慧真子。

黃志英急搶兩步，拜伏地上，道：「弟子黃志英，叩見師父。」

玉靈子轉臉望了慧真子一眼，問道：「你童師妹哪裡去了？」

黃志英嚇得打了一個冷戰，道：「童師妹替弟子包紮好創傷後，就和弟子分手，不知哪裡去了？」

玉靈子微微一笑，道：「你膽子很大，我問你，我們崑崙派欺師滅祖的罪名，應該受什麼條律制裁？」

黃志英驚出一身冷汗，答道：「欺師滅祖，在我們派規條律之中，應處死罪。」

玉靈子驀然一變臉色，雙目中神光閃動，冷冷問道：「你身為首座弟子，應知本門戒律森嚴，老實講，你童師妹哪裡去了？」

黃志英道：「弟子……弟子實在不知她去向何處？」

玉靈子素知他不說謊言，一時間倒無話可說，沉思一陣，又問道：「你當真不知道嗎？」

黃志英道：「弟子當真不知。」

慧真子接口道：「二師兄也不要一味追問英兒，逆徒既敢把人私自隱藏長春谷內石室，必已早有預謀，只可惜我對她十餘年教養心血，完全白費了……」言下無限淒然。

玉靈子嘆息一聲，道：「以貞兒生性，和她平日做人做事觀察，這件事殊出人意料之外，你也不必為此自責，眼下尚有很多疑竇，待查清楚後，再作處置。」

慧真子霍然起身，道：「掌門師兄所作各種論斷，和我的推想相同，目前只差把叛徒捉到，按派規明正典刑，我料她在這一個時辰之內，決走不出去，我這就動身追她回來。」

玉靈子道：「只是不知她去的方向，追回恐非容易！」

慧真子道：「叛徒罪證既確，就是踏遍天涯，我也得把她斬死劍下！」

玉靈子起身離座，回頭吩咐身後兩個道童，說：「把你大師兄暫押入觀後石牢之內，未得我令諭，不准他擅離一步。」

兩個道童答應一聲，押著黃志英離了大殿。

慧真子道：「他右肩傷勢不輕，你得先替他敷了藥，再送押石牢不遲。」

玉靈子道：「他松、鶴二個師弟，自會給他療傷，用不著我們費心，我們先一道追擒叛徒。」

慧真子道：「大師兄行蹤尚未探出，又出這個麻煩，那陶玉武功不弱，當心他來三清宮中取鬧，二師兄不宜離開，追擒貞兒，我一人力量足夠了。」

玉靈子嘆道：「小兄無德，致使歷代祖師蒙羞，但事情既已出來，急也不在一時，眼下兩件大事，追查大師兄的行蹤，似較重要，我和你分頭追趕貞兒，定以百里爲限，不管追到與否，均應返回觀中，待尋到大師兄後，我們再仗劍江湖，追訪叛徒下落。」

慧真子點點頭，當先出了大殿，玉靈子又吩咐四個站候兩側的弟子幾句，才追出來。

兩人出了三清宮，天色已經大亮，慧真子向東南追去，玉靈子向東北追趕，這兩條路都是童淑貞最可能走的路。

再說童淑貞迷迷糊糊地奔行了一陣，神志逐漸清醒，她生性本極聰明，神志復常後，開始考慮眼前處境：崑崙派門規森嚴，對門下賞罰素來一視同仁，自己雖受師父寵愛，也難逃門規制裁，此次所犯大錯，又是派中極大極重條律，勢將傷透了恩師之心，如被追上，必被押回三

清宮正典行刑，……她忖思良久，覺得只有逃亡一途可循。

轉念又想到深重師恩，不禁又猶豫起來。

突然，她腦際浮現出陶玉的影子，那俊俏的形貌，迷人的微笑和那冷漠神情……緊接著一個念頭，襲上心來，暗自忖道：我既已失身於他，總應該再見他一面，就是要死，也該橫劍自絕在他的面前……

一想起金環二郎，她立時定了主意，脫去道袍，佩好寶劍，認定出山方向，橫穿峰嶺而過，她走的盡都是重山峻嶺，避開了出山之路，沿途九百里不見人煙，她走得又是慌慌張張，未帶上一點食用之物，只有用松子、泉水以解饑渴。

她經過數日兼程奔波，進入了青海境內，她身上未帶一點銀錢，無法投宿客棧，只沿用老法，打些野味，做成乾糧，晚上宿在古廟之中。

這天到了四川崇寧縣城，突然覺著一陣頭暈，連打了幾個冷顫後，身體發起高熱，只覺眼花撩亂，頭重腳輕，忽冷忽熱，難過至極。

這時，她不得不投宿在客棧中了。

她想住店休息一夜，服點藥物就可痊癒，哪知她半月的露宿奔波，心神憔悴，病魔早已乘虛而入，只因她一身武功，發作極慢，待她投宿到客棧之後，病勢急轉直下，全身寒熱交迫，人已經支持不住。

那店小二看她衣著襤褸，又生重病，不禁心裡打起鼓來，暗暗想道：看她病勢，似乎很重，如果有什麼好歹，不但要賠上幾天飯錢、房錢，還得打上一場不大不小的官司。

從來幹店小二這一行的，大都是勢利眼，看童淑貞那份落魄的樣子，心裡有三分輕視，放

下手中茶水，正想上前設法把她趕出店去，突然目光觸到童淑貞身側的寶劍上。

這就把店小二嚇得怔了一怔，暗想道：這個年輕女子，窮得連衣服穿都沒有，卻帶著一支寶劍，看來決不是什麼好人！他心裡正在轉著念頭，童淑貞突然轉過身來，叫道：「店家，店家，給我一杯水喝喝好嗎？我口渴死了！」

聲如燕語鶯鳴，清脆動聽已極，店小二眼睛一亮，兩道眼神盯在童淑貞臉上，再也移不開去。

只見童淑貞忽地睜開了眼睛，叫道：「我要喝水，你聽到沒有？」

抬頭看到童淑貞滿臉嗔怒，嚇得他下面的話說不出口。

喝過茶後，精神稍覺好轉，又勉強支持著走回到床上躺下，沉睡過去。

這一睡，直睡到第二天中午時分，醒來時，見床側站著一個年約五旬的老者。

那老人面很慈善，望著她笑道：「姑娘，你就是一個人嗎？」

童淑貞點點頭，悽惋一笑。

那老人嘆息一聲，道：「你病得很重，我已經叫人去請先生來給你看病了。」

童淑貞道：「我沒有錢，身上也沒有值錢的東西，只有我枕邊那支防身用的寶劍還能值幾兩銀子，就請老伯伯代我賣了，開付醫藥費吧！」

那老人搖搖頭，笑道：「出門人一時不方便，是常有的事，你只管安心養病吧！醫藥費我老漢還負擔得起。」

童淑貞聽得異常感動，道：「我們素不相識，老伯伯縱願相助，但難女如何能受？」

那老人尚未及答話，店小二已帶著醫生進來。

他詳細地查看了童淑貞的病情後，晃晃腦袋說道：「病勢不輕，風寒已浸內腑，開劑藥試試看，能不能見效，卻很難說！」

說完話，取過筆，開了一張藥單，轉頭就走。

童淑貞看那醫生神態冷漠，全無一點悲天憫人心腸，不禁心頭有氣，說道：「老伯伯，把他藥單退給他，我不要吃他開的藥啦。」

那老人微微一笑，道：「姑娘，這不是嘔氣的事，那先生是我們崇寧城第一名醫，一向看病，就是這個樣子，但他開的藥單卻是神效異常。」

童淑貞正待答話，突聽一個尖脆的聲音叫道：「我的馬得要加二升黃豆餵，酒飯愈快愈好，我吃過飯，還有要緊的事辦。」

聲音異常熟悉，入耳驚心。

她猛提一口真氣，一躍下榻，兩、三步已搶到門口，倚門望去，果見陶玉身穿黃色及膝大褂，手牽赤雲追風駒，正在和店小二說話。

童淑貞不知是驚是喜，呆在門口，說不出一句話來。

陶玉轉臉見到了童淑貞後，微微一怔，把馬韁交給店小二，對著她走來。

這一瞬間，她心中洶湧出萬千感慨，似乎有幾百句話要一齊出口，但卻不知先說哪一句才好，心情過分緊張激動，激發她生命的潛力，支持住了她沉重的病體，眼睛中也閃爍起因病魔困擾而消失的神光，凝注在金環二郎臉上。

陶玉恢復了鎮靜輕鬆的神態，望著她道：「怎麼，你一個人來的？是不是被你師父逐下山的？」說得不徐不疾，毫無一點憐惜、惶急之情。

字字句句，都化成鋒利的劍，刺在童淑貞的心上，她無法控制滿腔悲忿，揚手一掌，劈向陶玉臉打去。

金環二郎左手一翻，輕輕扣住了她的脈門，笑道：「什麼話好好說不成？怎麼見面就動手動腳……」

突然覺著她玉腕燙手，接著又道：「怎麼？你有病了？」

童淑貞氣得冷笑一聲，道：「我死了也不要你管……」

只覺一陣感傷，湧上心頭，支持她的精神登時一鬆，一語未發，人便向地上栽去。

陶玉隨手一把，抱起她的嬌軀，向房中走去。

那老人撿起藥單，走到陶玉身側，道：「這位姑娘病得不輕。」

陶玉陡然轉過臉，冷冷接道：「病得不輕怎麼樣？用不著你多管閒事！」

那老者只聽得呆了一呆，道：「老漢見她一人投宿敝棧，病勢又那樣沉重，年輕輕的女孩子，實在夠可憐的，所以特為她請先生看病，這張藥單就是……」

陶玉伸手接過藥單子，笑道：「老掌櫃你心很好啊？嘿嘿——我看你是怕打人命官司吧！」

那老人連受陶玉譏諷，不禁有點冒火，放下藥單，轉身向外走去。

走就走了算啦，千不該，萬不該，不該出了房門後罵了陶玉兩句。

他罵的聲音雖小，但陶玉內功精湛，耳目異常靈敏，一字一句，都聽得十分清楚，只聽他一聲格格大笑，雙肩晃動，穿門而出，笑聲未落，已到了那老人背後，舉手搭在那老人肩上，問道：「老掌櫃，你貴姓，這客棧可是你老人家開的嗎？」

那老人只覺一股寒意，由肩頭散入全身，不自主地打了個冷戰，轉臉答道：「老漢姓周，這小棧正是老漢所開。」

陶玉取下搭在他肩上的手，笑道：「那位姑娘是我師妹，多蒙掌櫃關照，我心中感激得很。」

那老者見他陡然間變得和顏悅色，不禁微微一怔道：「出門人都難免遇上什麼困苦事，這也用不著說感激的話！」

他心仍耿耿於陶玉適才譏諷之言，毫無愉悅之色。

陶玉冷笑一聲，道：「這藥單是什麼人開的？」

那老人冷冷答道：「是我們崇寧城中第一名醫，和老漢同宗的周一帖。」

陶玉笑道：「周一帖這名字口氣不小，定是妙手回春，藥到病除的了？」

老者怒道：「你這人怎生這等無禮，需知這崇寧城中，是有著王法的所在。」

陶玉仰天大笑道：「老掌櫃太客氣了，那周一帖既和你同宗，這藥單你就收著自己用吧！」

說完，不再待那老者答話，轉身奔回房中。

那老人一片好心，反受陶玉一頓閒氣，滿懷忿怒而去，他哪裡知道，金環二郎已暗中對他下了毒手，用太陰氣功，傷了他太陽、少陽二脈，三日之後，傷脈逐漸擴大，血道閉塞，全身癱瘓，要受盡磨難後，才慢慢地死去。

且說陶玉回到房中後，從懷中取出一粒白色丹九，放入童淑貞口中，用水沖下。

陶玉懷中丹丸，是妙手漁隱蕭天儀採集深山大澤中百種靈藥，經數月爐火之功的九轉保命丸，效能奇大，功除百病，童淑貞服下不過頓飯工夫，人已悠悠醒轉過來。

這一陣，陶玉一直坐守在床側望著她仰臥的身體，回味那夜石室銷魂蝕骨之歡，不禁慾念又動，伸出左手輕拂著童淑貞散亂在枕畔的秀髮，心中微生憐惜。

這不是發自心底的愛憐，而是由慾念中產生出的一種渴望，這渴望使得陶玉異常溫柔。

童淑貞睜開眼睛，看了金環二郎，又慢慢地閉上。

只覺陶玉兩隻手不停地在她身上撫摸，頓感一陣輕快舒暢，湧集在胸中的怨恨逐漸消去，嘴角間微泛一絲笑意。

陶玉知她已醒轉多時，因為和自己賭氣，所以不肯說話，停住手，附在她耳邊笑道：「你已服過我隨身帶的靈丹，病勢已減去一大半，只要休息一天，就可以完全好了。」

童淑貞忽然睜開星目，怒道：「誰要你給我醫病，我心裡恨死你了。」

陶玉微微一笑，道：「恨我嗎？那你就打我幾下。」

童淑貞驀然挺身坐起，左右開弓，打了陶玉兩個耳括子，一則她病中無力，再則心內又有些不忍，這兩掌打得雖響，但卻不重。

陶玉果然不動聲色，待童淑貞打完後，才笑道：「你心裡還恨我嗎？如果餘恨未息，那就再打幾下。」

童淑貞忍不住嗤地一笑，道：「你這人頑皮透了。」

說完一句話，突感一陣目眩，身子搖搖欲倒。

陶玉一展雙臂，抱著她，又把她放在榻上，笑道：「你病勢雖已大好，但體力尚未復元，好好地躺著休息一下，我去替你叫碗鮮魚湯吃吃。」
說完，退出房去。
童淑貞本想叫住陶玉，告訴他不吃葷腥，但轉念又想到自己半月來食用了很多山禽，而且都是親手所殺，既已破了戒規，再戒已無必要，是以話到口邊，重又嚥回肚中。
那九轉保命丹果是神效無比，童淑貞清醒後，感覺著病勢已好了大半。
她靜靜地躺在床上，想著近月來的遭遇，恍若經歷了一場夢境，對陶玉究竟是恨是愛，到現在她還弄不清楚。
大約過了一刻工夫，店小二送來了一碗魚湯，童淑貞已一日夜未吃東西，那魚湯又做得鮮美可口，她一口氣就把一大碗魚湯吃完，剛好陶玉也帶著一個縫製衣服的匠人回來，笑道：「你再休息一天，就可以完全復元了，盡半日一夜時間，給你做幾件衣服，咱們明天一早就走。」
童淑貞道：「你要帶我到哪裡去？」
陶玉笑道：「好玩的地方多啦，我帶你去遊遊江南風光。」
童淑貞顰眉垂頭，默然不語。
陶玉格格一陣大笑：「你怕你師父追蹤你，對嗎？」
童淑貞抬起頭，滿臉驚懼之色，答道：「我想找一處人跡罕到的僻靜所在住下。」
陶玉微微一笑，避而不答，卻讓那縫衣服匠人替童淑貞量了身材尺寸，囑他連夜趕製衣服，在明天一早送到客棧中來。
半日一夜的時間，童淑貞一直在矛盾困擾中過去。

陶玉做事，素無忌憚，她如何能拗得過他，這一宵，他們又同榻並臥……

第二天，那縫衣匠人，如約送來了縫製的新衣，童淑貞換上新裝，更顯得窈窕動人，青帕包髮，衣裝裹身，腰束汗巾，身披風褸，足蹬小劍靴，背插寶劍，小病初癒，備覺得清麗絕俗。

陶玉早已替她選購了一匹長程健馬，銀鐙雕鞍，白毛如雪，他先扶童淑貞上了馬，自己也躍上鞍鐙，抖韁放馬，雙騎並發，但聞蹄聲得得，瞬息間馳出崇寧縣城。

這時，嚴冬已過，春回大地，天際旭日初升，滿天紅雲絢爛，晨風迎面，吹飄著她鬢前幾許散髮。行走間，童淑貞突然想起了一件事來，轉臉問道：「我大師兄肩上的的傷，可是你打的嗎？」

陶玉傲然一笑，道：「不錯，我不但傷了你大師兄，同時還傷了兩個把守在那幽谷要隘的臭道士。」

原來那夜童淑貞藉黃志英和兩位師弟說話機會，全力狂奔而去，黃志英追了一陣，心中突生懷疑，越來越覺童淑貞的神情不對，當下又折返長春谷石室中去。

他剛到石室門邊，正好陶玉從石室中奔出，黃志英攔路喝問，陶玉卻一語不答，揮劍就劈，他出手幾招，盡都是迅無倫比的絕學，黃志英如何招架得住，吃他一劍掃中右臂，當場皮破血流。

陶玉擔心崑崙三子趕來，掃中黃志英一劍後，立時向谷外奔去。

他正奔行間，突聞一聲喝叱，暗影中閃來兩個道人，橫劍攔住去路。

這兩人都是玉靈子門下，法名淨修、淨塵，武功劍術都已有相當火候。陶玉心急逃走，不理兩人喝問，隨手攻出三劍。

兩人看陶玉劍勢凌厲，一齊出手相拒，三人交手十餘招後，陶玉陡生殺心，金環劍突施一招「風捲殘雲」，斬斷了淨修一條左臂，接著劍化「斗柄犯月」，寒鋒過處，又刺傷淨塵一條右腿，他這兩招劍學，盡都是三音神尼拳譜上所載，淨修和淨塵，自是無能破解。

兩人傷得都很慘重，雙雙栽倒地上，暈了過去。

陶玉藉機逃出山谷，繞山長嘯，招來靈馬，連夜騎出山，因他地勢不熟，又在夜間行走，錯了方向，是以雖有日行千里寶駒，反而落到了童淑貞後面。

黃志英被陶玉金劍掃中右肩，傷得雖然很重，但他是異常堅毅之人，當下用右手按住傷處，進入石室查看。

童淑貞離開石室之時，走得異常惶急，陶玉爲人雖然心地陰狠，但膽大心細，料想童淑貞在天亮之前，必會重來打掃石室，卻未料到黃志英去而復返。

黃志英進入石室之後，發現了不少殘肴剩餅，最使人痛心的是，是觸目一塊血跡斑斑的絹帕，那絹帕正是童淑貞日常所用之物。

由這塊絹帕，使他聯想到童淑貞失常神態，心中恍然大悟，他伏身撿起絹帕，藏入懷中，然後才退出石室。

在出谷途中，又看到師弟的受傷慘狀，但基於自己右肩傷疼正烈，無法施救，只得拚命向三清宮中奔去，走到那百頃梅花林處，遇上了慧真子和童淑貞。

慧真子問了幾句話，立時向長春谷中奔去，在入谷途中碰上了受傷的淨修、淨塵。

這時，兩人清醒過來。慧真子動手替他們包紮好傷勢，垂詢經過，她所以匆匆趕來，無非是怕兩人抵擋不住陶玉，哪知仍是晚到了一步，被陶玉闖出谷去。

淨修、淨塵很詳盡地說明了經過，慧真子只聽得滿腹疑雲，從童淑貞幾天來的詭密行蹤，和剛才婉啼梅林的情形，一一展現心頭，這使她不得不懷疑到，從小由自己養育長大的童淑貞身上。

淨修和淨塵都傷得異常慘重，兩入述完經過，又疼暈過去。

慧真子目睹兩人一個斷去一臂，一個腿傷奇重，雖未斷去，亦將殘廢，心中十分傷感，當下把兩人挾在肋下，直回三清宮。玉靈子替兩人敷了藥，又和慧真子聯袂趕到長春谷內石室中查看，但見殘肴剩餅，清燈仍明。所幸壁上暗門未被打開，那裡面放置崑崙派歷代祖師的法身應該無損。

兩人勘查過石洞，心中都有了數，返回三清宮後，仍不見黃志英和童淑貞回來，玉靈子心中雖已怒極，但不願使慧真子難堪，強忍忿怒，故作鎮靜，派出門下四個弟子去找黃志英，正巧黃志英送走了童淑貞後回來。

陶玉毫不隱瞞地說出了經過，仰天一陣大笑後，又道：「你們崑崙派號稱武林中九大宗派之一，但在我陶玉眼中看來，那點微末之技，實在有限得很，看來當今九大門派之說，恐都是欺世之談……」

童淑貞怒道：「你的武功有什麼好？好也不會傷在別人手中，躲在我們長春谷石室中養傷了！」

陶玉臉色一變，正想發作，突聞蹄聲得得，快馬迎面奔來，馬上人高呼，道：「陶兄別來無恙，想不到我們會在此地重逢。」

金環二郎抬頭望去，不覺心頭一驚，他心念還未多轉，來人已到面前，大概那人看到陶玉後，心中十分高興，所以放馬衝了過來。

童淑貞側臉望去，嚇得她打了一個哆嗦，只見來人身穿一身黑色疾服勁裝，外罩淡青披風，右肩隱隱透出劍把，朗目劍眉，豐神俊逸，不是楊夢寰是誰？

這時，楊夢寰已翻身跨下了馬背，執著陶玉一隻手搖著笑道：「自和陶兄分手之後，小弟無時不在想念之中。」

瞥眼間，看清了那玄裝少女是童淑貞，不覺一呆。半晌工夫，他才問道：「童師姊改換服裝，小弟幾乎不認識了！」

童淑貞被夢寰說得心頭一酸，熱淚奪眶而出，粉面上也泛起兩片彩霞，直紅到耳根後面，她正在極度痛苦之中，又滲入極度的羞愧。

楊夢寰看她淒傷神態，不禁又呆了一呆，道：「怎麼？你受了三師叔的責罵？」

童淑貞幽幽一嘆，道：「我觸犯了派中規律，不能再在金頂峰存身了……」

夢寰吃了一驚，接道：「你是被逐出門牆的？」

童淑貞淒涼一笑，道：「我是私自逃下山的。」

夢寰一皺劍眉，沉吟一陣，才搖搖頭，道：「據小弟觀察，三師叔對師姊十分器重，師姊縱然觸犯門規，料想三師叔不致嚴加責罰，望師姊隨小弟一起回山，由小弟出面，懇求三師叔減輕責罰，師恩深重，豈可隨便一走了之？」

說完話，深深一揖。幾句話雖然婉轉，但卻大義凜然。

童淑貞只聽得悚然一驚，出了一身冷汗，默默垂下頭去。

楊夢寰察顏觀色，知她心中已動，隨又接著說道：「咱們崑崙派在江湖上聲望甚隆，師姊如果一步失錯，不但使咱們崑崙派授人笑柄，而且對師姊更是不利。師姊蕙質蘭心，請三思小弟冒昧之言。」

這時，他已看出童淑貞可能和陶玉私奔離山，因爲不便指責陶玉，只好對童淑貞曉以大義，使她迷途知返，不要貽笑武林，落得叛師之名。

他哪裡知道童淑貞窩了一肚子難言的苦衷。

只見她倏然抬頭，變得一臉堅強，淡淡一笑，反而說道：「你由祁連山送朱姑娘到什麼地方去了？」

夢寰道：「我送她到括蒼山。」

童淑貞冷冷問道：「這段行程不近，以你的輕身功夫而論，得要多長時間才能回到崑崙山金頂峰去？」

夢寰笑道：「去時乘她的靈鶴玄玉，只不過兩日一夜工夫，我因急於西返，送她到括蒼山後，就留字告別。括蒼山到崑崙山這段行程大約估計總在萬里之上，以小弟這點功力來說，從容點趕到，一個月不夠，但也不會超過三十五天，只因在旅途遇上一件意外事情，以致延誤行期半年……」

童淑貞冷笑道：「這半年中，你可想起過霞琳師妹嗎？」

夢寰聽她陡然問到霞琳身上，不覺俊臉一熱，答道：「沈師妹甚得三師叔惜愛，且有師姊

照顧，因此我很放心。」

童淑貞目光凝注在夢寰臉上，道：「那你這半年中過得很快樂了？」

夢寰一時間想不出她這話含意，微微一怔，隨口答道：「這半年中，我雖連遇數番凶險，但均幸化險為夷，幾日水牢之苦，那也算不得什麼。」

童淑貞道：「嗯！這也許就是男女不同之處，你知不知道霞琳師妹為你身染重病，幾乎送命？」

夢寰心頭一震，問道：「她現在好了沒有？」

童淑貞道：「如不是你送的那位朱姑娘及時趕到相救，只怕屍骨已寒多時了。」

楊夢寰長長嘆息一聲，道：「唉！這孩子就是愛胡思亂想。」

兩人在答問之時，陶玉一直站在旁側靜聽，此刻，突然插嘴接道：「楊兄剛才說起遇上意外事情，以致延誤半年歸期，那定是件十分麻煩的事了。」

楊夢寰笑道：「事情說來話長，陶兄如果無緊要的事，咱們找處客棧，容小弟詳細奉告。」

童淑貞望了陶玉一眼，對夢寰道：「我現在已經是背叛師門的人啦，你是不是準備把我捉住，押解回山？」

兩句話單刀直入，只問得楊夢寰垂下頭答不上話。這實是一個難答的問題，童淑貞已承認背叛師門，私逃下山，凡是崑崙門下弟子，都應該截攔她押解回山。楊夢寰沉思良久，苦笑道：「小弟不敢，但望師姊能體念師門教養之恩，和小弟一起回山，楊夢寰願苦求三師叔，替師姊分擔責罰……」

童淑貞突然放聲大笑起來，那笑聲異常奇特，但見淚水若泉，奪眶而出。

夢寰愈聽愈不對，仔細分辨，不知何時，她那大笑之聲，已變成痛哭之聲。

陶玉臉色異常難看，眉宇間隱泛怒意，冷冷地站在旁邊。

楊夢寰本是極端聰明之人，只是心地忠厚，所以看上去，不若陶玉狡詐，他見童淑貞越哭越痛，心中已有幾分明白，陶玉和師姊之間的關係，恐怕不很簡單。

他心念略一轉動，陡然欺身而進，左手一招「赤手搏龍」，扣住童淑貞右腕，右手輕輕一掌拍她「命門穴」上。

童淑貞心頭一震，哭聲頓住，淚眼斜轉，望著夢寰叫道：「你要捉我回山，快請動手殺了我，帶著我屍體回去吧！我……」

夢寰急道：「師姊不要誤會，小弟是怕師姊哭傷身體，所以才冒昧動手，拍了師姊『命門穴』一掌。」說著話，鬆了童淑貞右腕，退後三步，又躬身一揖。

童淑貞慘笑道：「你知道我犯了師門中哪條戒律？」

夢寰道：「小弟不知。」

童淑貞道：「我犯的戒律只有兩條路可走，一條是死，另一條路背叛師門，永不回金頂峰三清宮去。」

楊夢寰道：「三師叔要真的仗劍追查師姊行蹤，只怕你難以……」

陶玉冷笑一聲，打斷了夢寰的話，接道：「就是崑崙三子一齊追來，也未必能怎麼樣。」

童淑貞飛身躍在兩人中間，含淚對夢寰道：「楊師弟，你不要錯怪別人，你要捉我回山，儘管動手就是。」

二一　香舟麗影

這時，陶玉已收住笑聲，俏目中神光閃動，逼視在夢寰臉上。

夢寰聽陶玉一開口，就傷了師父和兩位師叔，心中大感不悅，但轉念又想到陶玉相助追尋霞琳情誼，強按下心頭怒火，笑道：「陶兄幾時到我們崑崙山的？我師姐私逃下山一事，陶兄事先可知道嗎？」

童淑貞臉上又泛兩頰紅暈，陶玉卻聽得面現怒色，冷冷答道：「這是你們崑崙派中私事，嘿！楊兄撩撥兄弟，不知是什麼意思？」

夢寰笑道：「陶兄不要誤會，我只不過是隨口問問罷了！我知道這事情怪不得陶兄。」

陶玉突然格格大笑起來，滿臉怒色完全消散。楊夢寰已知陶玉性格，真正動了怒火，外表反而變得心平氣和。他越是笑得厲害，出手也越是毒辣，不禁心中打鼓，怕他陡然出手，只得暗自留神戒備。

楊夢寰黯然嘆道：「師姐是一定不肯和小弟回山了？」

童淑貞悽惋笑道：「師弟，你不知道，我不能回去，我……」她我了半天，還是我不出個所以然來。

楊夢寰長長嘆息一聲，向旁側一閃，道：「師姐，陶兄，請趕路吧！」

童淑貞見夢寰閃道讓路，不覺心痛如絞，想到同門姐妹兄弟中，一個個待自己多情多義，而自己卻做了崑崙門下叛徒，辜負恩師十餘年教養心血不算，又玷污了崑崙派在武林中的清白聲譽。

楊夢寰見她目蘊淚光，呆呆地站著，不動不言，心中忽有所感。翻身躍上馬背，拱手一禮，叫道：「師姊，多保重了。」

掉轉馬頭，又對陶玉一禮，道：「陶兄相助之恩，永銘楊夢寰肺腑，咱們後會有期了。」抖韁放馬，絕塵而去。

童淑貞望著夢寰的背影，高聲叫道：「楊師弟，楊師弟……」

可是楊夢寰恍若不聞，頭也未回一下，但聞得得蹄聲愈去愈遠，不到盞茶工夫，人馬皆杳。

陶玉躍上赤雲追風駒，冷冷問道：「你要是不願跟我走，現在還追得上他！」

童淑貞怒道：「我楊師弟心地善良，爲人忠厚，你不要以己之心，度人之腹。」

陶玉笑道：「你這麼一說，我陶玉是天下最壞的一等人了？」

童淑貞道：「怎麼?你認爲你是好人！」

陶玉哼了兩聲，道：「這好人壞人之分，也算不了什麼大事。」

童淑貞嘆口氣，縱身上馬，抖韁向前疾奔，陶玉也放馬緊隨而去。

再說楊夢寰一口氣跑了八、九里路，才勒住馬韁停下，他心中一直在想著陶玉和師姊的事，胸中塡滿了苦惱，一路上連頭也未抬一次，待他勒馬停下，才聽到身後蹄聲得得，轉臉望去，只見無影女李瑤紅揚鞭縱馬而來。

這是一片荒涼的田野，數丈外有一道小溪，幾株新綠垂柳迎風飄舞，淙淙水聲隱約可聞。

李瑤紅放馬如飛，直對夢寰身上撞去，距夢寰還有尺許左右時，陡然一帶馬頭，向右側偏去。

哪知楊夢寰看她縱馬直撞過來，本能地右掌平推出去，正好李瑤紅勒韁轉馬，夢寰本知她是故意相戲，這一掌拍出，是生命中潛在本能的作用。

勢在意先，待他驚覺到想收掌時，力道已經發出，因雙方距離太近，收勢已來不及，這一掌正擊在馬頭上。

那馬在狂奔之時，驟受一掌猛擊，如何能承受得了。但聞一聲悶吼，前腿一軟，向地上栽下。李瑤紅嚶了一聲，人從馬背直摔下來，楊夢寰來不及思索，一退步，雙臂舒展，把她嬌軀接住。

不知她是有心呢？還是無意？一下子投入了夢寰懷中，雙手緊抱夢寰項頸，粉臉狠貼在夢寰腮邊，嬌喘連連，低聲叫道：「嚇死我了，嚇死我了。」

夢寰急急地把她嬌軀放下，道：「誰要你直往我身上撞呢？」

李瑤紅雙頰緋紅，星目斜著夢寰笑道：「你這人真是不講道理，人家嚇都快嚇死了，你還對人家兇得要命……」

說著，舉起右手按在胸前，長長地喘口氣，又道：「不信你摸摸我的心，現在還跳得很厲

害呢？」

夢寰已看出她是有意放刁，冷冷地答道：「你又追我來幹什麼？」

李瑤紅道：「這條路又不是你們姓楊的路，你能走，爲什麼我不能走？」

楊夢寰聽她強詞奪理地狡辯，似是而非，一時間倒沒有辦法回答，順手拉過馬韁，答道：「好！我要回崑崙山，看你能不能跟去。」說著翻身躍上馬背。

李瑤紅猛地一上步，劈手從楊夢寰手中奪過馬韁繩，怒道：「你把我的馬打死了，不賠我就想走嗎？」

楊夢寰轉頭看去，果見李瑤紅所乘的健馬，口鼻鮮血直流，側臥地上，雖然未死，但已無法再用來代步，不由心生歉咎之感。翻身躍下馬背，把轡繩交到李瑤紅手中，說道：「賠你就賠你吧！」說完轉身就走。

李瑤紅突然一上步，抓住楊夢寰身上的淡青色披風，用力一拉，但聞「嚓」的一聲，好好一件衣服被她扯破了一大塊。

楊夢寰心頭火起，翻身一招「神龍搖尾」橫劈過去。

只聽李瑤紅嗯了一聲，眼睛一閉，不避掌勢，反向他身上撲去。

這一下大出夢寰意外，急收掌勢，向旁一閃，怒道：「你要找死嗎？」

李瑤紅一下撲空，睜開眼睛，笑道：「我就知道你不敢當真打我。」

楊夢寰氣得劍眉倒豎，厲聲喝道：「你要再無理和我糾纏，可別怪我翻臉無情。」

李瑤紅幽幽一聲長嘆，兩行清淚順腮而下，道：「你既然這樣討厭我，恨我，那你爲什麼要救我呢？你爲我受了很多苦楚，我……我心裡……」

楊夢寰被她問得呆了一呆，道：「我救你只不過是激於義憤，難道我救你還救錯了不成？」

李瑤紅道：「當然救錯啦！你要不救我，我早就死了，我死，自然不會再看到你，那不就省了很多煩惱……」

楊夢寰一跺腳，道：「你怎麼蠻不講理？」

李瑤紅緩步走近他身側，臉上情愛橫溢，星目中淚若泉湧，悽惋一笑，道：「你為什麼這樣恨我？我的心快被你折磨碎了！」

楊夢寰目睹她淒然神情，不禁心生憐惜，搖搖頭勸道：「你這是何苦呢？你陶師兄才貌雙絕，又對你情深萬種，楊夢寰不過是一介武夫……」

李瑤紅接道：「我知道你心裡只有你那寶貝師妹……」

楊夢寰臉色一變，道：「你不要盡挑撥她，她善良無邪，什麼都比你強。」說罷，轉身急步而去。

李瑤紅兩個急躍，攔在夢寰面前，說道：「算我說錯了話，好嗎？你……你不要這樣對我，我有話要對你說。」說到最後一句話，已是泣不成聲。

楊夢寰心中不忍，停住步，問道：「你要說什麼？說吧！」

李瑤紅道：「你急著回崑崙山，是不是要見你師父？」

楊夢寰道：「不錯。」

李瑤紅道：「他已經不在崑崙山了！」

楊夢寰冷笑一聲，道：「我不信你的話。」

李瑤紅道：「我不是騙你，你救我遇險，遭人擒住，我幾次設法救你，都沒有成功，我心裡急了，就跑去崑崙山找你師父。」

楊夢寰道：「你到我們三清宮去了？」

李瑤紅搖搖頭道：「沒有，崑崙山那麼大，我又不知道你們三清宮在什麼地方，我心裡又急得很，在那大山中亂跑了一夜半天，人都快要累死了。」

楊夢寰一皺眉頭，還未來得及開口，李瑤紅又搶先接道：「你皺什麼眉頭？人家還沒有把話說完，我在那大山中跑了半天一夜，仍然找不到你們的三清宮，這一夜半天的工夫，我連一點東西也沒有吃過。」

夢寰道：「那你爲什麼不打些飛禽充充饑呢？」

李瑤紅只聽得眼神一亮，隨手抹去臉上縱橫淚痕，歡愉之色，泛起雙頰，嬌媚一笑，道：「我擔心你的安危，哪裡還能吃得下東西？」

楊夢寰心頭一凜，仰臉望天上幾朵隨風移動的白雲，冷冷答道：「我出手救你，只不過是報答你過去的一番情誼，希望你不要放在心上才好。」

李瑤紅淡淡一笑，道：「我雖已走得困倦難支，但卻有一種無法言喻的力量支持著我，使我盲目奔行在那崇山峻嶺之上，總算皇天見憐，終於被我找到了一陽子老前輩，告訴他你被擒蒙難的消息。」

楊夢寰問道：「你在什麼地方，見到了我師父？」

李瑤紅道：「他正在一處突出的冰崖上和人比武，他們打得正在緊要關頭之時，我恰好趕到，那突出的冰崖下臨千丈絕崖，看上去十分怕人。」

楊夢寰道：「什麼人在和我師父比武？」

李瑤紅道：「是一個手執玉簫身穿黑衣的女人。」

楊夢寰心頭一震，道：「啊！那一定是玉簫仙子了？」

李瑤紅接道：「我當時已走得筋疲力盡，無法走下那段懸崖，只好站在崖上，高聲叫他們暫時停手。一陽子老前輩雖然看到了我，想停下手來，但那黑衣女人的攻勢激烈無比，無法收手。我最後實在急了，就把你遭擒蒙難的事，大聲說了出來。想不到，這句話倒是發生奇效，他們兩人都停住了手，爭先恐後地躍上懸崖。」

話到此處，頓了一頓，接道：「那黑衣女人，似是對你很關心，一到崖上，就搶先問我你在什麼地方？我看她惶急的模樣，心中有氣，故意閉上眼睛，裝作喘息，不理她的問話。」

楊夢寰「啊」了一聲！李瑤紅嗔道：「你啊什麼？我雖然看不慣她那樣顰眉作態，憂苦焦急的樣子，但想到你的安危，只得把你遭擒蒙難的經過，告訴了他們。」

楊夢寰道：「師父聽過之後，怎麼說呢？」

李瑤紅哼了一聲，道：「那個黑衣女人好像比你師父還急，我的話只說了一半，她已經有些不耐，死皮賴臉對你師父說：『道長，咱們不要比啦，原來夢寰真的沒有回三清宮來，我還認爲你們崑崙三子騙我呢。』」

楊夢寰皺皺眉，道：「這女魔頭真是可惡，竟鬧上我們崑崙山了！」

李瑤紅繼續說道：「那黑衣女人說過話後，就當先向前跑去，你師父也跟著追去，把我一個人丟在那絕峰之上，我當時困倦已極，就在峰頂上一座大山石後面坐下休息，哪知糊糊塗塗地就睡熟過去。醒來時已是滿山紅霞，我這半生中，雖然常在江湖上走動，可是從沒有吃過那

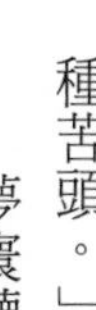

種苦頭。」

夢寰聽得甚是感動，很想說幾句慰藉之言，但又怕招來煩惱，於是，把到口邊的話又嚥回肚中，垂下頭輕輕嘆息了一聲。

李瑤紅淒苦一笑，接道：「當時我又饑又渴又冷，但那絕峰四周又都爲冰雪封凍，連一隻飛禽也難看到，我只得摘些松子充饑，打碎積冰，放入口中解渴。就這樣在那絕峰峻嶺中走了十餘天，才摸出那連綿的大山。」

夢寰問道：「我師父呢？」

李瑤紅道：「他們地勢熟悉，武功又好，恐怕早已到峨嵋山了。」

夢寰急得一跺腳，道：「那怎麼辦呢？我已離峨嵋山六、七天了？」

李瑤紅道：「一陽子老前輩趕到峨嵋山去，雖是爲了救你，但這事情的起因，還是由我惹起，我應該陪你到峨嵋山一次。」

楊夢寰搖搖頭，道：「這個不必了，我一個人去也是一樣。」

李瑤紅臉色一變，淚水奪眶而出，幽幽長嘆一聲，說道：「你爲什麼這樣恨我，我……我有什麼地方對不起你？」

夢寰淡淡一笑，道：「你對我很好，但男女有別，咱們並轡同行，只怕要引起風言風語。我們崑崙派門規森嚴，一旦傳到我師父耳中，我勢必要受責罰。」說完話，深深一揖，轉身而去。

李瑤紅又急又羞，呆在當地。這是她有生以來從未受過的難看羞辱，只覺心頭如受千斤重錘一擊，腦際間轟然一聲，打個踉蹌，幾乎栽倒地上。

她趕緊長長吸一口氣，穩住身子，定定神，只覺一股怨氣，沖上心頭，自言自語說道：「你不理我，我非要你理我不可。」

她一腔熱情因夢寰的決絕，轉變成幽幽怨恨。

她心中風車般打了幾百個轉，才定了主意。

抬頭望夢寰，人已到數十丈外。轉愛成恨之後，她反而平靜下來，氣聚丹田，大聲叫道：「楊相公，楊相公……」

楊夢寰停步回頭，李瑤紅縱馬趕去，到了夢寰身側，翻身下馬，笑道：「你現在可是到峨嵋山去嗎？」

夢寰點點頭，道：「不錯。」

李瑤紅把轡繩交到夢寰手中，笑道：「你要到峨嵋山去找你師父，那一定心急似箭，大白天如何能施展輕身功夫，還是騎著馬趕路吧！」

楊夢寰道：「我打傷了你的坐馬，怎麼辦呢？」

李瑤紅格格一陣大笑，道：「你見過我陶師兄嗎？」

楊夢寰臉色一變，道：「令師兄武功不錯……只是……」

李瑤紅道：「我替你說吧，只是生性陰險，心狠手辣，對不對？」

楊夢寰本想把剛才看見陶玉之事說出，但轉念又想到童淑貞叛師私奔一事有關崑崙派清白聲譽，實在礙於出口，淡淡一笑，避不作答。

李瑤紅道：「我師兄爲人如何不去說它，但他有一匹寶馬，名叫赤雲追風駒，有日行千里的腳程……」

楊夢寰笑道：「是了，他要把那匹馬送你！」

李瑤紅微微一怔，道：「你怎麼知道呢？」

楊夢寰翻身躍上馬背，拱手笑道：「令師兄對我談過，他對你用情很深……」

李瑤紅眨眨大眼睛，滾下來兩行淚水，道：「那他是自尋煩惱，不過我這一輩子也是煩惱定了。」

楊夢寰默然垂頭，長長嘆一口氣，縱馬而去。

李瑤紅望著他疾馳而去的背影，她希望夢寰能回頭望望，但她失望了。

且說楊夢寰縱馬急奔，一口氣又跑了十幾里路，放眼看江水滔滔，急流如萬馬怒奔，原來已到了泯江岸邊。

他勒馬岸邊，暗自忖道：此去峨嵋山不下五、六百里行程，如果騎馬趕路，最快也得一日夜以上時間，改走水路，乘船沿江而下，當天即可到嘉定府。嘉定距峨嵋山只餘下百里左右，連夜登山，二更天就可到達。

他佇立江岸，思忖良久，才決定換乘快舟趕路。

抬頭望去，才見下游里許處，帆影點點，酒招迎風，似是一座村鎮模樣，立時縱馬奔去。

這是緊靠泯江畔岸的一處渡口，不滿百戶人家，但卻有十幾家酒店，夢寰尋了一座最大的酒店，飽餐一頓，喚過店小二，問道：「今天可有到嘉定的船嗎？」

店小二搖搖頭笑道：「我們這黃家店，總共不過八、九十戶人家，要乘到嘉定的便船，非得到崇寧不可。」

夢寰一皺眉頭，道：「那江邊靠著那樣多船，難道不搭客嗎？」

店小二道：「那江邊的船，大都是漁舟，客人要坐，我去給你問問。」說完話，退了出去。

不大工夫，店小二滿含笑意進來，說道：「相公趕得真巧，剛好有一條船要放嘉定，人家坐有女眷，由汶川來到嘉定探親，本來是不搭客人，好在那船上兩位船手，都是常走泯江的水道朋友，和小的有些交情，經我再三說項，才答應下來。現在人家就要起錨開船，相公如要乘坐，就得早些登舟了。」

夢寰連聲稱謝，會了酒帳，和那店小二一起向江畔走去。

果見一艘雙桅大船，已經收錨待發。店小二把夢寰送上船，一個水手模樣的人先把夢寰從頭到腳打量了一陣，把他帶入後艙，低聲囑道：「沒有聽我招呼，千萬不要出來亂跑，到嘉定我自會通知你登岸。」

夢寰心中惦念師父，恨不得一步趕到，上船時匆匆忙忙，待船開之後，才想起自己坐馬還留在那酒店中。

泯江水流異常湍急，順水放船，舟快如箭。夢寰因知船中有女眷，果然不敢亂跑，一個人坐在後艙中，甚是無聊，不覺動了睡意。

恍惚間，似聞得一聲女人嬌笑，睜眼見身側站了一年輕美麗的奇裝少女。一身白衣，髮挽宮髻，不過那白衣長僅及膝，赤足欺霜，黛眉如畫，星目流轉，望著他掩口輕笑。

楊夢寰心頭一震，忖道：這是什麼裝束？年輕輕的大姑娘，怎麼能赤裸著一雙小腿，而且連鞋子也不穿一雙……他心中疑竇重重，忘記了是搭乘人家的便船，一皺眉頭，站起身子，正

想喝問，突然嬌笑連聲，眼前人影晃動，眨眼間，艙門邊又多出三個白衣少女。

這三個少女裝束，和那先來的衣著、髮型，完全一樣，白色羅衣，赤足光腿，面貌娟秀，艷光照人，年齡也大小相若。

楊夢寰看得一皺劍眉，暗道：哪來這多奇怪裝束的少女，看她們身手矯健，似非常人，裝束詭異，非苗非漢，實使人難以猜出來路。

他心中在轉著念頭，突聞先來那女子嬌聲喝道：「你這人是幹什麼的？怎麼會跑到我們的船上！」說的是滿語，而且聲若鶯囀，嬌脆悅耳。

這一喝，楊夢寰才覺到自己理屈，訕訕一笑，道：「我……我因急於趕赴嘉定，所以才商請了船家，借搭了幾位姑娘的便船，冒昧之處，尚請幾位海涵。」說罷，深深一個長揖。

哪知四個白衣少女聽完話後，臉色突然一變，本來每人都帶著盈盈笑意，剎那間，笑容斂收，面如寒霜，柳眉微揚，怒形於色。

剛才發話的那個少女冷笑一聲，道：「這船家膽子不小，他敢趁我們坐息之時，擅自作主，搭載客人。」

說到這裡，兩道眼神轉投到夢寰臉上，問道：「你知道這船上坐的是什麼人？」

夢寰道：「這個，我不知道，不過，我想，借搭便船也算不上什麼有背武林規矩之事。」

他見四女裝束、身手，和常人大不相同，必爲武林中的人物，故以不背規矩相對。

哪知四位白衣少女，都聽得有些茫然，最右一個年輕的，轉臉問身旁少女，道：「姐姐，武林規矩是什麼意思？你知道嗎？」

被問少女，皺起黛眉思索一下，笑道：「我怎麼不懂，武林規矩，就是名叫武林的人立的規矩，知道嗎？」

夢寰聽她言詞天真，不禁微微一笑，接道：「凡是習練過武功的人，都是武林中人，武林並非指一個名叫武林之人而言。」

右面年輕少女一噘小嘴，道：「我又沒有問你，誰要你來接嘴，不管武林，文林立的規矩，你跑上我們的船，那就不行！」

夢寰看四個少女，雖然衣著半裸，但一個個天真無邪，不禁生出敬畏之心。當下垂目答道：「船到嘉定府後，我就馬上登岸，現下舟行江心，幾位就是強我離船，我也沒有法子走。」

四個少女咭咭呱呱商量了一陣，最先來的那個少女，走近夢寰說道：「我們小姐還在入定未醒，等一下她醒了，一定會知道船上搭了別的客人，我們小姐脾氣很壞，說不定會要我們把你抛到江裡，我們就是想救你，只怕也救不了，最好的辦法，就是趁我們小姐入定未醒之前，你先離開船上。」

夢寰道：「現在船是順流疾馳，我……」

一語未完，突聞幾聲清越弦聲，飄傳入耳，四個白衣少女聞得那弦樂之聲，陡然轉身，急步而去。

但見白衣飄動，眨眼間四女全杳。

楊夢寰看四女走的身法，快捷無倫，心中十分驚異，暗暗忖道：這四個看上去嬌稚無邪，裸腿赤足的女孩，分明都具有一身的武功，但又不像常在江湖上走動的人物，實使人難測高深。

他心中開始對眼前若夢若幻的際遇感到不安，四個白衣少女，已給他無限驚異的感覺，不知那被稱小姐的又是個什麼樣的人？一時間，他腦中閃掠過千百種不同的念頭，但卻無法確定其中哪種感覺正確。這際遇太奇幻了，直把個聰明絕頂的楊夢寰，迷陷在五里雲霧之中，千百種推想都覺得不對，一個推想還未確定，另一個新的念頭又重新閃起……

在沉思的當兒，瞥見一個白衣少女，去而復返，手中托著一個白玉製成的精巧茶盤，茶盤中放著一個翠玉茶杯。

夢寰霍然起身，連聲說道：「不敢勞姑娘大駕，我一點不渴！」

那個白衣少女，臉色十分冷漠，剛才嬌稚笑容，已不復見，把茶盤送在夢寰面前，冷冷說道：「我們小姐說，要你吃了這杯茶，靜靜躺著等藥性發作，這杯茶中藥物雖然毒性很烈，但發作後卻毫無一點痛苦。」

楊夢寰只聽得由心底冒上來一股寒意，搖搖頭道：「我如有冒犯你們之處，飲藥自絕，那是罪有應得，但我自信未對你們出過一句唐突之言，這賜藥讓我自絕一事，我實不能謝領！」

那白衣少女嘴一撇，答道：「小姐本來要讓我們把你丟在江中，還是我們四個姊妹對她求情，說你是個好人，她才要我送這杯藥茶給你吃……」

夢寰再也按不住心頭一股怒火，劍眉掀動，俊目放光，放聲一陣大笑，打斷了那白衣少女的話。

白衣少女一顰柳眉，道：「你笑什麼？這杯藥茶究竟是吃也不吃？」

楊夢寰停往笑聲，答道：「你們小姐的人很好呀！」

白衣少女天真爛漫，一笑接道：「那是不錯，我們小姐長得好看極了。」

楊夢寰淡淡一笑，道：「煩請姑娘轉告你們小姐，就說我拒飲這杯藥茶。」

白衣少女聽得怔了一怔，道：「怎麼？你敢不聽我們小姐吩咐嗎？她向來是說一不二的。」

楊夢寰一揚劍眉，笑道：「我也是言出必行，這杯藥茶，我是一定不吃的。」

白衣少女道：「那你是想跳到江裡淹死了？」

夢寰道：「要我自己跳嗎？我還沒有這份豪氣，說不得只好請你們小姐動手把我拋到江心啦！」

白衣少女冷笑一聲，道：「我知道啦！原來你也不是個好人！」

夢寰奇道：「我怎麼又不是好人了？」

白衣少女道：「你讓我講我們小姐長得好，所以你要她動手把你拋到江裡，那你就可以看到她一次了。」

夢寰仔細地打量了面前少女幾眼，只見她臉潤桃花，髮覆綠雲，星目柳眉，瑤鼻櫻唇，怎麼看也該是個十分聰明的姑娘，怎麼說的話都是半解不通，心中覺著十分奇怪。

那白衣少女見夢寰只管看她，不覺嫣然一笑，道：「你看我，覺得我好看嗎？」

夢寰聽了一怔：「好看是好看，不過裸腿赤足，有點不大雅觀。」

白衣少女道：「有什麼不雅觀？我們在家時穿的衣服更少。」

她天真的言談引起了夢寰的好奇心，忍不住又問道：「你們的家住在什麼地方？」

白衣少女正待答覆，突聞錚錚幾聲弦音傳來，音韻清柔，不知是什麼樂器，白衣少女臉色突然大變，伸手把玉盤送到夢寰面前，眼光中滿是乞憐，道：「你快些把這杯藥茶吃下去，要

不然我得受小姐的責罵。」

夢寰聽得呆了一呆，暗自忖道：這孩子當真是稚氣未脫，全然不通人事，要人吃藥茶自絕，豈能是乞求得的嗎？看她淚眼瑩瑩，神態十分可憐，這就使楊夢寰感到十分爲難，既不忍心一口拒絕，讓她受責，又不願就這樣糊糊塗塗把一杯藥茶吃下肚，沉思良久，仍是委決不下。

白衣少女看夢寰沉吟不語，心頭甚急，右手捧著白玉茶盤，左手突然伸出向夢寰右腕扣去，出手捷如電奔，快速至極。

楊夢寰吃了一驚，閃身一讓。他這一避之勢，正是朱若蘭授他的「五行迷蹤步法」，剛好把那白衣少女伸來之手避開。

白衣少女看夢寰輕輕一閃，讓開自己一招擒擊，臉上毫無驚異之色，第二招隨著攻出。

可是楊夢寰心中已驚異萬分，因那白衣少女出手之快速矯健，實爲生平所見高手中有數人物之一。這樣年輕嬌稚的女孩子，竟有這等迅捷無倫的身手，叫他如何不驚？若非用「五行迷蹤步法」，實難避開她一招擒擊。

白衣少女連出三招，均被夢寰用「五行迷蹤步法」閃開，心頭一急，易擒爲打，右掌伸縮間，攻出五掌。

她易擒爲打之後，攻勢愈發凌厲，一雙又小又白的玉掌，晃如蝴蝶穿花，著著擊向夢寰要害。

楊夢寰看她愈打愈快，而且招術詭異，來勢難測，心中暗暗吃驚，幸得那「五行迷蹤步法」是一種至高奇學，暗合五行生剋變化，步步含蓄玄機，和一般閃避身法不同，只需數尺方圓大小一片地方，即可運用自如，那白衣少女連攻四、五十招，均被夢寰輕飄飄地閃避開去。

江流湍急，船逾奔馬，兩人一攻一避，足足相持一刻工夫，白衣少女雖打得花樣百出，但右手中捧的白玉茶盤，卻是穩如磐石，盤上翠玉杯中藥茶，點滴未溢。

驀地裡，一聲清越弦音樂起，白衣少女聞聲收掌，楊夢寰見她停手不攻，也停住身子，哪知他剛一站住，冷不防白衣少女一挫腰，一腿掃來，她那一襲白衣，長僅及膝，這一掃出，整個的一條玉腿，完全暴露出來。肌膚瑩光，蕩人心魂，楊夢寰猝不及防，幾乎被她掃中。

這一下惹起楊夢寰心頭怒火，右掌一揚，斜劈而下。白衣少女一腿未中，借勢向後一躍，楊夢寰這掌勢劈出，她人已躍出艙門。

楊夢寰反手摸摸劍把，一縱身跟蹤躍出，抬頭看去，只見方才現身的四個白衣少女，已圍守在艙門外面，剛才和他動手那個白衣少女，手中仍捧著白玉茶盤。

楊夢寰剛剛站好，突聞兩聲嬌叱，左右兩邊的白衣少女，同時出手攻來，玉掌翻處，襲向楊夢寰四處要穴。

兩個少女認穴手法奇準，出手迅快絕倫，楊夢寰來不及舉手封架，只得向後一仰，一個倒翻，退回艙中。

那四個白衣少女，也不往艙中追趕，只是堵在艙門口，不讓夢寰出艙。

楊夢寰強按心頭怒火，問道：「你們究竟要幹什麼？」

四女相對一望，不答夢寰問話。

楊夢寰怒道：「你們再要這樣無理取鬧，不要怪我和你們拚命了！」

四女仍是不言不語，對夢寰怒聲責問，充耳不聞。

楊夢寰再難忍耐，怒喝一聲，一躍出艙，左手一招「羅漢舒臂」，右手一招「飛鈸撞鐘」，分向四女攻去，在急怒間出手，運集了全身功力，掌風呼呼，威勢極大。

四女霍然一分，避開夢寰掌勢，粉拳玉腿，交相攻出，又把楊夢寰逼回艙去。

楊夢寰連受挫折，心中怒極，暗中提聚丹田真氣，再次躍出艙門，右掌劈出一招「雲龍噴霧」，這一招本是三十六式天罡掌中三大絕招之一，威勢非同小可，再加上楊夢寰全力施為，四女不敢硬擋銳鋒，被他衝出一條路來。

他腳落甲板，立時施展「五行迷蹤步法」，輕輕一閃，避開四女合擊。

四個白衣少女，見夢寰一閃之勢，避開了四人合擊，搶攻的愈發快速。但見掌影飄飄，如千百雙白蝶戲花，狂雨驟落，把夢寰圈在一片掌影之中。

楊夢寰心知剛才衝出艙門，完全出人不意，僥倖得手，現下如要還攻，絕難接得四女奇詭的招數，索性一招不還，施展開「五行迷蹤步法」，在四人掌影中穿來閃去。

那「五行迷蹤步法」，果然是奇妙無比，任憑四女掌如繽紛落英，仍無法擊中夢寰一下。

四女一陣狂攻，每人都出了四、五十招，看夢寰只是一味閃躲，一招不還，那年紀最輕的，首先向後躍退，叫道：「三位姐姐，不要打啦！」

三女依言停手，那年輕少女嘆口氣，接道：「咱們打他，他連手都不還，要是一還手，咱們一定得敗。」

三女都聽得點著頭，道：「姐姐說得不錯，這人本領真是大極啦！」

那年輕的又道：「咱們既是打不過他，還是早點去告訴小姐吧！」

一語甫落，突聞一個清脆柔甜的聲音，接道：「人家用的『五行迷蹤步法』，你們當然打

不著他。」

楊夢寰吃了一驚，這大半年來，他遭遇數番凶險，均仗「五行迷蹤步法」擊退強敵，但始終沒有一個人能說出他用什麼身法，現在驟然被人一語道破，不禁心生寒意。

抬頭望去，只見丈餘外，站著一個嬌媚無倫的少女。一襲裹身白衣，外披藍色輕紗，足著紫色小劍靴，輕紗飄風，玉立亭亭，聲音雖然柔甜動聽，但神態卻很冷漠鎮靜。一臉書卷氣，微微現出幾分嬌怯。

那少女沉思一陣，抬起頭接道：「我不殺你，但也不能就這樣輕輕地放過你！」

夢寰只聽得心頭火起，怒道：「那你要怎麼樣？大丈夫可殺不可辱。這生死之事，也不算什麼？」

那少女長長嘆息一聲，道：「我本來是不想再對你無禮，但我又不能不聽我娘的話。你不知道，我娘死的時候多麼可憐，淒慘……」說到這裡，眉宇間驟現無限哀怨，雙掌合十當胸，緊閉雙目。但見淚水順著眼角流出，滴在她身披的藍紗上面，櫻唇啓動，不知在說些什麼。

大約過了有一盞熱茶工夫，她才慢慢地睜開眼睛，隨手抹去臉上淚痕，笑道：「我已經告訴我媽媽了，你只要能抵受得了我『一曲琵琶』，我就不再管你了。」

楊夢寰看她嬌怯模樣，不像練過武功之人，那一雙又大又圓的眼睛中，除了有一種柔媚的光輝之外，也沒有朱若蘭那等威儀湛湛、逼人生寒的神光，怎麼看也不像是個身負絕學的人。當下答道：「承姑娘看得起我，自當拜聆妙音，只是在下不解音律，怕有負姑娘雅意。」

那少女微微一笑，道：「你不要害怕，我選那最平和的曲調，彈給你聽！」

說罷，轉身緩步而去，江風吹飄著她身披的藍紗，在四個白衣少女簇擁之下，進了艙門。

楊夢寰長吁了一口氣，放眼望著滾滾江流浪湧波翻，兩個水手凝神把舵，神色十分緊張。原來船已過了彭山，岷江的幾支分流由分復合，匯集一起，水勢愈來愈大，流速也越來越快。

驀地裡，錚錚兩聲弦聲，楊夢寰只覺心頭隨著那兩聲弦音一震，巨舟也突然搖盪了兩下，原來那兩個把舵水手，也被那弦聲感染，心頭一震，幾乎鬆了手中的舵把。

楊夢寰吃了一驚，一躍到了艙門，大聲叫道：「姑娘快請停手，我有話說！」

艙門軟簾起處，兩個白衣少女一躍而出，一邊一個，捧起垂簾。

楊夢寰心中很急，也顧不得相謝二女，一側身進了艙門。

只見那身披藍紗少女，倚窗而坐，懷抱著一隻玉琵琶，另兩個白衣少女分左右站立兩側。

夢寰拱手，對那身披藍紗少女一禮，說道：「姑娘的琵琶不要再彈了！」

那少女笑道：「你怕聽嗎？」

楊夢寰道：「我雖然怕聽，但還沒有什麼，只是幾個船夫，恐怕難拒姑娘琵琶感染，現下水急船速，一個把舵不住，只恐要船毀人亡。我固然難逃厄運，但姑娘等幾人，只怕也沒有法子逃得了。」

那少女淡淡一笑，道：「我就不怕淹死。」

夢寰聽得一呆，默然無言。

那少女側臉對身邊兩個婢女低囑兩句，兩人立時一起出了艙門。

片刻工夫，那個年紀最輕的重回艙中，附在那身披藍紗少女耳邊說了幾句，那少女點點頭對夢寰一笑，道：「我已讓她們點了幾個水手的穴道，代為掌舵，你現在不要再怕掉在江裡淹死啦。」

那少女又手撥琵琶，彈奏起來，不過一盞茶工夫，楊夢寰頭上汗水已若雨水般直淌下來，只感五內如焚，再也靜不下來，大叫一聲，霍然驟起，狂奔艙外。

那少女剛才見夢寰施用「五行迷蹤步法」，閃避四婢合擊，誤認他有著精深的內功，待看出夢寰支持不住時，急忙停手，但已遲了一步，楊夢寰已狂奔出艙。

這時，船行正速，楊夢寰受那弦音感染，神志尚未清醒，因勉強動用定力，和那弦音抗拒，致真氣受損很大，內腑也受傷不輕，但他究竟是天賦極高之人，一點靈性，尚未全泯，在他自知難和那弦音抗拒後，突起自絕之心，趁心神尚未完全被那悠揚的弦聲感染控制，一躍而起奔出艙門，向船邊跑去。

那少女追出艙門，夢寰已奔到甲板邊，作勢欲撲，少女心中大急，手指揮處，懷中玉琵琶連響三聲。

這三聲琵琶，有如慈母呼喚，聲韻和柔至極，楊夢寰只聽得腦際間轟然一響，尋死之念，悠然消失。

轉身望去，只見那身披藍紗少女，緊倚艙門而立，輕顰黛眉，嬌面上籠罩一層淡淡的憂鬱，大眼睛中微現淚光，前胸不停起伏，隱聞喘息之聲，看神情十分激動。

楊夢寰出身宦門世家，見過不少珍貴之物，待他看清楚那少女懷中抱的琵琶之後，心中甚是吃驚，因為一般琵琶多用檀木、梧桐等材製成，就是武林中以琵琶作武器用的，至多用鋼鐵製成，但那少女手中琵琶卻非木非鐵，而是用一塊色凝羊脂的白玉製成，玉製琵琶已經是世上絕無僅有之物，可那少女玉琵琶上還雕刻著一條飛龍盤舞在雲霧中，栩栩如生，巧奪天工，精緻無比。

只見她啓動櫻唇，婉轉吐出一縷清音，道：「你看什麼？這玉琵琶是我娘活的時候，常常彈用之物，有什麼好看？」

楊夢寰心中一動，陡然想起鄱陽湖朱若蘭奏玉琴的一段往事。正想問話，那少女已撥動玉琵琶的金弦，但聞錚錚幾聲清音響處，立覺心神震盪起來，哪裡還敢分神說話，趕忙閉上雙目，盤膝坐下，運功調息，澄清靈台雜念。

一縷縷悠揚清脆的弦音，隨著那少女移動的玉指，傳播出來，聲音清美悅耳，動聽至極。但在那優美聲中，似含著一種勾魄攝魂的力量，楊夢寰被那揚起的婉轉弦音勾起萬千幻念，只覺心神飄蕩，馳飛在無際天空，眼前湧現出諸般幻像，幻隨念動，隨生隨滅。

這當兒，楊夢寰被那弦音感染神志，已完全恢復，只感胸腹交接之處隱隱作疼。心知內腑已經受傷，有氣無力地向前走了幾步，又停下來。

那少女看夢寰臉上仍露著驚懼之色，心中忽生歉疚之感，長長嘆息一聲，道：「你心裡一定恨我，對嗎？我也不知道這曲調會有這麼大的威力，你現在受傷很重，請入艙中，讓我告訴你療治之法。」

楊夢寰搖搖頭，苦笑道：「好意心領，我楊夢寰還不把生死之事放在心上，這療傷之事，大可不必，姑娘請入艙休息，但望允我借搭乘便舟，到嘉定離岸，我心中已感激不盡了。」

那少女忽然放下手中琵琶，閉上了一雙星目，兩行晶瑩的淚珠，順粉腮滾下，雙手合十，仰臉禱道：「娘啊！小蝶不會背棄你告誡之言，今生今世，也決不會喜歡任何一個男人。但我彈那『迷真離魂』曲，害人家受了內傷，必得給人家醫好不可。因爲我心裡一點也不喜歡他，我要不替他醫好內傷，那他一定是不能活的！我不喜歡他，自然是不能把他害死。」

禱告完畢，睜眼睛對夢寰招著手，叫道：「我已經對我娘祈禱過了，你可以放心讓我給你醫傷了！」

楊夢寰暗中試行運氣，哪知微一用力，立覺胸腹交接處劇疼難耐，心知是真氣凝結丹田，成了內傷，如不及早醫治，只怕今生永不能再習武功了。

原來他正在運集全身真氣，抵受那弦音感染之時，陡然一躍而起，把全身真氣，遺滯在胸腹交接之處，難再運轉，只要過了六個時辰，凝結真氣，侵穴成傷，不死亦將殘廢，這在習武的人說，叫作走火入魔，本領越高強之人，走火入魔後也傷越得重。

且說楊夢寰聽完那少女話後，暗自忖道：我如不肯接受她療治之法，只怕到嘉定就不能動了。心念一轉，緩步進入艙中。

那少女，先讓夢寰盤膝靜坐，然後傳授給他口訣，讓他依照口訣練習。

楊夢寰依照那少女傳授之法，練習有頓飯工夫，立時覺著傷處輕了不少。

這時，那四個白衣裸腿的婢女，都已回到艙中，分站在藍紗少女身側。

夢寰依照那少女傳授心法，行功一周，慢慢睜開眼睛，只見那自稱小蝶的少女，正呆呆地坐在窗邊，望著他發呆，臉上籠罩著一層淡淡哀怨，一手支顎，不知在想什麼心事。

她見夢寰睜開眼睛，嫣然一笑，問道：「你的傷好了沒有？」

夢寰暗中試運行了兩口氣，雖仍覺胸腹交處隱隱作疼，但氣血已能暢通，點點頭，笑道：「已經好了不少。」

藍紗少女嗯了一聲，道：「你再照我給你講的方法自行療治兩次，就可以完全好了。」

夢寰想不出說些什麼才對，只好淡淡一笑。

那少女長長嘆了口氣，道：「我也不知道，那一曲琵琶，會使你受了很重的內傷，早知道，我就不彈給你聽了。」

楊夢寰看她神情純潔，分明是一個涉世未深的少女，而且言詞懇切，似非謊言，心中甚感不解，難道她當真不知那蕩人心魂的曲調的厲害嗎？但聽那少女又一聲幽幽嘆息後，吩咐身側婢女，取出一個小巧的玉盒，打開盒蓋，取出二粒紅色丹丸，交給夢寰，道：「這是我娘死前，採集深山大澤之中的奇藥靈草製成的丹丸，它能助長練武人的功力。我害你受了內傷，就賠給你兩粒丹丸吧！」

說完，站起身子，款步走到夢寰身側，伸出白玉般手掌，放在夢寰面前。

楊夢寰本不想受，但見她一臉誠懇之色，只得挺身而起，接過丹丸隨手放入袋中，正想說兩句感謝之言，驀然目光觸到那打開的玉盒之中，不覺呆了一呆。

只見那小巧玉盒之中，除了三粒丹丸之外，還放著幾本冊子，上面四個正楷娟秀的字跡，寫著《歸元秘笈》。

這一部引得天下武林同道瘋狂的奇書，驟然間在他眼下出現，如何不令他驚異萬分。

那藍紗少女看夢寰目光注視那玉盒之中一瞬不瞬，即微微一笑，道：「我娘死時，只留下這五粒丹丸，現在送給你兩粒，我只餘三粒了。」

楊夢寰啊了兩聲，拱手一禮退出艙門。其實他根本就沒有聽到那藍紗少女說的什麼，腦際中一直在盤旋著那玉盒中放置的《歸元秘笈》。

這一部曠古絕今，三百年來害得千百武林高人為它濺血送命的奇書，引起他心中極大的波動。他默默走入後艙，盤膝坐下，想以運行內功，鎮靜下他心中的激動，可是他無法按得住心

猿意馬，因那《歸元秘笈》的誘惑力量太大了，他雖無霸占那奇書的意圖，但卻被一種好奇心震盪著心弦，他想看看那部書上究竟記載些什麼武功，爲什麼能引得那麼多人如瘋如狂？這念頭一直盤旋在他的腦際，他幾次站起身來，想奔到那少女艙中，問她借來一看，但他終於克制下來。

突然，白影一閃，那最小的一個白衣婢女，含笑進了艙門。

她笑得十分自然，毫無一點女孩子羞澀之態，走到楊夢寰身邊，伸出白玉般的小手，拉著楊夢寰的右腕，說道：「走，我們小姐要你去前艙裡談談。」

楊夢寰想不到她竟大方到這種程度，不禁呆了一呆，掙脫手，紅著臉，道：「她要找我談什麼？」

那白衣小婢見夢寰撇脫了自己拉他的手，臉上微現愕然之色，答道：「我們小姐要我叫你，又沒有告訴我同你談什麼，我怎麼會知道呢？」

楊夢寰也不問話，跟著她來到了前艙，艙門垂簾，早已高高捲起，那身披藍紗少女，抱著琵琶，呆呆地坐在窗邊一把木椅上，黛眉輕顰，秋水含愁，看樣子似有著很沉重的心事。

白衣小婢跳進艙門，跑到那身披藍紗少女身側，笑道：「小姐，他來了。」

那少女緩緩轉過頭，望夢寰淡淡一笑道：「我本來是不該再麻煩你了，可是，我想起了一件事，想問你，不知道你肯不肯對我說？」

夢寰笑道：「什麼事，但請說明，楊夢寰知無不言。」

那少女道：「你知道括蒼山在什麼地方？」

楊夢寰道：「括蒼山距此遙遙數千里，遠在浙東，你們可乘船出三峽，到鎮江，棄舟登

陸。」

那白衣少女嘆口氣，道：「你去過括蒼山嗎？」

楊夢寰點點頭，道：「去過兩次。」

那少女臉上忽現喜悅之色，道：「那你一定知道白雲峽了？」

楊夢寰心頭一震，暗自忖道：半年前我送朱若蘭回浙東療傷之時，似是聽她說過，她住的地方名叫白雲峽，不知這少女到白雲峽去有什麼事，這非得打聽清楚不可。

他心裡風車般打了幾百個轉，反問道：「看幾位姑娘，都不像常在外面走動的人，不知要到那括蒼山白雲峽有什麼事？」

那少女嘆口氣，幽幽答道：「你的話不錯，我從小就在百花谷中長大，今年十六歲了，從沒有離開過百花谷一次。我娘在臨死之前，對我說，要我在她十周年忌日那天，到括蒼山去找個人，這是我娘的遺命，我自不能不聽她的話了。」

楊夢寰道：「你到括蒼山白雲峽去找什麼人？」

身披藍紗少女淒涼一笑，道：「找一個姓趙的，我不知道他的名字，但我娘告訴過我他的形貌，還畫了一幅圖給我，我一見他，就認識了。」

楊夢寰愈覺奇怪，略一沉思，又問道：「你找他幹什麼？」

那少女眼睛中湧現出兩眶晶瑩的淚水，幽幽說道：「我娘死時，要我去括蒼山白雲峽找他，彈幾曲琵琶給他聽聽！」

夢寰心頭一驚，暗道：你那琵琶，蕩魂拘魄，豈是能隨便彈給人聽的嗎？

只聽那少女銀鈴般甜脆的聲音，接道：「我娘只這樣囑咐我，究竟為什麼？我就不知道了，但剛才我看到你聽了我彈奏琵琶時的痛苦神情，我心中有點明白了。」

楊夢寰道：「你明白什麼？」

那少女嘆息一聲道：「我娘一定是很恨那人，所以要我彈琵琶給他聽，好使他痛苦。」

楊夢寰點點頭道：「不只要使他痛苦，而是要他受傷，或是死掉！」

那少女嗯了一聲，道：「所以我現在很爲難了，不知道是不是該去找他？我小的時候，我娘就教我彈奏琵琶，不過，那時我不知道琵琶會使人聽了痛苦，我很用心地去學，等我慢慢長大，看了那部《歸元秘笈》，才明白我學的那些曲調之中有很多很多的用處，當時，我心中還不大相信，直到剛才看到你聽了琵琶的痛苦樣子，我知道《歸元秘笈》上說的都是真的了。」

楊夢寰只聽得心中疑竇頓生，暗自忖道：看她一臉純潔無邪，絕不會撒謊，如果說她這些話都是真的，實使人難以置信。

他越想越覺不解，忍不住問道：「那你自己爲什麼不會受那琵琶曲調的感染呢？」

那少女嬌婉一笑，道：「那《歸元秘笈》上記載著一種『大般若玄功』，要是會了那『大般若玄功』，什麼都不怕。我小時候，我娘就開始傳授我『大般若玄功』心法，當時我只知道照著我娘的指示去做，直到我看到《歸元秘笈》後，才知道我娘教我學的是『大般若玄功』。」

楊夢寰聽得呆了，暗道：那「大般若玄功」定是一種極高的內功，但這少女看上去嬌怯柔弱，又不像練過武功之人，雖說上乘內功不著形象，但總不能說一點也看不出來。

那少女看夢寰一語不發，只管望著自己發呆，神情木然，忍不住嗤地一笑，道：「你看著我幹什麼？」

楊夢寰被她問得臉一熱，吶吶地答不上話。

那少女突然一顰黛眉，又道：「我求你一件事，不知道你答不答應？」

楊夢寰又被問得一呆，道：「姑娘已得《歸元秘笈》上絕學，當今之世，已很少有人能和你頡頏，不知還有什麼需要在下之處？」

那少女兩道柔媚清澈的目光盯在夢寰臉上，笑道：「那《歸元秘笈》上所記載的各種口訣，我雖都字字記入心中，但我除了練有『大般若玄功』之外，就只會彈奏幾曲琵琶。」

楊夢寰自是不相信她說的話，但卻不好追問，淡淡一笑岔開話題，問道：「幾位到括蒼山白雲峽去，除了找那位姓趙的以外，還要找別的人嗎？」他擔心朱若蘭也被牽涉其中，故而探問一句。

那身披藍紗的少女，搖搖頭笑道：「我娘告訴我只找那姓趙的一個！」

楊夢寰仍不放心，又追問一句，道：「有位姓朱的姑娘，你認不認識？」

那少女又搖著一頭秀髮，答道：「我只認識五個人——我娘和這四個使女。我娘死後，我只認識四個人了。」

她想了一下，嫣然一笑接道：「現在加上你，又是五個人了。」

他還未開口答話，那少女又搶先笑道：「你叫楊夢寰，對嗎？」

楊夢寰聽了微微一怔，道：「我自登舟之後，從未報過自己姓名，你怎麼知道我的姓名呢？」

那身披藍紗的少女道：「你受了傷，心裡恨我，所以不肯接受我告訴你的療治之法，搖著頭對我說：『我楊夢寰還不把生死之事放在心上』，這不是你自報姓名嗎？」

楊夢寰恍然大悟，暗道：此女心思縝密，穎慧絕倫，只因久居深山大澤之中，很少和生人接觸，故而望去一片天真嬌稚，如能在江湖上歷練一段時日，必是一位機智百出的人物。常聽恩師談起，一個人初涉江湖之時最是重要，如所遇非人，被誘入歧途，待陷身泥淖，再想自拔，極是不易。此女天性雖然善良，只是對世事毫無所知，再加上她娘死前遺訓偏激，使她對天下男人都充滿敵意，萬一再遇上壞人，誘她失足，後果不止可悲，而且可怕。想至此處，腦際間陡然浮現出陶玉和童淑貞的影子，不禁打了一個冷戰。

那少女看夢寰沉思良久不發一言，忍不住又道：「我們一直在百花谷中長大，從沒有出過一次門，很多事都不知道，我想求你帶我們到括蒼山白雲峽去一趟，不知道可不可以？」

楊夢寰喔了一聲，抬頭望見那少女瞪著一雙清澈的大眼睛，滿臉期待之情。他輕輕地嘆息一聲，搖搖頭笑道：「我還有重要的事情待辦，只怕不能陪你們了。」

那少女微微現出失望的神色，道：「你有事要辦，那自然不能陪我們去了……」

她似乎言未盡意，但卻倏地住口，緩緩轉過頭去，望著窗外滔滔的江流。

這少女有一種異乎常人的氣質，既不是朱若蘭的高貴威儀，亦不是沈霞琳的楚楚可憐。朱若蘭美艷、冷漠，如一株在冰雪中盛放的梅花，沈霞琳嬌稚無邪，如一株搖顫在風雨中的海棠，這一少女若一株盛開遼闊湖波中的白蓮，清雅中蘊著一種柔媚，隨波蕩漾，若隱若現，是那樣不可捉摸。

她轉過頭去，足足有一刻工夫之久，就沒有再回頭望過楊夢寰一次，這就使楊夢寰大感尷尬，他呆了一陣，悄然退出艙門。

二二　愛恨之間

楊夢寰回到後艙，閉上眼睛靜靜地坐下，但心情卻無法平靜。

他擔心那位初涉江湖的少女會被人誘入歧途，更擔心那一部千古奇書《歸元秘笈》落入綠林盜匪手中，那後果實在可怕！說不定會造成一場武林浩劫。

他越想越覺得事情不對，後悔爲什麼不答應和她們一起到括蒼山去！藉機一盡人力，也許能使少女不致被江湖宵小誘入歧路，最低限度也可勸她好好保管《歸元秘笈》，不使落入黑道人物手中。但轉念又想到師父的安危，一時間難定主意，不禁心亂如麻。

順水行舟，船快如箭，天到申未時光，已到了嘉定碼頭。

楊夢寰招呼船家停下，跳上一艘舢板，回頭拱手道謝。但聞舟中錚錚兩聲弦響，雙桅帆船立時又順流奔去。

他呆呆地站在舢板上，望著急馳而去的帆船，希望能再看那身披藍紗的少女一面，但他失望了。不但那位少女未再露面，就是四個白衣小婢，也沒有一個出艙。

舢板靠岸，楊夢寰乘舟登陸。回憶日來所遇，恍如經歷了一場夢境。那少女似一顆閃爍在雲霧中的星星，光輝耀目，卻又是若有若無。

他無法記得那少女的形貌，但卻感到她無一處不美到極點。

他呆立江畔不知道過了有多長時間，心中泛蕩起一種從所未有過的感覺，這感覺使他惶惑不安……

突然間，一聲佛號從他身後傳來，驚醒了如醉如癡的夢寰。抬頭望去，只見漁火點點，夜幕已垂，陡然一陣自責：楊夢寰啊，楊夢寰！琳師妹對你深情如海，你豈能別有所念……

他一清醒，立時又想起師父的安危，轉身見數丈外夜色中，站著個身軀修偉的和尚，身披袈裟，手托銅缽，緩步向他走來。

那和尚落地腳步異常沉重，但舉步卻又輕逸飄忽。一望之下就知有精深的功力。他快走近夢寰身側時，高大的身軀突然向前一傾，步履踉蹌地直對夢寰撞去。

楊夢寰急忙側身向右一閃避開，哪知和尚一聲大笑，手中銅缽一掄，呼的一聲，竟向夢寰投去。

那銅缽足足有一個五升斗大小，捲著一陣勁風而來，聲勢甚是驚人。

楊夢寰心中已明白和尚是有意尋釁而來，人家既然找上了頭，縱是想讓也逃避不了。於是功行右臂，力貫雙掌，硬接飛來銅缽。

哪知和尚隨手投來一缽，力道竟是大得出奇，楊夢寰接住銅缽，人卻被震退了數步。

那和尚見夢寰能把這百斤以上的銅缽接住，亦不禁微微一怔。正待欺身奪缽，忽聽夢寰大聲喝道：「大師父，接住你的缽子。」勢隨聲發，雙臂一振，銅缽反向那和尚飛去。

這一擲，盡了他生平之力。銅缽出手，突覺胸腰交接處一陣急痛，眼睛一花，張口噴出一口鮮血來。原來他在船上受的內傷尚未全好，這一用力過度，傷勢突然加重。

那和尚雙手一伸把銅缽接到手中，看夢寰被震得噴出鮮血，知他已受內傷，哈哈一笑道：「小施主好大火氣，這百斤以上的銅缽，是好接的嗎？」

楊夢寰人雖和藹，但骨子裡異常高傲，聽那和尚一激，不禁心頭火起，顧不得內傷嚴重，一提丹田真氣，冷笑一聲，道：「在下和大師你素不相識，自是毫無恩怨可言，出家人講求與人方便，你卻無事生非，仗著幾斤蠻力欺人……」

那和尚不待夢寰說完，仰臉一陣大笑道：「這不過略施薄技，如果你不能迷途知返，只怕連命也難保得！」說罷提著銅缽歪歪斜斜地踉蹌而去。

楊夢寰被他幾句沒頭沒腦的話說得愕然一愣。細看那和尚的身法，表面上似是吃醉酒一般，東倒西晃站立不穩，實則出腳移步都有一定部位，分明是種極高功夫，只是自己認不出是什麼身法罷了。待他想喝問時，和尚已隱沒於夜色之中。這當兒，他忽覺胸腹交接處一陣絞疼，不禁伸手捧腹蹲在地上。

突然，他手指觸到懷中兩粒丹丸，隨手取出一粒服下。丹丸入口，頓覺一股清香直達丹田，傷疼立刻減去不少。片刻之後，傷疼全止，他想不到那身披藍紗的少女所給丹丸竟有如此神效，順手又摸出另一粒丹丸，正想服下，心中倏地一動，暗道：這丹丸如此靈效，留在日後也許還有大用。

他找了一處僻靜所在，盤膝坐下，依那舟上少女口授療傷之法調息一陣，然後找了一處飯館，飽餐一頓，又購些乾糧帶上，趁夜色向峨嵋山趕去。

他心中掛慮著師父安危，施展出輕功向前狂奔。約莫初更時分，已到了入山的報國寺。

他略一休息，又繼續向前趕路。到三更左右，他已經走了百里以上的山路。抬頭看去，夜色中隱隱屹立著一座高峰。

他停下身子，辨認四周景物，知道當前這座高峰就是萬佛頂了，峰後那一座規模宏大的寺院，就是峨嵋派主院萬佛寺。放眼望去，萬佛寺一片沉寂，重重殿院，星光下隱隱可見。

他正要舉步下峰，腦際突然閃起一個念頭，忖道：師父是否到了這裡還難斷言，我如暗入寺中窺探又有違武林規矩。倒不如堂堂正正地叩門拜山，當面訪問師父下落，料想以峨嵋派在武林中的聲譽地位，當不致隱瞞不言。

他打定主意，也不再隱蔽身形，正想舉步下峰，突聞不遠處暗影中一個冷冷的聲音道：「好大膽的娃兒，你真的不要命了？」

人隨聲現，但聞一陣颯颯風聲起，面前陡然現出來一個身軀高大的僧人，身披袈裟，手托銅缽，正是在岷江岸畔遇上的那個大和尚。

楊夢寰此刻已知大和尚是峨嵋派中人物，適才江邊尋釁旨在示警，當下一躬身長揖笑道：「晚輩是崑崙派門下……」

那和尚哼了一聲道：「我早知道你是崑崙派門下了。」

楊夢寰淡淡一笑，又道：「老前輩可是峨嵋派嗎？」

那和尚看夢寰明知非自己敵手，但仍十分沉著，毫無一點驚恐之色，心中暗暗佩服他的膽氣，兩臂一振銅缽突然向空中投去，直飛高了三、四丈，才力盡下落。

這銅缽重達百斤以上，下落之勢迅猛無倫，但那和尚卻渾如無事一般，冷冷答道：「不錯，我在岷江岸畔已略施薄技……」

話至此處，兩臂一伸，輕輕鬆鬆把急落下的銅缽接住，又道：「我勸你迷途知返，想不到你仍敢來此！」

楊夢寰見他投接銅缽的神力不禁暗暗驚心，但外表仍然不動聲色，笑道：「大師父既是峨嵋派中人，那是最好不過，晚輩這次重拜萬佛寺……」

那和尙哼了一聲，道：「上次我掌門師弟看在武林同道份上，任你逃走未追，你認爲我們不知道嗎？這次你敢重來，可是自尋死路？」

夢寰聽他口氣，心道：此人原來是超凡大師的師兄，無怪功力驚人。當下微微一笑，道：「晚輩這次重來萬佛寺，只是想打聽一件事情。」

和尙怒道：「什麼事情，找上了我們萬佛寺？」

夢寰仍是心平氣和地笑道：「崑崙派一陽子老前輩，可曾駕臨貴寺嗎？」

那和尙面色突然緩和，笑道：「你是一陽子的什麼人？」

夢寰道：「一陽子是晚輩恩師。」

和尙道：「老衲和你師父有過數面之緣，他還住在玄都觀嗎？」

夢寰道：「家師已轉回崑崙山金頂峰三清宮了。」

那和尙笑道：「你回去看見你師父時，就說昔年老友銅缽和尙問他好，快些下山去吧。」

夢寰道：「家師得晚輩遭擒消息趕來萬佛寺，因此晚輩才去而復返。」

和尙笑道：「你來了有什麼用？峨嵋派和你們崑崙派素無交往，就是老朽也只和令師個人有點交情，如果你是玉靈子門下，今晚上你就得試我三招銅缽！」

楊夢寰道：「武林中最重師道，晚輩縱然濺血萬佛寺，也要探出師父下落！」

和尚一皺兩條長眉，沉吟一陣答道：「你上次闖鬧萬佛寺，適逢老朽行腳未歸，回來後才聽掌門師弟談起，需知擅闖別派重地，是武林大忌之一。」

楊夢寰道：「晚輩想投柬拜山……」

一語未完，驟聞一聲嬌笑，道：「萬佛寺也不是什麼了不起的禁地，要進去就進去，說不好攪它個天翻地覆，用不著和他們客氣。你投柬拜山，他們反笑你膽小怕事。再說萬佛寺超凡和尚自視極高，人家堂堂一派武林宗師也不會輕輕易易地接見你！」

聲音脆甜極盡嬌柔，楊夢寰聽得一怔，還未來得及答話，那身軀修偉的銅缽和尚，已搶先喝道：「玉簫仙子！你跑到這裡來幹什麼？」

玉簫仙子格格一陣嬌笑：「大師父，咱們四、五年沒見面了！你身體好吧？小妹這次來你們萬佛寺，只是想許個心願。」說著話，人已到了夢寰身側，右手倒提玉簫，左手理著頭上秀髮，淺笑盈盈，斜睇著夢寰。

銅缽和尚冷哼一聲，道：「只怕你來得去不得！」

玉簫仙子又一聲嬌笑，道：「大師父，太客氣了，小妹趕來許願，許完心願就走……」

銅缽和尚陡然一揚長眉，怒聲接道：「別人怕你玉簫仙子，需知老朽不怕。」說著話，欺身而進，掄動手中百斤銅缽，呼地劈了出去。

玉簫仙子側身一讓，玉簫伸縮間攻出三招，笑道：「怎麼？你當真要和小妹比劃？」

楊夢寰反手拔出背上長劍，振腕兩劍，攻向玉簫仙子。

玉簫仙子縱身一讓，避開兩劍，臉上笑容突收，柳眉一揚，問道：「你幹什麼？瘋了？」

楊夢寰橫劍答道：「我在和老禪師講話，誰要你來管閒事？」

銅鉢和尚心頭微微一震，暗道：這女魔頭一向心狠手辣，她要出手還攻，隨手就可傷他。不自覺叫道：「你打不過她，快些給我閃開！」這本是一轉念間的變化，連他自己也弄不清楚，爲什麼有此舉動？話出口，人已躍擋在夢寰前面。

哪知玉簫仙子淡淡一笑，道：「你急什麼？等你和他講完了話，咱們再打不遲。」

銅鉢和尚聽得一怔，愣在當地，轉頭望著夢寰。

楊夢寰還劍入鞘，對那手提銅鉢的和尚深深一揖，道：「請問老禪師，家師近日中可來過萬佛寺嗎？」

銅鉢和尚搖搖頭，笑道：「這個老朽倒未聞得。」

楊夢寰陡然想起，師父是和玉簫仙子離開崑崙山的，要想知道師父下落，只需一問玉簫仙子。他暗暗罵了自己兩聲糊塗，轉身對玉簫仙子道：「我師父到哪裡去了？」

玉簫仙子剛才被他攻了兩劍，心中十分難過，冷冷答道：「我不知道。」

楊夢寰聽得一怔，想起適才對她莽撞無禮的舉動，心中甚覺歉然，又問道：「你不是和我師父一起離開崑崙山的嗎？」

玉簫仙子道：「他又不是三歲小孩，要到哪裡去，又不會對我說，我怎麼知道？」

楊夢寰怒道：「你怎麼出口傷人？」

玉簫仙子冷笑一聲，道：「我傷了他，又怎麼樣？」

楊夢寰氣得劍眉豎立，但明知打不過她，心中又急於知道師父的下落，氣急交加反而說不出話來。

玉簫仙子星目流轉，看楊夢寰那副又急又氣的神情，忍不住噗哧一笑。

楊夢寰道：「你不講就不講，有什麼好笑的？」

玉簫仙子蓮步緩移走到他身側，低聲笑道：「看看你那副模樣，氣壞了身子怎麼辦呢？」

楊夢寰心中正火，隨手一掌橫擊過去，怒道：「誰要你管！」

玉簫仙子玉腕一翻，輕輕把夢寰右腕扣住，嬌笑盈盈地說道：「你要一掌把我打死了，今晚上你就沒法離開萬佛頂了。」

楊夢寰看她笑得媚態橫生，右腕又被她滑膩的玉掌握著，氣急之外又感到一陣羞怒，功行右臂一用力，掙脫玉簫仙子的手，厲聲喝道：「你怎麼這等放肆？我恨起來……」

玉簫仙子笑道：「你恨起來也不能把我吃掉。」

一言甫畢，突聞兩聲長嘯劃空，緊接著人影閃動，瞬息間峰頂上湧出四個和尚。

這四人一現身，立時分圍在夢寰和玉簫仙子四周。

玉簫仙子格格嬌笑道：「小兄弟，怎麼樣，剛才你一掌要是真的把我打死了，現在只餘下你一個人，孤身陷圍，那可是危險極啦！」

楊夢寰碰上了這樣一個放蕩不羈的玉簫仙子，還真是沒有辦法。心想再衝她幾句，但見四面強敵環伺，一個個面現怒色，心念一轉。暗道：當前形勢劍拔弩張，一言不合就要動手，這玉簫仙子人雖放蕩討厭，但武功卻是極高，有她相助或可衝出圍困。

心念一轉，把口邊的話重又嚥了回去，淡淡一笑，目注銅缽和尚道：「老前輩既是家師舊友，晚輩自是不敢放肆，但望老前輩能看在家師份上，提攜晚輩去拜見貴派掌門人，以便叩詢晚輩恩師下落。」

銅缽和尚皺皺長眉，轉臉望著身側一個和尚問道：「崑崙派一陽子道長，近日中來過我們

萬佛寺沒有？」

那和尚本來雙手橫握著一支鐵禪杖，聽得銅缽和尚問話，杖交右手，左掌當胸，躬身答道：「弟子未聞此事，但這黑衣提劍少年，卻是數日前由我們寺中逃走的狂徒，二師兄爲此事還受了師尊一頓責斥。想不到他竟敢重來，這次萬萬不能再放走他。」

銅缽和尚臉色十分嚴肅地望了夢寰一眼，說道：「看在你師父面上，我作主再饒你一次，快些下山去吧！」

楊夢寰心中惦念師父，哪裡肯就此下山。轉臉看玉簫仙子時，只見她左手理著秀髮滿臉笑意，右手倒提玉簫一語不發。

心想問她，又怕被她頂撞，略一思忖，又對那銅缽和尚施了一禮，笑道：「晚輩得人相告，家師確實到了此地，老前輩既是家師老友，萬望能給晚輩詢出家師下落。」

銅缽和尚臉上微現爲難之色，冷冷答道：「你先下山去！容老衲回寺後，問問掌門人，如果令師確在萬佛寺，老朽自當奉勸掌門人放他西返就是。」

楊夢寰急道：「老前輩既念和家師相交之情，還望能帶晚輩一見貴掌門人……」

他話還未完，突聞一聲厲喝，接道：「就憑你那三拳兩腳，也配拜謁我們掌門師尊？」

楊夢寰轉臉向發話之人望去，正是適才回答銅缽和尚問話的僧人。不禁心頭火起，正待發作，玉簫仙子已搶先笑道：「好兇的和尚，我看你是活得不耐煩了！」

那僧人是峨嵋派掌門人超凡門下第三個弟子，法名心雷，因受超凡寵愛，武功成就又凌駕同門之上，平時自視極高。上次楊夢寰爲救李瑤紅，擅闖萬佛寺，恰巧心雷有事外出，回來後聽說二位師兄和一個師弟一齊出手都沒把夢寰攔住，心中非常氣憤，只因銅缽和尚在側，不便

發作，勉強按捺住心頭怒火。聽到夢寰要銅缽和尚帶他去見掌門人時，再也忍耐不住，厲喝一聲，打斷了夢寰的話，他是想激怒夢寰和他動手，哪知玉簫仙子卻搶先接了一句。

心雷不認識玉簫仙子，聽完話，心頭大怒，一縱身直撲過來，鐵禪杖橫掄一招「金剛舒臂」，猛掃過去，口裡還大聲喝道：「咱們試試看，是哪一個活得不耐煩了？」

玉簫仙子嬌笑一聲，輕飄飄地閃到夢寰身側，問道：「你說要不要他的命？」

楊夢寰知她一出手，毒辣無比，來不及思索，答道：「不能傷他。」

玉簫仙子霍然一個轉身，欺到心雷身側，說道：「那就讓他吃點小苦頭，嘗嘗味道！」

右手玉簫瞬間攻出三簫，擋住兩側攻來的兩僧，左手「飛絮隨風」，一掌拍在心雷右後肩上。

她不但動作快得出奇，而且掌勢飄忽難測，明明是攻向心雷前胸，哪知他舉杖一封時，玉簫仙子掌勢忽地一圈，拍向右後肩「風府穴」處。

這一招奇幻至極，心雷再想閃避，哪裡還來得及？但覺右肩一麻，鐵禪杖當場落地。

銅缽和尚大吃一驚，縱身一躍而上，掄動銅缽。一招「開山導流」，迎頭劈下。

這銅缽重達百斤以上，劈下力道，何止千斤。玉簫仙子內功雖然精深，也不敢硬接他這銅缽猛劈，嬌軀側轉，玉簫斜出，避開銅缽，指攻和尚「玄機穴」。

銅缽和尚知她簫招如電，哪敢怠慢，悠然收缽，退開三尺。

玉簫仙子嬌笑一聲，道：「大師父，不要走嘛，多陪小妹耍會兒！」嘴中言笑，手中卻快似電奔，振腕追襲，連攻三簫。

銅缽和尚大喝一聲，銅缽掄起一片繞身光幕，但聞鏗鏘三響，封開三簫快攻，緊接著掄缽

反擊，別看和尚身軀高大，銅缽笨重，但身法展開，卻是快速如風，但見一片缽光簫影中，不時傳出幾陣鏗鏘之聲，五、六回合後，已是難分敵我。

玉簫仙子和銅缽和尚展開了一場搶制先機的拚鬥，同時圍守在四周的幾個僧人，也揮動手中禪杖，攻向楊夢寰。

事情到了這步田地，楊夢寰不得不拔劍迎敵。

這四個和尚，都是峨嵋派中掌門人超凡大師門下的弟子，號稱萬佛寺四大護法，武功造詣甚深，幸好四人中武功最好的心雷，被玉簫仙子拍傷了右後肩的「風府穴」，無法動手，楊夢寰才算勉強擋住三人圍攻。

雙方又激鬥了十餘回合，驀聞一聲佛號傳來，聲若洪鐘。在一片兵刃交響中，字字入耳。圍攻夢寰三僧，首先躍退，那銅缽和尚擋玉簫仙子兩次急攻後，也借機躍出圈子。

楊夢寰定神望去，只見丈餘外站著一個赤手空拳的和尚，身披大紅袈裟，身材修長，正是峨嵋派掌門人，超凡大師。

他左側站著一個身穿月白僧袍，長眉垂目，身材瘦小，雙目微閉的老僧，右側卻站著一個花甲年華，僧袍綬帶，白襪布履的中年尼姑。

這時，被玉簫仙子點中穴道的心雷，已經被來人解開穴道，正在運氣活血。

楊夢寰年來連遇江湖高手，閱歷大增，看那老僧和中年尼姑能和超凡大師並肩而立，定是峨嵋派中長老，還劍入鞘，躬身一個長揖，笑道：「崑崙派後進晚輩楊夢寰，給大師見禮。」

超凡大師淡淡一笑，望了夢寰一眼，眼光又移到玉簫仙子臉上，冷冷說道：「失迎，失迎，想不到名滿江湖的玉簫仙子，竟肯移駕寒山。」

玉簫仙子格格一陣嬌笑，道：「大師父太客氣啦，小妹閒來耍耍。」

超凡目光又轉在夢寰臉上，問道：「無怪你敢去而重來，原來有人替你撐腰。」

楊夢寰急道：「晚輩重來峨嵋山，只是爲探聽家師下落。」

站在超凡左側的那個微閉雙目的老僧，驀然睜開雙目，炯炯兩道眼神直逼夢寰，問道：「你師父可是一陽子嗎？」

楊夢寰道：「不錯，老禪師可曾見到過家師嗎？」

那老僧低呼一聲：「阿彌陀佛！」雙目倏然而閉，不再理夢寰問話。

楊夢寰察顏觀色，分明那老僧知道師父行蹤，只是不願說出罷了，心頭一急，大聲叫道：「老禪師既知下落，何以不肯說出，難道你……」

超凡陡然一聲大喝，截斷了夢寰的話，道：「這是什麼地方？豈容你這等放肆，江湖上久傳崑崙派門規森嚴，看來傳聞未必可靠，老朽不知崑崙三子，怎麼會教出了你這樣毫無規矩的弟子？」

楊夢寰被超凡大師老氣橫秋地一頓斥責，一時間倒想不出適當措詞回答，不覺呆住。

只聽玉簫仙子格格兩聲嬌笑，道：「崑崙三子哪裡不好？依我看人家崑崙派比你們峨嵋派好多了，你不要擺出一派宗師身分，老氣橫秋地教訓別人，你也不想想，你除了能管住萬佛寺幾個和尚外，有什麼資格去管別人？」

那左面老僧忽地又睜開一雙神光湛湛的眼睛，望了望玉簫仙子，冷冷說道：「這位女施主，想必是名播遐邇的玉簫仙子吧？」

玉簫仙子笑道：「好說，好說，大師父怎麼稱呼？恕小妹眼拙，認不得你大師父。」

那老僧倏然閉上雙目，乾咳了兩聲，道：「阿彌陀佛，老和尚山野中人，這法名早已忘去，不說也罷！」

右側那中年女尼，卻已忍耐不住，冷笑一聲，道：「江湖上久傳玉簫仙子大名，貧尼欽慕得很！今天正好借機讓貧尼開開眼界，會會高人。」

說完話，一錯步，欺身直進，雙掌合十，低宣一聲佛號。

玉簫仙子心知當前幾人，個個都是勁敵，尤其是那長眉垂目的老和尚，眼睛開合之間，有如冷電暴射，更是莫測高深，但她一向遊戲慣了，雖然大敵當前，仍然言笑不拘，手理秀髮，嬌聲笑道：「想和小妹比劃耍子，也用不著裝模作樣……」

聲音未落，玉簫已閃電出手，一招「三星逐月」，彈指間，點出三簫。

這三簫雖是先後出手，但快速得卻如一齊襲到。

那中年女尼來不及拔出背上寶劍迎敵，縱身避讓，退後五尺，雙掌連環劈出內家真力，才把玉簫仙子追襲之勢擋住。

超凡大師臉色一沉，怒聲喝道：「玉簫仙子，本派和你素無恩怨，你竟敢找上我們萬佛寺惹事生非，今天如要讓你活著離山，峨嵋派威名何在？」

玉簫仙子仍是一派輕鬆神態，笑道：「小妹又不削髮出家，你留我在萬佛寺幹什麼……」

她話未落音，那中年女尼已拔出背上寶劍，接腕而上，一招「天女揮戈」，劍勢若劈若點，直奔玉簫仙子右肩。

玉簫仙子橫簫封劍，還攻兩招，兩人立時戰在一起。霎時間，簫影縱橫，劍氣漫天。她一面揮簫和那中年女尼搶攻，一面偷眼打量四周形勢，只見超凡大師和銅缽和尚，二左一右地分

守兩側，只有那個長眉老僧，仍然閉著眼睛，雙掌合十，靜靜地站在原地，對身側激烈無倫的打鬥，渾如不覺。

再看楊夢寰也被超凡門下四個弟子包圍在中間，雙方都已蓄勢待發。她擔心楊夢寰一人難拒四僧合擊，想和他聯手拒敵，手中玉簫一緊，連連三招絕學，把那中年女尼逼退了兩步，趁勢向夢寰躍去。

哪知她剛一躍起，驀聞一聲大喝。

超凡大師一晃身橫攔在面前，雙掌平胸推出，一招「排山倒海」，迎頭撞過去。

超凡大師，是峨嵋派一代掌門宗師，功力深厚異常，這兩掌又是蓄勢而發，力道奇猛，非同小可，玉簫仙子吃他雙掌劈出內家真力，又迫得退了回去。

那中年女尼趁勢一劍，「穿雲摘星」振腕刺去。玉簫仙子反手一簫，彈開長劍，雙足一頓，嬌軀凌空而起，玉簫「雲龍三現」，倏忽間點下三簫。

那中年女尼，被玉簫仙子三簫急攻，迫退了數步，心中暗暗驚奇，忖道：這女魔頭之名果不虛傳。

正待揮劍反擊，忽見玉簫仙子兩腿一收，懸空一個觔斗，人已翻到數丈外，腳一點地，二次縱身躍起，玉簫左掃右打，逼開兩個圍堵夢寰的和尚，衝到夢寰身側，低聲說道：「他們人多，咱們打不過他們，早點走吧！」

楊夢寰此刻不知是感激她，還是恨她，搖搖頭，道：「你何苦陪我蹚這次渾水，快些走吧！」

玉簫仙子格格一笑，道：「你要是不肯走，咱們兩個今晚死定了。雙雙濺血，並肩陳屍……」

她話未說完，那中年女尼已欺身直搶過來，劍光打閃，直奔玉簫仙子前胸，同時，環守在夢寰身側的四個和尚，也揮動鐵禪杖向夢寰攻去。

玉簫仙子橫簫一擋，架開長劍，回頭對夢寰道：「你要是真不肯走，咱們索性就好好打一場架吧！兄弟，你看姊姊簫招如何？」

說著笑著，玉簫連環攻出，急如狂風驟雨，快比雷奔電閃，那中年女尼，被她一掄猛打，竟迫得無力還手。

但楊夢寰卻已被心雷等四僧，逼得險象環生，形勢迫得他不得不下毒手，突然一聲斷喝，長劍連演三招絕學，逼退四僧，橫劍說道：「你們苦苦相逼，可別怪我下辣手傷人了。」

心雷冷笑一聲，道：「你有好大本領，儘管用出來就是。」

楊夢寰閃身一讓，避開杖勢，反手一劍，平削過去。他用的「五行迷蹤步」身法，心雷如何能識得，只見對方人影一閃，已失去方向，不覺一呆。

就在他微一驚震之際，突覺寒風掠頭而過，哧地他向前一躍丈餘遠近。

但仍是遲了一步，後頸間被夢寰劍鋒傷了寸許長短一道血口。

突聞心雷大喝一聲，呼地一杖，迎頭劈下。

楊夢寰縱身一避，哪知心雷早已料到這一著，鐵禪杖劈到一半，陡然易劈爲掃，隨著夢寰身子打出。

這一招是峨嵋派「風雷杖法」中一記絕招，招名「神龍掉頭」，妙在制敵機先。楊夢寰腳剛站地，忽聞金刃劈風之聲，襲到身後，不禁吃了一驚，心知難再讓避，慌急之下，一個急轉

身，反向敵人身側欺去，他應變雖快，但心雷杖勢更快，他距心雷還有二尺左右，鐵禪杖已挾風近身。

他只得運氣側轉，用後背硬接掃來的一杖，但覺心神一震，張嘴噴出一口鮮血，幸得他已欺近心雷身邊，那鐵禪杖又是長兵刃，欺近身後，威勢減了很多。

這一杖雖然不輕，還未把楊夢寰打暈過去。

他一咬牙，猛提丹田真氣，壓住胸中翻湧氣血，舉手一招「穿雲摘月」，猛向心雷刺去。他在受傷之後，含忿反擊，劍勢快速至極，心雷略一怔神，長劍已穿胸而過。

楊夢寰拔劍一聲長嘯，血雨濺飛中，一腳把心雷屍體踢了七、八尺遠。

可是，他自己也有些支持不住了，長嘯未止，已連噴出了數口鮮血，身子也搖搖欲倒。

這不過剎那間的事情，另外三僧怔一怔，心雷已濺血橫屍。

楊夢寰長劍支地，星目圓睜，望著心雷屍體，口中鮮血不停地噴在地上。

旁邊三僧呆了一呆後，突然欺身而上，三杖並舉，向楊夢寰劈去。

這時，楊夢寰神志已陷入半昏迷狀態，三僧舉杖並進，他卻渾如不覺。眼看楊夢寰就要被三僧亂杖劈死，突然一陣衣袂飄風之聲破空而下，玉簫仙子驚呼聲中，落到夢寰身側，左手一伸，把夢寰抱入懷中，右手玉簫橫掄，封開三僧禪杖，接著欺身直進，玉簫「斜打金鈴」，劈碎了一個和尚的腦袋。

原來她正以「摩雲十八招」，和超凡大師動手，見狀立時懸空一個觔斗，飛落到夢寰身側，正好趕上三僧舉杖，合擊夢寰，她隨手又攻出兩簫，把另外兩個和尚逼退，縱身一躍，抱起夢寰，人已到兩丈開外。

就這一瞬工夫，銅缽和尚及那中年女尼，已橫劍舉缽，躍擋在左右兩面，超凡大師運勁蓄勢，攔住了去路，把她圍在中間。

玉簫仙子一咬牙，舉手一招「笑指天南」，向那中年女尼點去，她心知那中年女尼是三人中最弱的一環，全力搶攻，也許可以衝出三人合圍之勢。玉簫出手後，人也跟著欺身而進。

那中年女尼冷笑一聲，舉劍架開玉簫，左手一掌拍出，但她不打玉簫仙子，掌勢卻向她懷中的夢寰劈去。

這一下，大出玉簫仙子意外，來不及向後退逼，口中驚叫一聲，疾轉嬌軀，右肩硬接了那中年女尼一掌。她怕傷了懷中夢寰，只得拚受那中年女尼一擊。

這一掌，只打得玉簫仙子嬌軀亂晃，後退五步，右肩骨疼如裂，玉簫也幾乎脫手落地。

超凡大師冷冷喝道：「玉簫仙子，本派和你素無過節，今晚之事，都是你自己找的，還不束手就縛，難道你還想衝下山嗎？」

超凡在說話之時，玉簫仙子卻借機運氣調息，聽完話，淡淡一笑，道：「你們峨嵋派號稱武林中九大宗派之一，可是所作所爲，哪一件不背棄江湖規矩？」

超凡怒道：「你不要血口噴人，我們有什麼地方背棄了武林規矩？」

玉簫仙子道：「以多打少，以眾凌寡，算不算背棄武林規矩？」

超凡冷笑一聲，道：「你私闖我們禁地，先犯了武林大忌，自然怪不得我們群出攔擊！」

玉簫仙子經過一陣調息，右肩已好轉不少，超凡話剛落口，突然振腕攻去。

超凡見她來勢奇猛，倒也不敢大意，霍然退後兩步，雙拳先後打出。

但聞呼呼拳風，排山般直擊過來。

玉簫仙子心知今夜已難衝出重圍，心一橫，左臂用力，抱緊夢寰，右手玉簫，冒險還攻。這一場搏鬥慘烈至極，玉簫仙子已存了寧爲玉碎之心，所以，她連懷中夢寰也不肯放下。雙方激鬥了三十餘回合，仍未分出勝敗，超凡大師功力深厚，拳風愈打愈猛。玉簫仙子卻以迅靈精奇的簫招，拒擋超凡雄渾的拳勢。

超凡被她急攻三簫逼退數步，已是怒不可遏，看她再次欺身搶攻，更是火上加油，右拳一招「金剛開山」，迎面劈去。

哪知玉簫仙子已存兩敗俱傷之心，微一側身，讓開超凡大師拳勢，右手玉簫「孔雀開屏」，橫掄掃去。

超凡微微一怔，左拳「金剛舒臂」，緊隨右拳打出，右腳斜出半步，身形疾轉，讓開掃來簫勢。

玉簫仙子慘然一笑，道：「你還躲得了嗎？」

玉簫悠然收回，隨即點出。

但聞怒吼嬌呼，同時響起，超凡肩頭被玉簫點中，踉蹌退出六、七步，身子晃了兩晃，幾乎栽倒地上。

玉簫仙子卻被超凡左拳擊中側背，直被打得飛起五、六尺高，摔倒一丈開外。功力全散，滿口噴血。但她在落地的瞬息，仍拚盡最後一口元氣，把懷中夢寰抱緊，一個翻轉，仰面摔在地上。

這不過是刹那間的工夫，銅缽和尚及那中年女尼看出不對，想出手時，已晚了一步。

兩人先奔到超凡身側，齊聲問道：「你傷得怎麼樣？」

超凡搖搖頭，緩緩閉上眼睛。

兩人見超凡不肯講話，已知傷得不輕；那中年女尼一皺眉頭，縱身一躍，到了玉簫仙子身旁。

這時，玉簫仙子以單手撐地，勉強坐了起來。艷若嬌花的臉上，已變成了鐵青顏色，秀髮散亂，嘴角間汩汩出血，她左手仍緊緊把夢寰抱在懷中，手中玉簫，早已脫落在地上。

她低頭望著懷中的夢寰，對那中年女尼仗劍走來渾如不覺，連望也不望那中年女尼一眼。

那中年女尼，舉起手中寶劍，寒劍抵逼在玉簫仙子胸前，冷冷問道：「玉簫仙子，你想不到吧！今天會濺血在我們萬佛頂上？」

玉簫仙子對那冷森森的劍鋒，似是毫不放在心上，回頭望了那中年女尼一眼，淡淡一笑，又低頭望著懷中的夢寰，低聲叫道：「弟弟，你睜開眼睛看看好嗎？我們就要死了……」

一陣血氣翻湧，大口鮮血從她櫻口湧噴出來。

那中年女尼微微一怔，單掌立胸，低宣了聲佛號，道：「玉簫仙子，我要成全你了……」她舉起了手中寶劍。

突然，一陣衣袂飄風之聲，劃破了萬佛頂上的寂靜，緊接著一個冷冷的聲音喝道：「快些放下你手中寶劍，退後三步。」

那中年女尼回頭望去，只見丈餘外站著一個老者，背負青鋼日月輪，手控飛鈸，蓄勢待發。她微微一呆，來人又搶先說道：「你要不要試試我飛鈸如何？」

這當兒，銅缽和尚忽地一躍，直向那手控飛鈸的老者撲去，口中還怒聲喝道：「齊元同，你來我們萬佛頂上幹什麼？」

齊元同側身一閃，讓開那銅缽和尚一撲，左手呼地一掌，反劈過去，右手銅鈸脫手飛出。

飛鈸出手，飛起五步，閃閃寒光，大如輪月，直對那中年女尼劈去。

要知齊元同的飛鈸，是江湖上著名的暗器，威勢非同小可。

但聞破空風嘯，飛鈸已臨頭上，那中年女尼，見齊元同飛鈸來勢奇猛，哪裡還敢大意，凝神運功，舉劍封鈸，但聞一聲鏗然，金鐵交鳴，星光下飛起來一串火星，那中年女尼只感右臂一震，後退兩步，飛鈸也被她舉劍一擋之勢，失去準頭，斜著從身側飛過。

飛鈸飛出三丈，功力仍甚驚人，擊在一塊大岩石上，只撞得碎石紛飛。

就這瞬息之間，齊元同和那銅缽和尚交接二招後，便即躍到玉簫仙子身側。

超凡大師睜開眼睛，望了百步飛鈸一眼，緩步向他走去。

那中年女尼見超凡直對齊元同逼去，心中暗暗吃驚，知他傷勢很重，只怕難擋對方一擊，但又不能出口招呼讓他停下，長身一掠，躍到超凡身側，仗劍相護。

這時，那身穿月白僧袍，長眉垂目，身材瘦小的老和尚，忽地一睜雙目，兩道神光湛湛的眼神，逼視在齊元同身上，高宣一聲：「阿彌陀佛，齊施主別來無恙，還識得老和尚嗎？」說著話，也緩步逼來。

齊元同回看了老和尚一眼，臉上微現驚愕之色，但瞬即恢復鎮靜，雙手一探，背上青鋼日月輪，已握在手中，哈哈一陣大笑，道：「好啊！你們要以多爲勝嗎？」

一語甫落，突聞峰下長嘯劃空，那嘯聲似起在數十丈以外，但卻如電射雷奔而來，嘯聲未落，人已到了峰頂。

超凡轉臉望去，只見兩條人影並肩馳來，倏忽間，已到身後數尺，身法快速絕倫。

兩人一直逼近到三尺外才一齊停步星光下。打量來者，都是身穿長衣，年紀均在五旬上下，左面一個身著淡黃長衫，頭帶儒巾，手中搖著一尺八寸長短的一柄摺扇，右面一個卻是一襲青衫，背插九環刀，腰掛鏢袋。

齊元同似是對那身著淡黃長衫之人，十分恭敬，手中雙輪交叉，躬身一禮。

那儒巾黃衫老者微微一笑，摺扇斜垂，左掌立胸還禮笑道：「齊壇主太多禮了！」

齊元同雙輪一收，回顧那身後老僧一眼，冷冷說道：「老禪師好長的命啊！」

那老和尚呵呵兩聲乾笑，道：「我佛有靈，不肯超渡老僧，你叫我和尚怎麼個死法呢？」

那黃衫老者冷笑一聲，接道：「佛門既是不肯收留你，說不得我們要做件好事，助你一臂之力，使你早些投胎了？」

那老僧面色忽然一變，兩目神光，移逼在黃衫老者臉上，哈哈一陣大笑，道：「王施主不覺得太客氣嗎?就是貴幫幫主李滄瀾，也不敢對老僧這等狂妄！」

那黃衫老者冷笑兩聲，還未答話，突聞一陣嬌喘之聲，飄傳過來。

當前幾人都是武林中一等的高手，那嬌喘聲音雖然不大，但幾人都已聽到。

星光下，只見一個勁裝少女，急奔而來。

她直奔到黃衫老者身邊，才停止腳步，揮著頭上汗水，嬌喘吁吁，說道：「累死我啦！累死我啦！」

餘音未落，目光忽地觸到了昏迷不醒的夢寰，只見他緊緊地偎在一個黑衣女人的懷中，動也不動一下。

那黑衣女人，半仰著嬌軀斜臥，嘴角間還不停地流出鮮血，但她神態卻很安詳，緊緊地抱

著夢寰，看不出一點痛苦神態。

這急奔而來的勁裝少女，正是天龍幫龍頭幫主海天一叟李滄瀾的愛女，無影女李瑤紅。

原來楊夢寰把她一個人丟在崇寧荒野，決絕而去之後，確實傷透了她一寸芳心，使她一腔熱情愛火，轉變成幽幽怨恨。

她看著楊夢寰頭也未回地縱馬而去，再也忍不住滿腔悲忿，只感千般委屈，一齊湧上心頭，坐在溪邊一株大柳樹下，嗚嗚咽咽地哭了起來。這一哭只哭出她窩藏在胸中的全部幽情愁苦，當真如杜鵑啼血，哀哀欲絕。

她愈哭愈覺傷心，一時間竟難收住，不知道過了多長時間，突聞身側一個蒼沉的聲音喝道：「你這孩子，怎麼會一個人坐在這裡哭呢？」

李瑤紅心頭一驚，止住哭聲，回頭望去，只見一個身穿淡黃長衫，頭戴儒巾，手握摺扇，年約五旬左右，方臉長眉，文士裝扮的人，靜靜地站在她身後。

李瑤紅看清楚了來人是誰之後，只似受盡了委屈的孩子，驟然見了母親一般，口中嚶了一聲，撲入那黃衫老者的懷中，一面哭，一面說道：「王叔叔，我被人家欺侮死了，我爹爹把我一個人丟到這麼遠的地方，也不來找我，讓我受盡了別人的氣。」

王寒湘一聳兩道長眉，撫著李瑤紅頭上秀髮，說道：「有這等事？告訴我是什麼人欺侮你了，我一定替你出口舒舒服服的氣。」

李瑤紅被他一追問，心頭登時一震，呆了一呆，答不上話。

因爲眼前這個黃衫老者，是天龍幫五旗壇主中武功最好的一個，在天龍幫中身分、武功，

僅次於李滄瀾一人，他名雖掌理黃旗壇，和紅、藍、白、黑四旗壇主地位相若，其實，他無疑是天龍幫中的二號龍頭，紅、藍、白、黑四旗壇主，無不對他恭敬異常。

李滄瀾收服紅、藍、白、黑四旗壇主，都是先以武功把對方制服後，再動以說詞，唯獨對這位掌理黃旗壇的王寒湘大不相同，海天一叟四度造訪他隱居的雁蕩山，才把這位身負絕學的奇人說動，幫助他創立天龍幫，要和號稱武林九大主派的門派，一爭長短。

王寒湘不但武功絕世，而且還讀了一肚子書，他讀的不止是四書五經，而是包括了儒、釋、道等各類各門的學問，他隱居雁蕩山三十年，大半時間都在研究五行奇術，八卦易理。

海天一叟創立天龍幫，短短二十年中能使勢力遍及大江南北，大半是借仗王寒湘籌劃有方。

李瑤紅自小就隨父親身側，在天龍幫中長大，對這位王叔叔知之甚詳，他外貌看上去雖很文雅、慈和，但骨子裡卻是冷傲至極，他很少親自出手對敵，但一出手卻是毒辣無比，她心中雖然恨透了楊夢寰，但要她說出楊夢寰哪裡不好？她卻又說不出來，一則，楊夢寰本身實在無可非議之處，再者，她又不忍隨口捏造謊言相害，她明白，只要她隨便說幾句謊話，楊夢寰就難逃王寒湘的掌下。

她心中打了幾百轉，仍是想不出該說些什麼。

玉寒湘看她沉忖良久，仍是不肯回答受了什麼人的欺侮，心中忽生疑慮，臉色一沉，目光如電，逼視在李瑤紅臉上，一字一句地問道：「你有什麼難言苦衷嗎？」

李瑤紅知他起了誤會，心中一急，觸動靈機，搖搖頭，答道：「我被峨嵋派的和尚把我抓到他們萬佛寺中，關在一座石洞裡，餓了好幾天沒有吃飯！」

王寒湘臉色漸漸緩和，微微一笑，道：「峨嵋派的和尚把你關在萬佛寺中餓了幾天？」

李瑤紅仰臉略一思索，答道：「餓了兩天。」

玉寒湘笑道：「好！那我去把峨嵋派的掌門抓回咱們天龍幫去餓他二十天。」

李瑤紅嬌媚一笑，取出懷中的絹帕，抹去臉上淚水，道：「那我們現在就去，好不好？」

她心中忽地想起了楊夢寰已單身涉險到萬佛寺，不禁心中大感焦急。

王寒湘笑道：「萬佛寺的和尚，又跑不了，晚去一天也沒有關係。」

可是李瑤紅哪裡等得及。她想到夢寰可能遇上危險，心中的怨恨早已完全消去，搖著頭，急道：「我心裡恨死那些和尚了，咱們還是早些去吧？」

王寒湘道：「紅旗壇的齊壇主，和白旗壇的勝壇主，都和我一起來了川西，我們約好今晚在華陽相見，咱們得先會到他們才能到萬佛寺去。」

李瑤紅一聽說，齊元同和勝一清都到這裡，心中越發高興，拉著王寒湘一隻手笑道：「叔叔，那咱們早些到華陽去吧！」

王寒湘這人雖然冷傲，但他對李滄瀾卻十分忠心、敬服，也很喜愛李瑤紅，受不住她一陣磨鬧，只好點點頭，笑道：「好，咱們就走。」話出口，人已縱躍而起。

兩人在未到申初時光，趕到了華陽。

天龍幫的勢力，早已伸延入川，華陽設有分舵，兩人剛進華陽城，迎面來了兩個大漢，天龍幫中本有它規定連絡的暗號，一見王寒湘，立時各以幫禮拜見。天龍幫四川十幾處分舵，都是王寒湘親手建立，是以各分舵舵主大都認識他。

兩人把王寒湘、李瑤紅帶到一處大客棧內，齊元同、勝一清早已在客棧中相候。

李瑤紅心中惦念夢寰，鬧著王寒湘立刻動身，三人被她一陣訴說、吵鬧，只得立即啓程，乘華陽分舵快舟，直放嘉定，棄舟登陸，連夜登山。

幾人趕到萬佛頂下，已聞得峰上打鬥之聲，百步飛鈸齊元同一馬當先，施出全力攀登上峰頂。這當兒，正趕上那中年女尼舉劍向玉簫仙子刺去，齊元同飛鈸示警，救了玉簫仙子一條命。

緊接著王寒湘和勝一清雙雙躍上峰頂，李瑤紅最後上峰，瞥眼見夢寰偎在玉簫仙子懷裡，倒臥在場中，她一怔神，驚叫一聲，縱身向場中撲去。

她目睹夢寰傷臥在玉簫仙子懷中，方寸早已大亂，顧不得被人恥笑，急向夢寰身邊撲去。她急痛之間，哪還顧得看清敵我，那縱身一撲之勢，正好直對超凡大師，銅鉢和尙距離超凡最近，見李瑤紅來勢迅猛，誤認她撲擊超凡，一晃身掄動手中銅鉢，直撲過去，口中還大聲說道：「女娃兒膽子不小……」呼地一鉢劈去。

李瑤紅心急如焚，去勢似箭，哪裡還能讓開銅鉢奇速的來，眼看銅鉢就要擊在她的身上，突然一股勁風，自李瑤紅身後點出，擊中和尙手中銅鉢，那百斤以上銅鉢，被來人用摺扇一點之勢，直蕩開去。

李瑤紅似乎已忘記了自身的危險，呼地一聲，從超凡大師頭上掠過，落到夢寰身邊，兩臂一擺，把夢寰從玉簫仙子懷中搶了過來。

她在慌急之下，哪裡還顧及到眾目睽睽，伸手一摸，只覺他前胸處還微微跳動，立時運氣行功，在夢寰胸前推拿起來。

二三　峨嵋夜戰

這時，銅缽和尚已被王寒湘摺扇迫退到一側，齊元同、勝一清的青鋼日月輪和九環刀都已握在手中，臉色凝重，蓄勢待發。

只有王寒湘神態仍然十分輕鬆，緩緩搖動著手中摺扇，神態平靜，若無其事一般。

他剛才出手一招，點蕩開攔擊李瑤紅的銅缽，隨手又攻出二招，把銅缽和尚迫退，目光移到場中李瑤紅的身上，看她由玉簫仙子懷中搶過夢寰，不停地在他前胸推拿，立時緩步向場中走去。

李瑤紅在夢寰胸前推拿數掌，仍不見他清醒過來，不覺心中發起急來，正感六神無主，忽聞王寒湘的聲音在身側響起，問道：「你抱的什麼人？」

李瑤紅霍然起身，拉著王寒湘衣袖，答道：「王叔叔，你快些救救他。」

王寒湘低頭看了地上夢寰兩眼，冷冷問道：「這人是誰？你爲什麼要救他？」

李瑤紅被問得微微一怔，道：「他救過我的命，我也要報答他一次。」

王寒湘冷然一笑，緩緩蹲下身子，左手在夢寰背心「命門穴」上輕輕拍了一掌，潛運真力，瞬息間連走楊夢寰「腹結」、「百會」、「玄機」三大要穴。

只聽楊夢寰一聲長嘆，慢慢地睜開眼睛。

李瑤紅心頭一喜，蹲下身子，扶他坐起來，問道：「你看看我是誰？」

楊夢寰臉上緩緩現出笑意，吃力地點點頭，啓動嘴唇，似想說話，哪知剛一張嘴，一口鮮血由胸中直噴出來，濺得李瑤紅滿身都是。

她啊的驚叫一聲，兩臂一合，把夢寰上身抱住，眼中淚水一顆接一顆，滾落在夢寰臉上。

王寒湘一皺眉頭，側目掃了玉簫仙子一眼，只見她圓睜著一雙星目，望著李瑤紅和夢寰，臉上神情，十分奇異，似悲似怒。

這一幕複雜的情愛紛擾，只看得當場幾位武林高人，都有點憐憫之感。

王寒湘氣納丹田，仰臉一聲長嘯，嘯如龍吟，劃破長空，悠長清越，如金擊玉，那嘯聲並不尖銳刺耳，但當場幾位高人，都聽得心頭一震。

那身材瘦小，長眉垂目的老和尚，合掌當胸，高宣了聲佛號，聲音緩長低沉，但卻如猛獅怒吼，字字震人心弦。

王寒湘冷笑一聲，道：「咱們括蒼山一別，轉眼就十八寒暑，想不到你越活越精神了，剛才那獅吼氣功，也較十八年前精進不少了！」

這灰衣老僧，法名超元，為峨嵋派十三代弟子武功最高的一個，他和峨嵋派第十三代掌門人超凡大師，及銅缽和尚超塵，施劍的中年女尼超慧，並稱為峨嵋四老，但超元的武功成就，卻凌駕幾位師弟很多。

原來峨嵋派第十二代掌門人一通大師，共收了四個弟子，四人中以超元年齡最大，也是峨嵋門下，三代首座弟子。他入峨嵋門下二十年，超塵、超凡、超慧才相繼投入峨嵋門下，超元以大師兄身分代師傳授師弟、師妹的武功。

在一通大師圓寂的前兩年，超元因誤犯清規，被師父逐出萬佛寺，要他行腳二十年，才許重返師門。

超元離寺後三年，一通大師就功滿圓寂，坐化之時，召來超塵、超凡、超慧三個弟子，考詰武功、佛典，三人中以超凡成就較高，一通大師隨命超凡接掌了第十三代門戶。這等廢長立幼，在武林規矩上講，本屬大忌之事，但因超元犯規遭逐行腳，餘下了超塵、超凡、超慧，這三人之中只有超凡才藝最高，堪當大任，一通大師，遂破例提拔三弟子接掌了門戶。

待超元行腳功滿歸寺，超凡已接掌了門戶十六寒暑。

他這二十年走遍了天下名山，性情轉變得十分恬淡，見三師弟接掌了門戶，並無半點怨忿之意，反而處處協助超凡，光大峨嵋門戶。

他經常和超塵出沒在江湖上，察看武林形勢。十八年前，他為尋找藏真圖，曾和王寒湘在括蒼山中見過一次，那次晤面，兩人雖未動手過招，但卻各自運氣，比拚了一次內功。

玉寒湘動氣作嘯，超元低吼呼應，相持頓飯工夫，難分勝敗，這當兒華山派的八臂神翁聞公泰，也趕到了括蒼山，兩人怕被聞公泰搶了先著，自動罷手息爭。

十八年後，兩人又在萬佛頂上相遇。只見超元大師仰起臉，乾笑兩聲，道：「彼此，彼此，王壇主的功力，也較十八年前精進多了！」

王寒湘一揚手中摺扇，道：「貴派號稱武林中九大主盟之一，自然是看不起我們天龍幫江湖草莽，嘿！嘿！可是我王寒湘也沒有把所謂九大門派的高人，放在眼中。天龍幫在這三年之內，定當邀請你們九大武林主盟高人，在我們黔北總堂歡聚一番，以便見識見識九大門派中的絕學……」

超凡大師經過了一陣調息，傷勢好轉不少，忽地睜開眼睛，望著王寒湘，接道：「貴幫主這等雄心，那真是再好不過，以貴幫聲望之隆，這場盛會，定較三百年前，少室峰比劍排名之爭，更爲熱鬧，我們峨嵋派只要能接得一紙邀約，定當履約奉陪。」

王寒湘冷冷笑道：「客氣，客氣，貴派是否有興趣參與，似和我們天龍幫沒有多大關係，眼下我倒有一件事，想請教一二？」

超凡笑道：「王壇主有話，儘管吩咐，貧僧當洗耳恭聽教言。」

王寒湘道：「貴派既自鳴是武林中堂堂正正的門戶，爲什麼竟把我們幫主的千金，擄掠到萬佛寺來，這可是大背江湖規矩之事？」

超凡大師的目光，緩緩移注到場中的李瑤紅身上，只見她緊抱著傷勢慘重的夢寰，眼中淚水簌簌，神態如癡如醉，對當前幾人對答之言，竟似毫無所聞。

數尺外橫臥著縱橫江湖的玉簫仙子，也已是奄奄一息，但她似是拚耗著最後一口元氣，睜大著眼睛，凝注著夢寰和李瑤紅，她靜靜地躺著，神態十分安靜，毫無死亡前的驚怖之色。

他心裡暗唸了一聲佛號，轉過頭，緩緩答道：「王壇主說得不錯，貴幫中李姑娘確曾被敝派弟子，擄送到萬佛寺來，不過這中間並非無因而起，她用燕子追魂鏢連傷了本派中兩個弟子，鏢含奇毒，當場斃命，這等辣手行徑，倒似是早有積忿……」

百步飛鈸齊元同突然冷笑一聲，道：「江湖之上，動手比武，不是你死，便是我亡，施用暗器，也不算有背武林規矩，以眾凌寡，仗多求勝，那才是卑劣的下流行徑。」

超凡大師看了齊元同一眼，繼續說道：「我們把她囚禁在萬佛寺，但對她並沒有絲毫虐待之處，這一點幾位一問李姑娘，便可知貧僧所言非虛。」

王寒湘仰臉望著天上繁星，冷冷地答道：「這件事起因爲何？咱們先不去談它，單就貴派擄掠本幫幫主女公子一事，實在太藐視本幫龍頭幫主，貴派準備如何對本幫交代？」

超凡只聽得心頭火起，沉聲宣了一聲佛號，正待答話，突聽李瑤紅啊地驚叫一聲。

大家轉頭望去，只見楊夢寰忽地從李瑤紅懷抱中掙扎起來，踉蹌地奔了兩步，又倒了下去。

李瑤紅似是想不到他會突然掙扎起身，不覺微微一呆，待她驚叫出聲，趕去相扶時，楊夢寰已經跌摔地上。

他跌倒之處，相距玉簫仙子橫臥的嬌軀，只不過有兩尺左右，只見他勉強翻動著栽倒的身子，從懷中取出一丹丸，伸長右臂，把手中丹丸，送入玉簫仙子口中。

李瑤紅呆呆地站在她身邊看著，沒有攔阻，也沒有說話。

直待他把手中丹丸，放入了玉簫仙子口中，她才蹲下身子，扶著玉簫仙子坐起來。

玉簫仙子本已快油盡燈殘，楊夢寰掙扎著把懷中一粒丹丸送入她口中時，她已經無力下嚥，但那粒丹丸入口後，自化成一股清香的玉液，流入咽喉。

這粒丹丸，正是楊夢寰在船上相遇那身披藍紗少女所贈，一粒他自己在嘉定江岸受傷後服用，懷中還剩下一粒，他心感玉簫仙子捨命相助之恩，神志略一清醒，就掙扎著把懷中僅存的一粒靈丹，送入玉簫仙子口中。

他只想盡盡心意，並沒有存著挽救玉簫仙子的希望。

可是，他忽略了那靈丹的神奇效力。那身披藍紗少女，只知那五粒丹丸，是她母親採集了很多藥物煉製而成，卻不知那五粒丹丸，費盡了她娘的心血，爲製成五粒丹丸，耗費她母親數

年之功。她糊糊塗塗地送給了楊夢寰兩粒，楊夢寰也糊糊塗塗地服用了一粒，又糊糊塗塗地把一粒送入到玉簫仙子口中。要不是他在嘉定江岸服過一粒靈丹，恐早氣絕多時。

且說玉簫仙子服下靈丹之後，忽覺一股緩緩的熱流，由內腑逐漸向四肢散去，她內功本極精深，再被靈丹精奇的藥力一托，一股即將消散的元氣，陡然回集丹田，氣息也由微弱忽轉暢順，她長長吸一口氣，暗中潛運功力，一挺身，竟被她躍站起來。

她從垂死的邊緣上，忽然間重回到生命的領域，實是大出意外，不覺呆了一呆。她似是還不相信自己真的已獲得了生機，又暗中潛運內功，只覺氣暢百穴，力走全身，竟似傷全好了一樣。

她伏身撿起地上玉簫，走到夢寰身側，低聲問道：「兄弟，你給我服的什麼藥，你自己怎麼不吃呢？放在什麼地方，我取給你吃了好嗎？」

楊夢寰神志已經清醒，搖搖頭，答道：「我只有那……一粒。」

玉簫仙子只聽得心中一震，兩行清淚，順腮垂下，拋了手中玉簫，握住楊夢寰兩隻小臂，搖撼著，泣道：「那你為什麼自己不吃，你……你這是何苦呢！」

李瑤紅半蹲嬌軀，扶著楊夢寰兩肩，接道：「都是你這不要臉的賤人，害他成這等模樣！」

玉簫仙子望了李瑤紅一眼，悽惋一笑，鬆開夢寰小臂，笑道：「兄弟！你等著我，待我殺了超凡後，咱們一起死吧！」

說完，隨手撿起玉簫，縱身一躍，快如電奔，一招「笑指天南」，直向超凡攻去。

她剛由死亡邊緣掙回性命，陡然間發難突襲，實大出超凡意料之外，而且出手快如閃光，

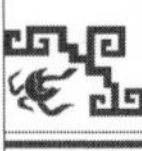

使得超凡、超塵、超慧想躲避都躲避不及。

就在這生死一髮的剎那，忽聞超元冷笑一聲，雙肩微一晃動，人已攔到超凡前面，左掌一迎，便向玉簫迎去，右掌呼地平推而出，口中喝道：「你要找死嗎？」

語音甫落，緊接著響起王寒湘冷冷的聲音：「只怕未必見得！」右手摺扇一舉，不見他移步跨足，倏忽間已到了玉簫仙子左面，摺扇下沉，襲到超元右腕脈門要穴。

三個人發動都夠快，快得使人看不清楚誰先誰後。

超元只覺王寒湘點來摺扇帶著一股尖風，心知他一點之勢，已貫注了內家真力，力能貫穿金石，自己雖已運集混元氣功，只怕承受不起，心念一動，右掌倏然收回。

玉簫仙子急落簫勢，卻正點擊在超元左臂上，只覺如擊在堅冰硬鐵上面一般，玉簫被滑在一邊。

話雖如此，但超元也覺著被點擊之處，一陣巨疼難耐，心中暗暗驚道：這女魔頭之名，果然不虛，在重傷瀕死之後，仍有這等功力，如果她在未傷之前，我縱有混元氣功護身，恐也難擋她這一擊。

但聞超元一聲低吼，收回的右掌又呼地劈出一股凌厲掌風，直向王寒湘撞去，同時左掌一沉一送，逼向玉簫仙子前胸。

王寒湘似是早已有備，手中摺扇一著點空，人卻借勢欺進半步，右掌「鐵騎突出」，五指半屈半伸，疾扣超元逼擊玉簫仙子的左掌，右掌摺扇忽地張開護住前胸。

超元掌風剛觸在王寒湘護胸摺扇上，忽覺被一股斜出的力道滑在一邊，他全力一擊的劈空掌風，被王寒湘用滑字訣，借摺扇轉動的巧勁，輕輕撥在一邊。

掌風由王寒湘摺扇滑撥一側，直向他身後的子母神膽勝一清撞去。

子母神膽覺出那撞來掌風潛力仍甚凌厲，側身向右疾跨兩步，一股力道由他和齊元同中間襲過，震飄起兩人衣袂。

王寒湘用摺扇撥滑開超元大師劈空掌風的同時，右手也逼開了超元擊向玉簫仙子的掌勢，右腳又緊隨飛起一招「魁星踢斗」，擊向超元小腹，左扇右掌，隨後攻出。

三著並進，迅如電火，而且又都是只攻超元大師的要害，逼得老和尚無力再還擊玉簫仙子，只得向後一躍退出七尺。

王寒湘冷笑一聲，疾追而上，扇掌同施，瞬息間，攻出三扇，劈出五掌。

這一掄急攻，搶盡先機，迫得超元大師無法還手，步步後退。

超元和王寒湘交手到二十個照面後，超元已掙回主動，以峨嵋派金剛拳法迎敵，每拳必帶著一股呼呼勁風，他功力比超凡深厚，同樣一套拳法，威勢卻比超凡大了數倍。

但聞呼呼拳風之聲，潛力激蕩到數丈之外。

王寒湘卻以生平奇學蛇行八卦掌迎戰超元。只見他一個身子，輕飄飄的，有如長絮舞風，步履飄浮，全身不住搖搖蕩蕩，似乎沒法子站穩腳步，隨手攻出的掌勢，看上去也十分緩慢輕飄，有氣無力，一襲黃衫，被超元大師拳風震得不停飄動。

但超元心中明白，王寒湘攻出的掌勢，表面上看去似是毫無一點勁力，其實呢，那攻出的掌勢內，早已暗含了內家氣勁，只不過蓄勁未發而已，只要被他那虛飄飄的掌勢拍中，含蘊在掌內的勁道，立時彈震而出，專傷內腑，險毒無比，一不小心，讓他拍中，就得當場傷亡。

一個拳如開山巨斧，一個掌似飄風柳絮，一個極剛，一個極柔，看得人眼花撩亂。

兩人交手到百招以上，仍是個不勝不敗之局，但超元金剛拳法，是一種剛猛拳勢，每攻一招，必然消耗不少真力，這等拳法，如遇上功力稍遜於自己之人威力最大，三五招就可以把對手擊敗。

但遇上王寒湘這等身手人物，情勢就大不相同，他以極柔的蛇行八卦掌法，自己隱神蓄勁，養力不發，游走在超元身側，乘隙攻出幾招，逼引超元全力發拳，以消耗他的真力。

所謂柔能克剛，超元雖然早已窺破王寒湘的心計，但他自恃功力深厚，金剛拳威力強猛，王寒湘如不和他硬拚真力，決不能接到百招，他自仗一身混元氣功，拳能碎石裂碑，最適宜和人硬打硬接。

哪知王寒湘的蛇行八卦掌法，是他隱居在雁蕩山時，見峭壁間群蛇游行的啓發，潛心研究出來的一種掌法，再揉合以各種掌法之長，創出六十四式蛇行八卦掌。這一套掌法，不但極盡軟柔，而且還暗合了八卦變化，移步轉身，招招含蘊玄機，避敵出擊，暗含八卦生剋之理。

這一套精奧奇學，正好克制住超元的金剛拳法，待他覺出不對時，已攻出了百招以上，全身真力，消耗大半，頂門上汗水隱現，拳風逐漸轉弱。

細看對方，卻是氣定神閒，接了他百招以上威猛絕倫的金剛拳，直似若無其事。

這時他已明白當前敵人，是他生平中所遇的唯一強敵，如果再這樣打下去，即使不傷在對方手中，自己也要活活累死。

心念一動，拳法忽變，由凌厲無匹的猛攻，改作以靜制動的防守，凝神含勁，運氣護身，不再出手搶攻，兩掌交叉胸前，雙腳隨著敵人的身法轉動。

只聽王寒湘一聲冷笑，道：「聞名天下的金剛拳法，也不過如此而已。」

掌勢一變，欺身直進，右手並二指，點襲「氣門穴」，左手摺扇一張，攔腰掃去，兩招並出快如雷奔。

超元大吃一驚，暗道：這人武功果然與眾不同，摺扇若攻若守，使人難測虛實，看來今夜之戰，決難善罷干休，不作生死之搏，實難求勝……

他估不透敵人來勢，不敢出手化解，微一仰身，後退三尺，右掌卻借勢運勁握拳。

王寒湘左拳在握，未免大意，見超元避招後退，立時移步追襲，摺扇一合，疾點「玄機穴」。

他摺扇剛點出手，陡聞超元一聲大喝，右掌忽然迎胸劈出，這一拳蓄勢而發，非同小可，但覺一股奇猛勁道，排山倒海般直橫過來。

雙方距離既近，發難又出意外，王寒湘武功再好，也無法閃避得開，剛一出腳，拳風潛力，已逼到前胸。

但他究竟是久經大敵之人，內外輕功，都已到爐火純青之境，覺著拳風沾身，馬上借勢應變，雙腳微一用力，凌空而起，這一來，消去了超元大半勁道。

雖然王寒湘應變夠快，但他仍被超元的拳風震得在空中翻了兩個觔斗，直飛出兩丈開外。

直待超元打出那一股拳風餘力全無，王寒湘才從空中落到實地，他有生以來，從未遇到這等事情，不禁怒火沖霄，一落實地，立時又縱身撲去，左手摺扇一招「腕底翻雲」，疾點「將台穴」。

超元揮拳擊腕，王寒湘沉扇變招，扇由合疾張，化「金雕展翅」，掃擊中盤，超元後退數步，雙拳連續劈出。

王寒湘已被超元拳風震得內腑受傷，但他內功精純，逼氣護住傷處，不讓他即刻發作，閃身避開超元兩拳劈擊，施展開六十四式蛇行八卦掌法，繞著超元四周疾轉，步若行雲流水，身似靈蛇游走，左手中一柄摺扇，更是打得花樣百出，倏張倏合，忽劈忽點，配合著右掌迅如石火的攻勢，只看得人眼花撩亂。

超元大師雖然凝集了全副心神迎戰，但仍無法預測到王寒湘攻勢的變化。有時，眼見對方由右側攻來，待他一拳劈出後，只見對方微一轉動，忽然閃到了身後，身法靈快至極，再加上王寒湘繽紛落英般的掌勢，不到二十個回合，超元大師已累得臉上汗水直滾。

超塵、超慧都已看出大師兄身陷危境，只要再打下去，不出十回合，必然要傷在對方手中，不禁心中大急，正待出手接替，突聞王寒湘一聲冷笑，緊接著啪地一響，超元大師一個瘦小的身軀，從那縱橫的掌影中直飛出七、八尺遠。

腳落實地，人還不住搖顫，雖然未栽倒地上，看樣子已受傷不輕。

超塵掄動手中銅缽，大喝一聲直撲過來，哪知王寒湘比他更快，人影一閃，已到超元背後，右掌隨著下落的身子，拍向超元背後「命門穴」。

這是人身十二死穴之一，一經擊中，當場就得殞命，超塵還在途中，想救援已來不及，超慧更是驚得訝然失聲。

就在超慧驚叫之聲剛剛出口，王寒湘掌勢將落未落之際，陡見超元大師身子向前一傾，右拳隨勢向後打出。

這一招，迅快已極，拳風直逼向王寒湘的小腹。

如果王寒湘掌勢不收，固然可以擊在超元大師「命門穴」上，置人死地，但超元這一拳反擊，亦必擊中王寒湘的小腹，處此情景，他不得不先求自保，身懸半空，陡然一側，讓開了小腹要害。

但這一來，他劈落的掌勢，也失了準頭。但聞兩聲悶哼，同時響起，超元大師被王寒湘一掌打栽地上，王寒湘也被超元一拳擊中右胯，腳未落地，又被打飛出六、七步遠，一屁股跌坐在地上。

超塵扶起大師兄，那邊齊元同，也躍落到王寒湘身側，扶他起來。王寒湘內功精深，強忍傷疼冷笑一聲，問道：「大和尙，王某這一掌味道如何？」

超元高宣一聲佛號，答道：「王壇主的掌力不小，只是老朽這把老骨頭還承受得住……」

王寒湘仰天打了一個哈哈，接道：「那麼再打幾回合玩玩如何？」

超元猛提一口真氣，鎭壓住內腑傷勢，道：「好極，好極，老朽一定奉陪。」

王寒湘一晃身，又搶撲到超元大師身前，摺扇一揚當胸點去。

超元縱身一讓，隨手打出一拳。

兩人心中都明白，這一次再動上手，不管誰勝誰敗，兩人原本之傷勢，都將轉趨慘重，最後必落個兩敗俱傷。

要知一個人究竟是血肉之軀，可以運氣控傷，閉穴阻血，使本身所受傷勢，無法即刻發作，但必須及時運氣調息，才能阻止傷勢繼續惡化。如果強忍傷痛再和人動手，所受之傷，立時急轉直下，等到真氣逐漸消散，無法再控制傷勢，那所受之傷立刻發作，重則當場斃命，輕則武功全失，身變殘廢。

兩人心中都很明白，只要再交上手，彼此都無益處，但誰也無法忍得那一口氣。

眼看兩人拳掌就要相接，忽的人影一閃，百步飛鈸齊元同，破空躍落在兩人之間，雙輪一展，平向超元推去。

他這蓄勢一發，勁道奇猛，輪風似剪，把超元迫退數步。

超塵掄動手中銅缽，迎向百步飛鈸攻去，齊元同右輪疾收，躍退三步後，冷笑一聲，道：「我們天龍幫主，已柬邀你們號稱武林九大主派比劍，此一盛會，三年內定可實現，屆時不但本幫要和貴派分個高下，而且少林、武當等門派，也要一齊出手，那時勝負之分，即可定霸主誰屬。今夜之爭，到此爲止，恕我們沒有工夫多陪了。」

說完，轉臉又對王寒湘道：「幫主令諭，不宜違犯，再說王兄身擔重任，似不宜爲一點意氣之爭，影響全局，尚望採納小弟之言，罷息今宵之爭，以不負幫主倚愛之重。」

王寒湘知他是一片好心，勸息爭執，無非是怕自己傷勢加重，當下淡淡一笑，道：「齊壇主所言甚是。」

說至此，臉色突轉肅穆，望著超元冷冷接道：「大師武功，果然不錯，咱們今夜之戰，不如留待比劍之日，再作勝負之分。」

超元合掌笑道：「阿彌陀佛，屆時老僧定當奉陪。」

王寒湘一連冷笑數聲，道：「那時面對天下武林高人，咱們定要分出個生死存亡。」

超元嘆道：「王施主武功，世無匹敵，老僧自知不是敵手，但不管如何，我當奉陪。」

齊元同抬頭望望天色，已是四更過後，立時冷冷接道：「大師太客氣了。」

說罷，大踏步，從超塵身側尺許處走過，直奔到李瑤紅身邊。

只見她席地而坐，抱著傷勢慘重的楊夢寰，不言不語，靜靜地坐著。

在他們兩人數尺之外，盤膝坐著玉簫仙子，她並沒有閉目養息，睜著一雙大眼睛，望著兩人，她臉上也很平靜，毫無憐惜妒忌神色。

這是一幅充滿著沉痛、肅穆的畫面，沒有淚水，沒有哭聲，也沒有因憐惜、妒忌產生的紛擾，只是在那平靜中，潛存著一種感人的力量，使目睹這情景的人，都不覺油生感傷。

齊元同緩緩走到李瑤紅的身邊，長嘆一口氣，道：「李姑娘，我們走吧？」

李瑤紅轉過臉，望了百步飛鈸一眼，搖搖頭，笑道：「我不走啦，你回去對我爹說，要他把萬佛寺的和尚統統殺了……」

她笑得十分自然，看不出一點激動，這說明她心中非常鎮靜。

子母神膽勝一清，只聽得皺起兩條眉頭，道：「你要留在這裡？」

李瑤紅望了懷中的夢寰一眼，道：「嗯！我要陪著他留在這裡。」

齊元同目光移注到夢寰的臉上，只見他緊閉著雙目，兩腿平放在地上，上半身被李瑤紅緊緊地抱入懷中，嘴角間仍然不停地向外流著鮮血，看樣子只留下噓氣的份兒了。

他搖搖頭，低聲說道：「他已經不行了，你留這裡也不能挽救他的性命。」

李瑤紅眨眨眼睛，滾下兩行清淚，笑道：「我知道他不能再活多久了，所以我才要留在這裡陪著他……」

齊元同道：「要是他死了呢？」

李瑤紅淺淺答道：「他死了，我找個地方把他屍體埋起來，然後……」

齊元同急道：「你父親名滿江湖，望重四海，統率天龍幫，受天下武林同道敬仰，你也不替他想想嗎？這埋葬死人的事，豈是你幹的嗎？再說，他是崑崙派門下弟子，自有崑崙三子找峨嵋派的人算帳，快些放下他，跟我們走吧！」

李瑤紅望了齊元同一眼，道：「你一定要我跟你們走嗎？」

齊元同急得一跺腳，道：「你這孩子，難道我給你說笑話嗎？」

李瑤紅笑道：「要我走也不是什麼難事，但要你先替我辦一件事情。」

齊元同道：「你說吧！要我辦什麼事？」

李瑤紅側臉望著數尺外玉簫仙子，笑道：「你先去把那穿黑衣的女人給我殺了。」

齊元同聽得一怔，道：「爲什麼要殺了她？你知道她是誰？」

李瑤紅道：「我知道，哼！一個沒廉恥的女人。」

玉簫仙子緩緩站起身子，慢慢地撿起玉簫，款步向李瑤紅身邊走去。

勝一清微一頓足，躍擋在玉簫仙子面前，冷冷問道：「要幹什麼，你知不知道她是我們天龍幫主的獨生愛女。」

玉簫仙子揚了揚手中玉簫，道：「我知道，你想和我動手是不是？」

勝一清笑道：「你已經筋疲力盡，而且還受了重傷，我勝了你也不算什麼英雄，但你如果妄想對我們幫主愛女下手，那可是自取死路。」

玉簫仙子冷笑一聲，隨手一簫點去，勝一清閃身避開，呼呼兩掌把玉簫仙子逼退三步，笑道：「你要想和我打，待你傷勢復元後再打不遲，現在你絕打不過我。」

玉簫仙子卻是一語不發，簫勢急如暴雨，連攻七招。

勝一清揮動一雙肉拳，連封帶避地讓開了玉簫仙子一輪急攻，他雖然封避開玉簫仙子七招，但人卻被逼退了四、五步。

玉簫仙子攻勢一緩，勝一清立時揮掌搶攻，呼呼四掌，又把玉簫仙子迫退四步。她早已累得筋疲力盡，而且還負著重傷，她之所以還能支持得住，大部原因是仗夢寰相贈那粒靈丹的神奇藥力托著，勉強攻出七招，已累得嬌喘吁吁。

勝一清收住掌勢，微微一笑，道：「我們天龍幫主，早已欽慕大名，也曾數度相訪，可是你一向行蹤飄忽，致未能找得到你，但我們龍頭幫主，對你玉簫仙子，仍是念念不忘，只要你答應加入我們天龍幫，我們李幫主定當大開總壇，率我們五旗壇主，恭迎大駕。再說眼下武林中即將掀起一次滔天風波，所謂武林九大宗派門戶中人物，卻不曾把我們這般江湖草莽人物放在心上，哈哈……」

他仰天大笑一陣，又接著說道：「咱們都是被人家九大宗派摒棄於武林圈外之人，江湖紛爭一起，咱們都是被人追殺對象，如果咱們不甘心束手被戮，只有結集成幫，和他們一爭長短。這次風波一起，必將如浪翻波湧，場面慘烈，決不會輸於三百年前少室峰比劍排名之爭，你一個人本領再大，也難和人家九大宗派抗衡。目前的天龍幫，不敢說人才薈萃，但所謂九大門派以外的高人，大部分都集會到天龍幫中，我們李幫主不但武功絕世，而且虛懷若谷，……」

說至此，微微一頓，嘆口氣又道：「我今宵不惜費盡口舌，只不過希望你能到我們天龍幫黔北總壇一行，能和我們李幫主見面。至於你是否願加盟天龍幫，我們決不敢相強。何況你現在身受重傷，實非一般藥物能救，我們龍頭幫主，身懷有獨步武林的乾元指神功，不管多重的內傷，只要內腑未碎，元氣未散，他都能解救過來，如果你肯答應去和我們龍頭幫主一晤，勝某願隨護駕前往……」

玉簫仙子喘息一陣，淡淡一笑，接道：「李滄瀾這人，果然是不簡單，能使你勝一清佩服得五體投地，恐怕當今之世，再也難找出第二個來。好意心領，但眼下我還不能去……」

話到此處，目光移投到夢寰身上，幽幽嘆息一聲，道：「等我辦完我兄弟的事，如果還能活在世上，定當去你們天龍幫黔北總堂一行。」

這時，王寒湘已初次運氣調息完畢，緩步走到了李瑤紅身側，低頭查看她懷中的夢寰後，搖搖頭，道：「這人傷勢極重，只怕難有回生之望了，你還不放開手，一直抱著他幹什麼？」

李瑤紅聽完了王寒湘幾句話，頓時臉色大變，因她素知王寒湘之能，醫理精深，不輸她義父妙手漁隱蕭天儀，她一直抱著楊夢寰不捨，目的就在使王寒湘自動出手相救。

她素知王寒湘為人性格，一向不隨便說話，聽他說楊夢寰已無救藥，不禁肝膽俱裂，只感一陣頭暈，如觸電流，雙臂一鬆，楊夢寰滾出了她的懷抱。她微微一呆，口中哭喊一聲，挺身躍起，向夢寰身上撲去。

齊元同冷哼了一聲，左手一探，抓住了李瑤紅向地上撲伏的身子，一把提了起來，沉聲喝道：「李姑娘，這是什麼地方，你不怕讓人笑話？」

王寒湘舉手點她的暈穴，向齊元同說：「這是什麼時候，你怎麼還責怪她！快帶她下山去吧。」

如果換了別人，齊元同早就一掌把她劈死，但眼前之人，是天龍幫主唯一的愛女，平常李滄瀾對她就沒有辦法，齊元同心中雖然氣忿，卻是無法發洩，一瞥眼看夢寰仰面而臥，心頭一股怨氣，完全發在夢寰身上，一抬右腳當胸踏下。

玉簫仙子驚叫一聲，來不及飛身搶救，右腕一振，手中玉簫當作暗器打出，白光一閃，直

向齊元同右腿飛去。

百步飛鈸因脅挾著李瑤紅，又正在氣惱之間，耳目不甚靈敏，而且和玉簫仙子相距又近，他腳底剛剛觸到楊夢寰前胸，玉簫已挾著風聲擊在他右腿上面。

玉簫仙子這一簫，在情急之下而發，雖然她身上受著重傷，但力道仍是不弱，齊元同只覺右小腿上一陣巨疼刺心，吃那玉簫一擊之力，撞得他不自主地打了一個轉身，一腳踏空。

這不過眨眼之間，齊元同略一怔神，玉簫仙子已疾撲而到，一伏身把仰臥在地上的楊夢寰抱入懷中，蓮足一翻，挑起地上玉簫，接在手中。

齊元同一面運氣止疼，一面怒道：「你要找死，是不是？」

說著，橫身一擋，攔住玉簫仙子的去路。

玉簫仙子一抬頭，一股鮮血，由口中急噴而出，直向齊元同臉上噴去。

齊元同左手揮掌一擋，鮮血化成一蓬血雨，濺得他滿臉都是。

齊元同右手抱著李瑤紅，無法抽出，只得收回左手，去擦臉上血水。

玉簫仙子卻借機一個縱躍，人已到八尺開外。

子母神膽勝一清，正待飛身趕去攔截，卻聽王寒湘沉聲喝道：「勝壇主不要追了，放他們去吧。」餘音未絕，陡然一個轉身，撲向超凡大師，左手摺扇一張，疾劈而下，攻向守衛在超凡身側的超慧，右手伸縮間，點中了超凡穴道。

這一下，突然發難，實大出幾人意料之外，超慧吃王寒湘一扇逼退了數步，超凡在毫無防備之下，被點中了穴道。

王寒湘一著得手，右手隨即一圈，不容超凡身子倒地，已把他攔腰抱起，一個大轉身，到

了百步飛鈸身側，把超凡交到齊元同手中，喝道：「快走！由我和勝壇主拒擋敵人追襲。」

齊元同接過超凡大師，略一猶豫，才忍著右腿傷疼，向山下疾奔而去。

他對王寒湘生擄超凡大師之舉，甚不同意，因爲這一來必將激起峨嵋三老的拚命之心，但又不好當面抗拒。

果然，王寒湘這一著激起了超元、超塵、超慧的拚命之心而一齊撲來，超元、超慧雙攻王寒湘，超塵掄缽直取勝一清。

子母神膽揮動手中九環刀，一招「力撐五嶽」，擋開百斤銅缽，隨手攻出三刀，把超塵猛攻之勢擋住。

那邊王寒湘摺扇張開，掌拒超元拳勢，扇封超慧寶劍，力拒兩人合擊。

交手到六、七個回合，超元忽地收掌向後躍退，抱拳平胸，凝神而立，雙目圓睜，滿臉殺機，逼視著王寒湘，暗中運集功力。

王寒湘一面揮扇對劍，一面留神超元大師的行動，他本是武功絕高之人，一見超元神態，已知他正運集全身功力，準備和自己作生死一搏之拚，刷！刷！兩扇逼退超慧，高聲說道：「貴派把我們龍頭幫主女公子，擄掠到萬佛寺中，關了兩天，以牙還牙，我要把貴派掌門人，押送天龍幫總壇，還他二十天牢囚生活，兩旬期滿，當按江湖規矩，送他下山。貴派如果心有未甘，請到黔北天龍幫總壇，找我王某人說話，此刻恕我不奉陪了。」

說完，陡然轉身一掠，躍到勝一清身側，摺扇斜劈一招「天外來雲」，逼開了銅缽和尚，對勝一清道：「勝壇主，咱們走！」

話剛出口，人已縱躍到一丈開外。

子母神膽緊接著騰身躍起，刀交左手，右手探囊取出一粒銅膽。

只聽超元大師一聲怒吼，道：「王寒湘，你想走嗎？」

忽地一躍而起，快比離弦弩箭，電射追到。

隨著他飛來的身子，捲帶著一股急風，向王寒湘撲來，相距還有八、九尺遠近，那平胸雙拳忽地一齊推出。

但覺一股強猛潛力，隨著他推出的雙拳猛向王寒湘撞擊過去。

王寒湘知他一拳之勢，是畢生功力所聚，如果硬接他這一擊，兩人中須有一個死傷，或者是玉石俱焚，同歸於盡。

這是一種內家罡力搏拚，一絲取巧不得，全憑本身功力的深淺，一擊即決生死，就在他心念轉動的刹那，超元雙拳劈出的驚濤駭浪拳風，已自近身。

他再想運功硬接，已經是遲了一步，只得向前一伏，倏忽間閃滾出七、八尺遠。

饒是他應變奇快，仍然被超元的拳風邊緣掃中，他本來是借那閃滾之勢讓避超元的拳風，但被那擊中的拳風順勢一推一彈，再也收不住閃滾之勢，直向二丈外懸崖下翻滾過去。

勝一清大吃一驚，縱身一躍直掠過去，探手一把，擦著王寒湘衣服掃去。

就這一眨眼間，王寒湘已翻滾到懸崖邊緣。

在這生死交關的刹那，陡見他右手一伸，抓住了緊靠懸崖的一株小松，他本來是平著向懸崖滾去，一把抓住崖旁小松之後，身子打個轉，變成了頭上腳下，除了一個右臂還探出崖壁外，全身懸空垂在崖下。

王寒湘這滾翻之力，甚是強猛，那懸崖邊緣的小松，只不過有核桃粗細，如何能承受得住，但聞喀擦一聲，齊腰折斷。

當前幾人，都是武林中一流高手，雖然目睹奇險，仍然心神不亂，但聞衣袂飄風之聲，超元大師和勝一清雙雙向懸崖邊緣撲去。

兩個人同時發動，身法又都快如電奔，但心意卻是大不相同，勝一清旨在救人，超元大師，卻是怕王寒湘借那小松一緩之力，收住翻滾之勢，以他本身功力而論，只要那翻滾的勢道一緩，必可借那一緩之力，回聚丹田真氣，躍上懸崖。

果然不出超元大師所料，王寒湘就借折斷小松的一阻之力，已把真氣回集丹田，在身子向下墜落之際，忽的一提真氣，雙臂一抖，左腳一踏右腳腳面，急墜的身子，陡然又向上回升。

王寒湘剛剛把頭探出懸崖，超元和勝一清已雙雙撲到懸崖邊緣。

超元大喝一聲，右掌一舉，正待劈向王寒湘探出懸崖的身子，哪知勝一清早已料到他這一著，忽地一掌斜向超元大師側面攻去。

這一招，關乎著王寒湘的生死存亡，是以勝一清出手用足了九成真力。

超元似是也早防到了勝一清這一著，所以，當他右拳舉起之時，左手反臂劈出一招「力屏天南」，以防勝一清的搶攻。

但他卻沒有想到勝一清出手一擊，竟敢用九成真力，雙方拳力、掌風甫一交接，超元立時覺出不對。

如論超元功力，要比勝一清略勝一籌，硬打硬接，勝一清先敗一著。但此刻情形，卻大不相同，一個全力施為，一個是把全身力量，分於左右兩拳。

勝一清掌風如輪，逼開超元左拳阻力，直向他身上逼攻過去。

超元如果不收勢讓避，固然可以把王寒湘劈下懸崖摔死，但他也難逃被勝一清掌力逼下懸崖的厄運，處此情景，他不得不先求自保，掌勢一收，向後疾退三步。

勝一清用力過猛，一招落空後，不由自主地身體向前一栽。

這時，銅鉢和尚超塵正好趕到，鉢交左手，右手運起功力，呼地一掌，向子母神膽後背劈去。

勝一清雖然覺出後背受襲，但自己攻出力道尚未收回，全身運轉不靈，一時間閃避不及，又無法回身拒敵，只得一咬牙，運氣於背，準備硬接一擊。

但覺一股極猛的力量，撞上後背，他劈出內力，尚未完全收回，吃那一撞之力，震飛起來，直向懸崖下面摔去。

在這間不容髮的剎那，王寒湘剛好躍登上懸崖，雙足一用力，氣沉下盤，功運兩腳，雙足穩如盤石，右手一招「神龍探爪」，硬生生把勝一清向崖下直摔的身子抓住，一收一推，卸去勁道，把他放在地上。

勝一清腳站實地，王寒湘已縱身向前躍去，他連受挫折，心中忿怒已極，不顧本身傷勢惡化，直向銅鉢和尚身上撲去。

超塵一掌震飛勝一清後，隨後縱身追來，兩人一來一迎，迅如電光閃奔，但見兩條人影懸空一接，同時急落實地。

超塵功遜一籌，落地後再也站不穩身子，一連退了四、五步，仍然一屁股坐在地上，王寒湘落地晃了兩晃，冷笑一聲，揮扇一躍，直攻過去。

驀然，劍光打閃，超慧由左側急躍而至，寒鋒森森，點到前胸。

王寒湘摺扇一招「倒轉陰陽」，架開超慧寶劍後，反向超慧左面「肩井穴」上點去。

這一招攻守並出，迅巧至極，超慧吃了一驚，收劍仰身，金鯉倒穿波，退後數尺。

王寒湘逼退超慧，超元大師排山般的拳風，又到身後。

超塵也由地上挺身躍起，掄動手中銅缽，迎面攻來。

王寒湘口中連聲冷笑，手裡摺扇張而復合，側身一轉，向左閃開五步。

這一來，超元大師的拳風落空，直對迎面攻襲王寒湘的超塵撞去。

老和尚功力果然已入爐火純青之境，拳勢收發，全由心念控制，一見落空，立時吸氣收拳，擊出拳風，倏忽間又收回去。

王寒湘卻借機回頭對勝一清道：「勝壇主，請先走一步，我獨擋他們三人一陣再走。」

勝一清笑道：「我雖被那禿驢擊中一掌，不過傷得並不很重……」

一語未完，超元、超塵、超慧，已分成三面包圍過來。

王寒湘冷笑一聲，縱身迎去，右掌劈向銅缽和尚，左手摺扇點向超元大師。

勝一清振腕揮刀，迎截住超慧，五個人立即展開一場武林中罕見的激烈拚鬥。

這一次交手，幾人心中都是滿懷憤怒，各以本身絕學求勝，但見刀光如雪，劍影縱橫，拳風呼呼，扇影點點，激烈絕倫，觸目驚心。

王寒湘大展所學，以「蛇行八卦掌」法，力拒超元、超塵兩人合攻，避招閃擊，迅巧如靈蛇游走，火拚十回合毫無敗象。

勝一清雖然受傷，但他功力並未失去，九環刀施展開，有如狂風驟雨，一招比一招迅猛。

超慧功力雖然不弱，但她究非子母神膽之敵，力拚到三十回合後，逐漸感到不支，只覺對方手

中的環刀，愈來愈重，招架異常吃力。

她突然警覺到，自己打法上有了錯誤，正以自己先天上的短處，去對他人之長。原來，她心中傷痛掌門師兄被擄，出手劍勢異常快猛，處處和勝一清硬打硬接，求功心切，忽略了女人先天體質上的差異，直待她感覺出吃力時，才發覺自己打法上犯了錯誤。

心念一轉，變力拚爲巧打，不再硬接勝一清重重的九環刀，而以輕靈的劍招和身法，和子母神膽對敵。

這一場激戰雙方武功相近，而成了一個不勝不敗的局面，王寒湘以奇奧的身法，彌補功力的差遜，竟把超元、超塵全力的搶攻擋住。

東方天際，泛起了一片魚肚白色，天色到黎明時分，雙方已力搏百回合以上，強弱之勢漸可看出。

超慧被子母神膽的九環刀迫得只餘下招架之力，雖尚可支持一段時間，但已現露出敗象。

王寒湘摺扇，掌勢、身法，卻是愈打愈奇，超元、超塵都無法預測他下一招的變化，無法能搶得先機，反被他左一扇、右一掌，鬧得兩個人手忙腳亂。

但是，他內腑的傷勢，卻因久戰不息而逐漸發作，無法再控制胸中翻湧的血氣，他心中很明白，如果再逞強支撐下去，傷勢即將惡化，一旦真氣消散，只有束手待斃。心念一轉，不再戀戰，左扇右掌，同時猛攻幾招，把超塵迫退了數步，縱身一躍，跳出圈外冷笑一聲，喝道：「貴派武功也不過爾爾，王某已經領教，咱們後會有期，今天恕不奉陪了。」

說罷，轉身疾躍而去。

勝一清本已穩操勝券，但他見王寒湘撤身退走，立時猛攻二刀，躍出圈外，轉身一掠，緊隨王寒湘身後，向崖下奔去。

超元、超塵雙雙大喝一聲，縱身追去，超慧喘了口長氣，也跟著追下。

雙方相距也就不過是二丈左右距離，但見五條人影，快比劃空急矢，不大工夫，已出去五、六里遠近，但雙方仍然相距兩丈左右。

勝一清見峨嵋三老緊追不捨，不禁心頭火起，探手入懷，取出子母鋼膽，運足腕力，一回頭揚腕打出。子母膽在江湖上是出了名的暗器，威力奇大，鋼膽出手挾著一股破空風聲，直擊過去。

超元大師追在最前面，見鋼膽來勢奇猛，倒也不敢大意，只得收住急奔之勢，橫躍閃避，鋼膽帶風從他耳邊飛過，向他身後的超塵打去。超塵閃讓不及，只得舉起手中銅缽封擋，但聞一聲金鐵大震，銅缽幾乎被震脫手，不禁吃了一驚！

就在這一錯愕間，忽覺右腿一疼，不由自主地後退了三、四步，幾點寒芒掠耳飛過，他一咬牙，強忍傷疼，仍然向前追去。

原來勝一清那巨型鋼膽裡面，另外包藏著五粒小型鋼膽，只要用兵刃一擋，外形膽殼碎裂，裡面暗藏的五粒小型鋼膽，立即四面激射傷人。

因爲超塵手中銅缽，較一般兵刃面積廣大，勝一清鋼膽中暗藏的五粒小鋼彈，二粒被他缽體擋落，兩粒被缽面滑向一側飛去，另一粒滑向下面，擊中他右腿。

超慧走在最後而且和超塵距離較遠，聞得鋼膽和銅缽相擊之聲，立時收住腳步，凝神相待，只見兩點寒星，破空直飛過來，忙側身讓過一粒，舉劍拍落一粒。

但玉寒湘和勝一清，已借峨嵋三老閃避、劈擋暗器的工夫，風馳電掣而去。

超元望著兩人去如流星的背影，心知已無法追上，不禁仰天長嘆，木然呆立，滿臉沉痛，淒傷欲泣。

超塵、超慧分站他的兩側，他們同樣有著極端的沉痛，良久，仍然講不出一句話來。

這時，超塵右腿的傷處，逐漸加重了痛苦，似被火燒一般，只疼得他臉上汗水直往下滾。他終於忍不住了，低頭看時，傷處已隆腫起一個紫包，附近，也開始紅腫起來。

超元忽然一跺腳大笑起來，笑聲淒厲，入耳驚心。

超塵被超元那奪人魂魄的笑聲，驚得呆了一呆，暫時忘卻了右腿的傷疼。

超慧更是驚得心慌意亂，急聲叫道：「大師兄，大師兄，你……怎麼啦……」

超元倏然收住狂笑之聲，兩行老淚，奪眶而出，合掌當胸，黯然說道：「咱們峨嵋自開創門派以來，從未受過今日之辱，眼看著掌門人被人擄走，咱們還有何顏面立足武林，何以對歷代長老在天之靈。」

超塵強忍傷疼，左手提缽，右手揮去頭上的汗水，接道：「大師兄也不要過份自責，事情既已出來，急在善後……」

話至此處，突覺傷處一陣急疼，竟自接不下去。

這時，超元、超慧都已注意到銅缽和尚神態。超慧首先蹲下身子，查看了超塵的傷勢後，不禁一皺眉頭，道：「你中的是毒藥暗器！」

超塵道：「傷處疼如火燒，不知是什麼毒？」

超元激動的神情，逐漸平靜下來，伏身看超塵傷處，半條腿都已開始紅腫，心中暗暗吃驚，但他外形仍然保持著平靜，道：「你傷得不輕，必需要早些放血去毒，咱們先回寺中，替你療治毒傷，再去天龍幫黔北總壇。」

超慧接道：「天龍幫人眾勢大，高手如雲，咱們三人之力，實嫌過於單薄，不如聯合武當、青城、雪山三派，合力對付。好在天龍幫和三派早有嫌怨，不難說動他們……」

超元道：「青城派和咱們淵源甚深，當可拔刀相助，至於武當、雪山兩派，雖和天龍幫結有嫌怨，但肯否相助，很難預料，此事必須從長計議，免得到時丟臉。眼下先回寺去替二師弟療傷要緊。」

說罷，扶著超塵，返回萬佛寺。

這時，天色已經大亮，東方天際，升起來一輪紅日，金光霞線，交織成絢爛無比的日出景色，卻又是那樣短暫，轉眼瞬間。

耀目的彩霞，變成了過眼雲煙。

二四　海天一叟

太陽爬過了山巔峰尖，照射著山崖下一株千年巨松。

巨松下坐著一個全身黑衣的女人，散亂的秀髮，披垂地上，臉色慘白得沒有一點血色，她身邊橫放著一支晶瑩透明的玉簫，懷中卻抱著一個疾服勁裝的垂死青年。

她沒有淚水，也沒有痛苦悲傷的神情，只是木然地呆坐著。

山風吹飄著她散披的長髮，一陣陣似嘯松濤，托襯出這淒涼的畫面。

突然，她懷抱中的青年掙動一下，慢慢睜開了一雙失神的眼睛，說道：「我傷的很重……恐……怕是不行了……你不要再管我了……你走吧……」聲音低得只有他自己知道說些什麼。

但那黑衣女人卻從他啓動的口中，意會到他說的話，搖搖頭，道：「兄弟，我不走了，我要陪著你……」

那青年突然由黑衣女人的懷抱中一挺而起，道，「此舉大可不必，楊夢寰如果還能活在世上，定報昨夜相救之情……」話還未完，突覺一陣頭暈，湧噴出兩口鮮血，踉蹌後退數步。

黑衣女人忽然躍起，急道：「你傷勢慘重異常，快些坐下調息，生死大事，豈是……」

楊夢寰突然仰天大笑一聲，道：「承你關注，感情心領，但我要死得清清白白……」

黑衣女人臉色大變，慘白的臉上浮滿殺機，隨手撿起玉簫，怒聲接道：「我有什麼不好？

告訴你，我雖然遊戲人生，飄蹤江湖，但還是冰清玉潔之身。」

楊夢寰一咬牙，把一口湧到咽喉的鮮血，嚥回腹中，笑道：「咱們非親非故，你爲什麼要這樣對我，孤男寡女，相偎深山，一旦傳言出去，豈不要污你玉簫仙子的名節？」

玉簫仙子冷笑一聲，道：「我一生只有好惡之念，什麼名節不名節，我根本不懂，我也不願去懂。再說你已是垂死之人，此刻不過是迴光返照，等你那最後一口元氣消散，立即要倒斃荒山，你認爲還能活下去嗎？」

楊夢寰道：「你既知我是垂死之人，何苦還要在我死前，多加我一份愧疚不安……」

玉簫仙子放聲一陣格格嬌笑，道：「我不但要增加你的愧疚不安，而且還要親手把你擊斃簫下，這樣我才心安理得。」

說罷，舉手一簫點去。

楊夢寰側身一閃，讓過玉簫，欺到玉簫仙子身側，反掌一招「毒龍噴霧」，擊中玉簫仙子右肩。這本是天罡掌法中三大絕招之一，威力相當奇大。只因他內傷慘重，拍出掌勢虛飄飄地毫無一點勁力，一掌擊在玉簫仙子身上，不但難傷玉簫仙子，而且倒把自己震得晃了兩晃。

但他奇奧的閃避身法，卻把玉簫仙子驚得呆了一呆。

他見一掌擊中對方後，毫無半點功效，心知再打下去，也不過徒自取辱，立時轉身向前面山峰奔去。

玉簫仙子忽然尖聲大笑起來，聲音異常淒厲刺耳，笑聲中縱身一掠，隨後追去。

楊夢寰耳聞尖銳長笑之聲，愈來愈近，心中十分焦急，只得拚盡餘力，向前狂奔。

一個意念支持著他慘重傷勢的軀體，也激發他生命中僅餘的潛力，竟被他攀登上一座數百丈的高峰。

玉簫仙子目睹他奇快的身法，心中暗暗驚異，她功力比夢寰深厚，受傷亦沒有楊夢寰重，傷後又服過楊夢寰相贈的靈丹，那粒功效神奇的丹丸，不但有延年益壽之能，且又是療治內傷的聖品，秘方來自《歸元秘笈》，實乃當代武林中第一等靈丹奇藥，是以她才能支撐。

但她仍無法追趕上捨命狂奔的夢寰。

待她追上峰頂，楊夢寰已快到另一端懸崖邊緣。

這時，她才了解了楊夢寰的心意，竟是想撲崖死去，心頭一驚，停住了腳步，大聲叫道：

「兄弟，楊相公，你……你不要跳，我不追你了……」

聲音悲淒，如巫峽猿啼。

楊夢寰已到了那懸崖邊緣數尺之處，聽得玉簫仙子哭喊之聲，不自覺地停住身子，回頭望去，果然她站立在丈餘外，不再追趕，不禁鬆了一口氣。

這一停下，支持他重傷軀體的潛力，驟然消失，再也支持不住，只覺眼前一黑，仰面栽倒地上。

玉簫仙子只驚得啊呀一聲，縱身一躍到了夢寰身側，只見他倒臥之處，距那懸崖邊緣，只不過尺許遠近，如果他剛才再往前跑兩步，這一仰面跌倒，必然要墜下懸崖。

她緩緩蹲下身去，輕伸玉掌，按在夢寰前胸，他心臟雖然還有些輕微的跳動，但人已完全昏迷過去，臉色慘白，氣若游絲。

她本是久歷江湖之人，見多識廣，一望之下，已知難再救藥，不禁一陣感傷，黯然淚下。

要知楊夢寰受到心雷一擊，內腑已被震離原位，傷勢之重，早難支持。所以能不當場斃命，全仗他服用那舟中所遇身披藍紗少女相贈靈丹妙藥，護住他最後一口元氣不散，如果能及時療治，不難逐漸好轉。

偏是他生性固執，不肯聽玉簫仙子警告之言，大危垂死之際，還要顧及到日後流言中傷，拚耗最後一口元氣，掙脫玉簫仙子懷抱，攀登上高峰，致使那靈丹托護他丹田僅餘元氣，完全消散，傷處劇變，內腑效能消失，全身脈穴閉塞。

她放下手中玉簫，不顧自己傷勢惡化，強行運氣，功行雙臂，氣聚兩掌，緩緩在夢寰各處要穴推拿。

她雙掌連推拿楊夢寰十二處重要穴道，可是楊夢寰眼皮也未睜動一下。

玉簫仙子絕望地停下雙手，擦去頭上汗水，呆呆地望著僵臥在身旁的夢寰一陣，臉上突然泛起笑意，自言自語地說道：「兄弟，你好好的安息吧！我要替你建一座安適的長眠之所，我要摒棄江湖上一切紛擾，靜靜地陪守在你的身側，兄弟，走吧！」

她平伸雙手，抱起夢寰，隨手撿起玉簫，信步下了山峰，茫然向前走去。

這時，她似是已失去了主宰自己的力量，心中空空洞洞，沒有感傷，也沒有悲苦，山風吹飄著她垂到腰間的長髮、衣袂……

翻越過數道山嶺，到一處山泉匯集的小溪旁邊，潺潺水聲，如鳴佩環。玉簫仙子忽然覺著口中有些渴了，她放下懷抱中的夢寰，喝了幾口溪水，只覺寒意冰心，神智驟覺一清。

抬頭望去，只見三面都是連綿的淺山。正北方數百丈外，有一座高峰，奇偉拔天，一道瀑

布由那千尋峭壁間直垂下來，在一處突出的大岩上，濺玉噴珠，霧氣迷漫，遠遠望去，有如一團濃霧，凝結在空中。

她略一張望，抱著夢寰，沿小溪直對那高峰下走去，那急瀑由峰上瀉落的響聲，愈來愈大，但聞隆隆巨聲，如鳴沉雷。

突然幾滴冰冷的水珠，濺飛在玉簫仙子的臉上，使她木然的神志，陡然清醒過來，抬頭看去，原來已到了那高峰下面。

她仔細打量這峰下的景物，只見蒼松翠綠，芳草如茵，四周都是環繞的淺山，山風都被那山勢擋住，這塊百丈方圓盆地的氣溫，和別處截然不同。

她仰臉望望天色，已到了中午時分，再低頭看看懷抱中的夢寰，緊閉著眼睛，過去冠玉般的俊臉，此刻慘白如蠟，氣息微弱得已使人覺不出他還活著。

她輕微地嘆息一聲，對著懷中的人兒，淡淡笑道：「兄弟，你怎麼不掙扎了？嗯！乖乖地睡吧！我會伴守在你的身側……」

她低下頭，把櫻唇湊在夢寰緊合的嘴上，輕輕親了兩下，緩步走向山腳下一個大岩石邊。

突然，她看到不遠處峭立的崖壁間，有一座高可及人的石洞，心中一喜，立時急奔過去。

那座石洞只不過有一間房子大小，裡面滿是獸糞，臭氣觸鼻欲嘔。

玉簫仙子皺皺眉頭，退出石洞，又抱著夢寰沿山壁向北走去。

這時，他們已在那瀑布飛濺水珠的籠罩之下，衣履盡濕。

她心中忽地一動，運足目力，向那飛瀑擊沖空岩下望去。

果然，那突岩下是一片向裡面凹進的崖壁，只是那凹壁在二十丈高處，峭壁光滑，攀登極是不易。她思索了一陣，終於被她想出了一個辦法，放下夢寰，去採集了很多山藤接起，一端綁在夢寰身上，一端繫在自己腰間，施出壁虎功，游上突岩下凹壁之處，然後再把夢寰提上去。

那突岩下面，是一座左轉右彎，二丈多深，八、九尺寬窄的石洞，宛如人工開掘的石室，洞口被濺飛的水霧遮住。

玉簫仙子解開綁在夢寰身上的葛藤，把他依靠在石壁上，擺成一個端坐的姿勢。

這時，楊夢寰已經是動也不會動了，暈迷的神志，一直就未再清醒，手腳已微感僵硬，只餘一縷弱息，尚未全絕。

玉簫仙子靜靜地坐在他的對面，忽然，她撿起放在面前的玉簫，目光凝注在夢寰的臉上，笑道：「兄弟，你就要走了，我再替你吹一曲簫聽聽吧？」

說罷，置簫唇邊，吹了起來。

只聽一縷細細的柔韻，混入那沉雷般的瀑布聲中，如泣如訴，極盡淒涼。

她心中本已塡滿了憂苦悲淒，只不過勉強運用定力壓制，不使它發作出來，這一借簫聲發洩，隱藏在胸中的憂傷情愁，完全隨著那婉轉的簫聲吹奏出來，簫聲混著她泉水般的熱淚，急湧而出。

不知道過去了多長時間，忽然間身側一個冷冷的聲音響起，道：「姑娘的雅興不淺，竟肯爲一個垂死之人，吹出這等淒涼簫聲，只可惜，他已不能聆受了，你就吹上個十年八年，他也是活不了啦！」

玉簫仙子心神早已和那淒涼的簫音，融合一起，耳目失靈，聽得那喝問之聲，不禁心頭一

震，轉頭望去，只見石洞門口，站著一個絕美的黃衣少年，背插長劍，腕套金環，眼望著靠在石壁上垂死的夢寰，嘴角間掛著一份冷峻的笑意。

她怔了怔，挺身躍起，橫簫問道：「你是什麼人？」

黃衣少年目光由夢寰身上，移到玉簫仙子的臉上，淡淡一笑，道：「兄弟叫陶玉，姑娘大概是名震江湖的玉簫仙子吧？」

他格格大笑一陣，接道：「那位依壁端坐，奄奄待斃的人，可是崑崙派一陽子門下弟子，叫楊夢寰的嗎？」

玉簫仙子聽他一開口就叫出自己和楊夢寰的名字，不覺呆了一呆。

只見陶玉一晃身，欺到楊夢寰身側，笑道：「楊兄，艷福不淺啊！活著時有一位如花似玉的師妹，常伴身側，垂死之際，又有大名鼎鼎的玉簫仙子，吹奏著玉簫，哀樂送行……」

玉簫仙子聽他出言譏諷，不由心頭火起，探臂一簫，直向他後背「命門穴」上點去。

陶玉冷笑一聲，橫跨兩步，左手一招「分雲取月」，逼住玉簫，右手伸縮間，已把楊夢寰抱在懷中，一晃身，黃衣飄處，人已搶到石洞門口。

玉簫仙子心中大急，嬌叱一聲，振簫追去，她知道洞外是一道數十丈高低的峭壁，下面怪石嵯峨，旁側又是那瀑布激流積成的深潭，這黃衣少年武功再高，也不敢懷中抱著人，躍下石壁，是以，她心中雖憋著一腔怒火，但心中並不怎麼焦急，玉簫化招「三星逐月」，指顧間，三簫先後點出。

哪知陶玉躍到洞口之後，陡然回身，右手抱人，左掌側對斜擋，借勢化解了玉簫仙子的三簫指攻。這手法、掌勢，大出武學常規，奇詭至極，玉簫仙子雖然見多識廣，也認不出這等奇

奧武學，不禁一怔。

只聽陶玉一聲冷笑，身子一側，左手當胸蓄勢，欺身直衝過去。

玉簫仙子見他竟敢這等輕敵躁急，心中大怒，玉簫一招「孔雀開屏」斜劈過去，簫劈奇猛，微帶風聲。

哪知陶玉這欺身一進，正是三音神尼拳譜上的絕學之一，半年前他在祁連山就用這招妙「游魚逆浪」，傷了他再傳恩師覺愚大師，害得老和尚撞壁碎腦而死。

這「游魚逆浪」身法，妙在借敵之勢，化敵之力，本身勁道，集中一點，縱遇阻力，亦可逆勢而進。玉簫仙子如何能識得這一招奇學妙用，玉簫出手，忽見陶玉隨著劈來簫勢一轉，已欺到了身側，不覺心頭一驚。

但她究竟是身負絕學之人，又久經大敵，應變反應異常迅速，見陶玉欺到身側，左掌忽地平向陶玉推出，一股勁風，隨掌直撞過去。

哪知陶玉左掌一劃，身子隨著微微一側，玉簫仙子劈出的掌力，貼著身子滑過，陶玉左手卻借勢由下向上一翻，擊向玉簫仙子左肘關節。

這拿人關節的手法，和一般打穴手法，大不相同，饒是玉簫仙子見多識廣，也識不出金環二郎這奇詭武學，不覺微微一怔。

只聽陶玉一聲冷笑，左手一擊，玉簫仙子全身勁力，頓時消失，左臂肘間，骨疼欲裂。

她心中明白，只要對方左手一扭，必將把自己左臂折斷。但她是個性倔強之人，雖然無能再戰，但卻緊咬銀牙，一聲不響。

可是陶玉並不下手扭斷她左肘關節，只是高托著她的左臂，側目斜睇著她，笑道：「姑

娘，怎麼樣，你是服也不服？」

玉簫仙子怒道：「你儘管下手就是，想要我出言相求，那是……」

陶玉淡淡一笑接道：「我要傷你性命，只不過是舉手之勞，但我要讓你死得心甘，敗得心服……」

話到此處，右手忽地鬆開了玉簫仙子左肘關節，疾退三步。

玉簫仙子舒展一下左臂，轉動星目，打量眼前的黃衣少年，只見他倚在數尺外石壁上，右手抱著夢寰，左手護胸待敵，臉色勻紅，齒白似碎玉，金環束髮，眉目如畫。看他姣好的面目，別說男人中絕無僅有，就是女人中，也難選出幾個來。

陶玉見她只管打量自己，不禁微微一笑道：「你心裡服也不服？」

玉簫仙子忽地躍起，一簫點去，道：「我不服你怎麼樣？」

陶玉側身一轉，又施「游魚逆浪」身法，欺到玉簫仙子身側，舉手一托，又抓住玉簫仙子右肘關節，笑道：「不服，你就多試幾招看看……」

話猶未落，突聽挾在脅下的夢寰微弱的聲音，接道：「陶兄，不……要傷她……」

金環二郎低頭看時，只見他脅下挾的夢寰，微睜著一雙眼睛，不知何時竟清醒過來，他呆了一呆，鬆了玉簫仙子被拿的右肘關節，翻身一躍，到了洞口，再低頭望夢寰時，已緊緊地閉了眼睛。

他探首望望崖壁下那嶙峋怪石，心中忽生惡念，雙手把夢寰舉起，說道：「楊兄，你這等留戀不死，只不過多增罪受，小弟今天要成全你了！」

陶玉正待把夢寰投下斷崖，忽覺背後風生，玉簫仙子又揮簫攻襲過來。

陶玉雙臂一震，把夢寰直向崖下投去，但在玉簫仙子迫攻之下，心中未免有點慌急，用力過猛，失了準頭，他本想把夢寰拋到崖下那怪石上摔死，但這一慌，卻把夢寰拋到那瀑布匯集的水潭中去了。

就在這一刹那之間，玉簫已點到陶玉的背後。

金環二郎雖然已從覺愚大師處學得不少本領，近來更自三音神尼手著拳譜上，學到不少絕傳武學，但究竟時間有限，除了幾種常用武功，能夠運用對敵之外，大部尚未嫻熟。玉簫仙子這出手一擊，又是全力施爲，陶玉背向敵人，再想翻身迎敵，哪裡還來得及，就在生死間不容髮之際，陡然一躍，緊隨著被他投擲出手的楊夢寰，向崖下水潭中躍去。

玉簫仙子想不到他竟會躍下懸崖水潭，這一簫因用力過猛，點空之後，身不由主地向前一栽。

哪知陶玉在躍出石洞之後，半空中倏然一收雙腿、身懸空中，打了一個轉身，左手一揚，一只耀眼金環，脫腕飛出，挾著破空銳風，直向玉簫仙子打去，來勢奇速，一閃而至。

雙方相距既近，發難又出人意外，玉簫仙子又正值用力過猛，上半身完全探出了石洞之際，待她驚覺，金環已到面前，只得一側臉，讓過要害，金環挾風，掠面而過，環上尖齒，在她雪白的粉頸上，劃了一道寸許長短的血口，深達半分，血流如注。

她本是身負重傷之人，又經強行運氣替夢寰推拿穴道，人早已難再支撐，全憑夢寰送入她口中那一粒靈丹的神奇藥力，和一點真情激發起的精神力量，支持著她，爬上了數十丈高的懸崖，和陶玉相搏石洞。

如今楊夢寰既被金環二郎投下懸崖，她又連遭挫辱，再加上受金環劃頸之傷，心中急忿交

織，再也提不住丹田一口真氣，嘴裡只喊一聲：「兄弟……你……」人便昏倒在石洞中。

且說陶玉懸空轉身，施放金環，固然擊傷了玉簫仙子，但他這一分神，無法控制自己墜落之勢，和楊夢寰一齊飛落在那瀑布激流匯集的水潭之中。

楊夢寰本已暈死過去，吃那冰冷潭水一激，忽然又清醒過來。

他隨師學藝的玄都觀，緊依沅江，本通一點水性，面臨這溺斃之境，殘餘的生命本能，又發生作用，不停用手撲打水面，不使沉葬潭底。

所幸這急瀑經那山腰中大岩石一擋，飄散成數千百股細流而下，看上去水霧迷漫，甚是唬人，其實那水潭中相當平靜，並無激流擊撞捲漩之力。

陶玉在落水後，見夢寰忽又睜開眼睛，在水中掙扎，心中暗叫兩聲慚愧，道：「我如不被玉簫仙子逼落水潭，還認爲他沉屍潭底了……」

他心在想，嘴裡卻格格笑道：「楊兄，這水潭附近景物不錯啊！一個人能葬身在這水潭之中，也真是死得其所了。」

楊夢寰掙扎著不使沉入潭底，已經是極盡餘力，哪裡還能聽清楚陶玉說的什麼？

陶玉雙手撥水，划到夢寰身側，托住他右臂，冷笑一聲，道：「楊兄，咱們相交一場，兄弟實不忍看到你這等不死不活模樣，我今天要成全你了。」

右手用力一撥水面，划到岸邊，腳站實地，右掌潛運功力，正想劈碎夢寰「天靈穴」，突聞身後一個冷冷的聲音喝道：「你要幹什麼？快把我師弟送上岸來！」

金環二郎回頭一看，只見童淑貞手中橫著寶劍，全身衣服都被那濺飛的水珠噴濕，圓睜星目，滿臉憤怒之色。

他把舉起的右掌輕輕在夢寰「天靈穴」上拍了一下，縱身躍上水潭，笑道：「他被玉簫仙子由那突岩下投落水潭，我才冒險躍下水潭相救，不過他傷得十分慘重，只怕難以解救了。」

童淑貞半信半疑地道：「哼！我就不信你的鬼話。」

陶玉剛才在夢寰「天靈穴」輕拍一掌，已暗運太陰氣功下了毒手，別說楊夢寰已是奄奄待斃之人，就是他沒有受傷，那一拍也難承受。不過，太陰氣功是一種極爲險毒的功夫，發作緩慢，而外面又看不出一點傷痕。

童淑貞從陶玉手中搶過夢寰，奔出那片瀑布激濺的水霧，找一處避風的山腳，把夢寰放在地上，運起功力，在夢寰各處要穴推拿。

陶玉嘴角間帶著冷漠的笑意，靜靜地站一側看著，一語不發。

童淑貞雙掌遍走了楊夢寰全身十二大穴，但楊夢寰仍然是昏迷不醒。

她已累得滿臉汗水直滾，心知自己已無能相救，停下手，站起身子，轉臉對陶玉道：「你不動手幫忙，站在那裡看什麼？快些把我師弟救醒。」

陶玉搖搖頭，淡然笑道：「他傷勢嚴重異常，元氣全散，當今之世恐怕已沒有人能救得了他。」

童淑貞急道：「縱然是救不活，也該盡到心力。」

陶玉冷笑一聲，接道：「你好像很關心他？」

童淑貞道：「我是他師姊，關心他有什麼不對？」

陶玉微微一笑，不再答話，蹲下身子，右手在夢寰胸前一摸，皺起眉頭，道：「沒有救了，咱們找個地方把他埋起來吧！不要他曝屍荒山，你也算盡到心了。」

童淑貞聽得一驚，急忙伸出玉掌，輕按在夢寰胸前，果然，他心臟已微弱得幾乎使人覺不出還在跳動，心頭一急，不禁淚下。

陶玉笑道：「你哭什麼？哭也不能把他哭活。」

童淑貞心中十分傷痛，不理陶玉，反而坐在夢寰身側，大哭起來。

陶玉深知夢寰已無復活之望，也不再阻止童淑貞，靜靜地坐在一側，看著童淑貞哭泣。

忽然，他嘆口氣，說道：「唉，要是沈霞琳得到這個凶訊，那只怕要哭個死去活來……」

說罷，縱聲大笑起來。

童淑貞陡然停住哭聲，怒道：「你別整天想著我沈師妹，哼，就是我楊師弟果真死去，我沈師妹也不會喜歡你……」

陶玉雙肩一揚，冷笑一聲，接道：「他不是真死，難道還是裝死不成，人既絕了氣，你還哭什麼？你要不想走，我可要先走了。」

說罷，果然站起了身子，拂袖欲去。

童淑貞平日雖和陶玉吵吵鬧鬧，但見陶玉真的生了氣，她又軟了下來，一伸手，抓住陶玉左臂，道：「你要往哪裡走？」

陶玉道：「天涯海角，九洲三島，哪一處我都能去。」

童淑貞看他臉上仍帶憤然之色，態度忽然變得十分溫柔，道：「等我把我楊師弟埋起來再走好不好？」

陶玉想起楊夢寰過去和自己相處之情，心中突生愧咎之感，點點頭嘆口氣，道：「好吧！我幫你動手，咱們替他建一座別出心裁的石塚。」

說完，抱起夢寰微僵的身體，向前走去。

兩人找到一處山腳下面，那地方都是一塊塊鵝蛋大小的白色卵石，陶玉把夢寰放在地上，兩人一齊動手，揀集卵石，不大工夫，已堆積成一個五、六尺高，八、九尺長的石坑。

陶玉抱起夢寰，放入那石坑中，望著楊夢寰，笑道：「楊兄，咱們相交之初，兄弟實在想不到，能親手給你建墓送葬。」

說罷，一躍出坑，正待填那石坑，童淑貞忽地一躍，落入石坑中，伸手按在夢寰胸前，只覺他心臟還在跳動著，雖然微弱得很，但並未完全停止。

陶玉雙手拿著卵石，叫道：「你快些出來，幫我動手，填滿了石坑，咱們還得趕路。」

童淑貞道：「他好像還沒有完全氣絕，難道我們要把他活葬在鵝卵石下不成？」

陶玉怒道：「他已經活不成了，早葬一點時間，又有什麼關係？」

童淑貞道：「我……我忍不下心！」

陶玉一抖手，兩塊鵝卵石脫手飛出，擊在一塊大岩山上，但聞兩聲大震，火星迸飛中，石屑如雨，灑落了兩丈方圓。

他投了手中卵石，一躍入坑，抓起童淑貞一條臂，潛運真力，猛然一躍，竟把童淑貞帶出石坑，冷笑一聲，道：「怎麼？你不肯出來，是不是想陪他殉葬？」

童淑貞道：「你不要胡說八道，我師弟還沒有氣絕……」

陶玉突然格格一陣大笑，道：「不管他是否真死，咱們辛辛苦苦的替他建這一座石塚，總

不能就這樣空了起來。」

童淑貞道：「空起來有什麼要緊，我師弟不絕氣，我就是不准你填這石坑。」

陶玉冷冷答道：「你能擋得了嗎？」

說完，伏身又撿起兩塊鵝卵石。

童淑貞知他腕力奇大，這兩塊鵝卵石，如果讓他投入石坑中，楊夢寰就是未死，也得被他打死，心頭一急，呼地一掌，向陶玉前胸打去。

金環二郎側身避開，飛起一腳，踢向童淑貞的小腹。

童淑貞出手一擊，只不過是情急之下，並非真要和陶玉動手，掌勢發出，人已向後撤退。但見陶玉眉宇間的殺機畢露，不禁心頭一凜，讓開一腳後，一躍入坑。

她和陶玉相處時間雖短，但已知他生性毒辣無比，是以躍入坑中後，立時拔出背後寶劍。

果然，她寶劍剛剛出鞘，兩塊鵝卵石挾著奇猛風聲，破空落下，一塊擊向夢寰前胸，一塊對準夢寰頭上擊落。他在石坑外面，一點也看不到石坑中情景，但憑剛才記憶，出手能擊向夢寰要害，手法之準，實在驚人。

童淑貞揮劍一擋，把擊向夢寰頭上的一塊鵝卵石擋飛，左手疾出，接住了擊向夢寰前胸的一塊鵝卵石。

就這眨眼之間，陶玉已躍進石坑，臉上帶著微笑，態度十分溫和地對童淑貞說道：「你究竟要怎麼樣？我可要走啦。」

童淑貞左手接他一塊鵝卵石，只震得手腕痠疼，心中氣忿未平，脫口答道：「你走吧！我要守著楊師弟，等他絕了氣再走。」

陶玉仰臉望天，冷冷說道：「那就不如你陪著他，一齊葬在這石坑中好些……」

話未落口，陡然欺身而進，左手一伸，拿住了童淑貞右肘關節，微一用力，童淑貞只覺手肘一麻，手中寶劍鐺的一聲，落在地上。

金環二郎格格一陣大笑，右手撿起地上寶劍，寒氣直逼在童淑貞前胸，道：「你們師姊弟，生雖不能共羅幃，但死後能同葬一穴，總也算一件美事……」

他眼中閃起一抹兇光，望了望閉目靜躺的夢寰，接道：「楊兄！兄弟對你不錯吧！生前有你沈師妹朝夕相伴，死後兄弟又替你找一個陪葬的玉人。哈哈，楊兄，陰靈有知，也該感激兄弟這份盛情了。」

童淑貞被他拿住關節要穴，半身發麻，手腳無力，縱想出手一拚，也無法如願。聽完陶玉一番話，更是羞急萬分，圓睜星目，咬牙切齒地說道：「我楊師弟陰靈果真有知，只怕要生啖你肉……」

陶玉右手微微向前一送，寶劍透過她青色上衣，鮮血沿劍鋒汩汩而出。

童淑貞被他拿住肘間脈穴，全身麻木，毫無抗拒之力，低頭看胸前鮮血透衣，心中忿恨至極，咬牙怒道：「你殺了我，我也不走。」

陶玉突然收劍，格格大笑道：「你想得倒不錯，只怕沒有這樣容易讓你痛快地死！」

童淑貞冷冷地怒問道：「那你想怎麼樣？」

陶玉笑道：「我要慢慢懲治你。先點了你全身險穴，讓你動彈不得，然後剝了你全身衣服，再把你和你楊師弟並肩放著，哈哈，我要你們並肩陳屍，暴骨荒山，要天下武林同道，都知道你們師姊弟間的風流……」

童淑貞羞得滿臉通紅，急聲接道：「我和楊師弟之間冰清玉潔，你縱然用心險毒，只怕也不能一手遮天，瞞盡天下武林耳目。」

陶玉道：「楊夢寰整日和沈霞琳膠在一起，我就不相信他還是童男之身。」

童淑貞道：「哼！你不要以己之心度人之腹，我楊師弟為人忠誠，豈像你禽獸不如……」

陶玉冷冷接道：「至低限度，你已非白璧之身，你們師姊弟並臥在這等荒山之中，遍天下除了我陶玉知道之外，再無第三人知道底細，只要我略作渲染，還會有什麼人不信？」

童淑貞只聽得心頭一震，機伶伶地打了兩個冷戰，心中暗暗忖道：此人說得出，就做得到，他要真如所說而為，只怕楊師弟一段污名沉冤無昭雪之日，那麼一來，不但沈師妹恨我入骨，而且還影響到崑崙派在江湖中的聲譽地位。天啊！這一來，我童淑貞當真是死難瞑目了！最後兩句話，本是她心中所想之事，但因心中性急過甚，不自覺地大聲叫了出來。

陶玉卻格格一笑，道：「你們師姊弟含冤之事，暫且不去說它，單是我點中全身險穴那種痛苦，只怕你也承受不了。」

說著後，右手霍然伸出，連點了童淑貞三處險穴。

這等殘酷點人險穴手法，本是三音神尼手著的拳譜上所載十三種武功中的一種。三音神尼手著拳譜中，記述人身險穴部位，目的是救人所用，一經點中，人身內奇經八脈中的維陰三脈，氣血立時逆轉，凡是身被奇毒侵入體內的人，經過氣血逆轉之力，可把脈內所漫之毒迫出，但事先必需先把當受之人，幾處要穴封閉，不然那逆轉血氣攻入內腑，當受之人，如被萬蛇鑽心，縱然是鐵打金剛，也難受這種痛苦。

童淑貞被點之初，並不覺得難過，反而有點昏昏欲睡，全身十分舒暢，大約過有一盞熱茶

工夫，突覺內腑一陣翻動，逆行氣血，攻入心臟，只覺有如千百條毒蛇，在胸中攪來攪去，身受之苦，實難言喻，恨不得一頭撞死。

但她右肘關節，又被陶玉拿著，全身掙動不得，滿臉汗水，滾滾而下。她雖然咬牙苦熬，但仍然支持不住，只得柔聲求道：「玉哥哥，你真忍心這樣對我嗎？」

陶玉冷笑一聲，道：「我這點制人身險穴手法，毒辣無比，別說是你，就當今之世而論，只怕也沒有人能忍受得了。哼，你知道厲害了吧？」

童淑貞內腑疼痛難耐，周身冷汗如雨，透濕她裹身勁裝，連聲應道：「我知道了，你快些替我解開，我……受不了。」

最後一句話，聲淚俱下。

陶玉笑道：「要我替你解開，也不是什麼難事，但你得答應我親手填這石坑。」

處此情景，童淑貞只得乖乖就範，點頭應道：「我……我答應你。」

陶玉舉手在童淑貞身上連擊三掌，解了她被點的險穴，但右手仍拿著她右肘關節不放。

童淑貞喘了幾口氣，用衣袖抹去臉上汗水，道：「你鬆開右肘，讓我休息一陣好不好？我現在全身痠軟無力，哪裡有力氣填這石坑。」

陶玉搖搖頭，笑道：「待你把這石坑填好後再休息不遲，再要借故推諉，可不要怪我又下辣手了。」

童淑貞想到剛才所受痛苦，有如千百條毒蛇鑽心，不禁冒出來一身冷汗，只好遵從陶玉之言，緩緩蹲下身子，把卵石一塊一塊地向夢寰身上堆去。

她堆積得異常緩慢，淚水伴著她緩緩舉起的玉掌，先從夢寰的雙腳向他身上堆積。

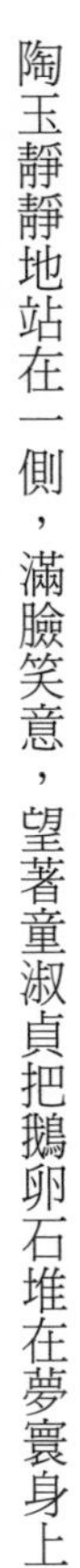

陶玉靜靜地站在一側，滿臉笑意，望著童淑貞把鵝卵石堆在夢寰身上。

漸漸地，鵝卵石掩蓋了夢寰雙腿、小腹。

童淑貞的心情，也隨那堆在夢寰身上的卵石，愈來愈覺沉重，她的動作更慢了，但淚水似兩道急湧而出的山泉，滴在那白色鵝卵石上，沿著她自己的手背，滴在夢寰的身上……

突然，一片清幽深長的嘆息聲，隨著山風傳來，緊接著響起一個甜脆聲音，說道：「黛姊姊，那瀑布擊在崖石上真好看，只可惜寰哥哥不在這裡，他要看到了，心中一定很高興，唉！不知道哪一天我們才能找得著他。」

童淑貞只聽得心頭一震，陡然神志一清，暗中運集功力，猛地一掌向站在身側的陶玉劈去，同時口中又大聲喝喊道：「琳妹妹，琳妹妹，你寰哥……」

她話還未說完，陶玉已閃開她猝然一擊，拿著她左肘關節，正待下手，突覺一陣疾風，當頭罩下。

陶玉順勢一帶童淑貞，退後了兩步，避開來人一擊，定神看去，只見面前站著一個絕姿絕世的青衣少年，正是在崑崙山中打傷他的朱若蘭。

原來朱若蘭聞得童淑貞大喊之聲，立時施展「八步登空」的身法，由數丈外凌空躍落石坑。

她望了童淑貞一眼，輕顰一個黛眉，目光又轉投到陶玉身上，冷冷地說道：「我還以爲是誰，原來是你！」

陶玉知她武功奇高，只要一出手，必然凌厲難擋，左手一帶童淑貞，擋在自己面前，右腕一翻，拔出背上金環劍，探臂一劍刺去。

朱若蘭輕輕一閃，劍鋒貼身而過，左掌疾出，斜切陶玉握劍右腕。

陶玉陡然一個大轉身，童淑貞身不由己地也被他帶了一個轉身，橫擋在朱若蘭和他之間。

朱若蘭冷笑一聲，正待運集天罡指功夫，用隔空打穴之法傷他，哪知一轉臉，看到了靜靜躺在地上的夢寰，白色的鵝卵石，覆蓋了他雙腿、小腹。

這一驚非同小可，頓覺腦際轟然一響，忘記眼前大敵，一腿掃去，掩蓋夢寰身上的鵝卵石，紛紛飛去，伏身探臂，抱起夢寰，雙足一蹬，躍出石坑。

這時，沈霞琳正如飛一般地跑過來，她一聲黛姊姊還未落口，瞥見到了她懷中抱的夢寰，不禁一呆。

金環二郎在朱若蘭躍出石坑之時，也帶著童淑貞悄然躍出，借著那石坑掩遮，疾奔而去。

童淑貞本想呼叫，但轉念想到陶玉殘酷的點人險穴手法，心頭暗生寒意，何況陶玉還拿著她左肘關節，只好一聲不響地隨著陶玉向前奔去。

朱若蘭把夢寰平放在地上，附耳在他前胸處，靜靜聽了一陣，一張勻紅的臉色，逐漸地變成了青白之色，幽幽嘆息一聲，黯然淚下。

沈霞琳自發現楊夢寰後一直沒有說話，呆睜一雙大眼睛，望著朱若蘭替夢寰療傷，她臉上雖滿是憐惜神情，但眉宇間並無愁慮之色，她相信黛姊姊無所不能，定可把夢寰的傷勢療好。

等她看到了朱若蘭盈盈淚下，心頭才有些吃驚，問道：「黛姊姊，你哭什麼?寰哥哥傷得很重嗎？」

朱若蘭嗯了一聲，道：「他傷得不但很重，而且在重傷之後又遭人暗中下了毒手，只怕是難以救得了。」

霞琳驚叫一聲：「什麼？你說寰哥哥不會活啦？」

朱若蘭黯然接道：「目前還很難說，我們先找一處清靜地方，我再想辦法試試。」

沈霞琳忽然淡淡一笑，道：「嗯！要是寰哥哥真的不能活了，那我也活不多久啦。」

她說得是那樣自然，不帶一點勉強。

朱若蘭秀目凝注在霞琳臉上，緩緩站起身子笑道：「琳妹妹，他死了，你為什麼不要活呢？」

霞琳仰頭望著天上幾片浮動的白雲，臉上神情十分嚴肅地答道：「因為他死了，我就永遠看不到啦！那我每天都要用很多的時間去想他，武功也不能學了，劍也不能練啦，唉！那真是很痛苦的事！」

說完，淒涼一笑，轉臉問朱若蘭道：「黛姊姊，寰哥哥死了，你心裡難不難過？」

朱若蘭嘆道：「他要真死了，我心裡自然是難過的……」

沈霞琳接道：「那你還要不要活？」

朱若蘭被她問得呆了一呆，道：「我還要活下去，好替他報仇，而且還得替他選擇一處風景最美的地方，建一座墳墓。」

霞琳笑道：「對啦！那地方要很多的花樹，很多的鳥兒，讓那些鳥兒每天唱歌給他聽……」

忽然她長長嘆息一聲，又道：「不過，他死了，什麼也看不到，什麼也聽不到了。」

朱若蘭幽幽一笑，抱著夢寰，向前走去。霞琳跟在她身後，默默無言地走著，她臉上毫無

悲愴之色，而是一片茫然若失的神情……

忽然，一聲清越的鶴鳴，靈鶴玄玉由百丈以上的高空，疾射而下，直到朱若蘭頭上五尺左右，才振起平飛，鶴捲起的勁風，吹飄起朱若蘭和夢寰的衣袂。

朱若蘭側臉望了那靈鶴一眼，又繼續向前走去。霞琳也失去了往日見到那靈鶴時的歡樂，自言自語地說道：「要是寰哥哥真的死了，我以後就不能再騎你玩了。」

通靈的玄玉，好像看出主人的不悅，緩展雙翼，低隨在朱若蘭身後飛行，白羽紅冠，在日光照耀下，光彩奪目。

兩人轉過了幾個山腳，到一處山谷口邊，朱若蘭放下夢寰，揚手對靈鶴一聲輕嘯，嘯聲不大，但卻悠揚婉轉，似語如訴。

靈鶴聞得那清嘯過後，振翅沖霄而起，盤旋數百丈以上高空，似在替主人守望放哨。

這座山口三面都是環繞的山壁，異常僻靜清幽，朱若蘭望了一眼笑道：「琳妹妹，我爲了救你寰哥哥。不得不通權達變，你可不許笑我。」

霞琳道：「你救寰哥哥的性命，我自然不會笑你。」

朱若蘭輕輕地嘆息一聲，把夢寰摟入懷中，暗中運集本身真氣，緩緩低下頭去，正待把櫻唇接在夢寰嘴上，突然泛起一陣羞意，兩臂一軟，幾乎把夢寰摔在地上。

霞琳細看黛姊姊，兩頰如火，半合星目，不住地輕微喘息，似是很累一般，心中半知半解，一顰眉頭，問道：「黛姊姊，你很累嗎？」

一向堅強的朱若蘭此刻忽露出兒女情態，搖搖頭，低聲道：「不是累，是我心裡害怕。」

霞琳道：「你害怕什麼？」

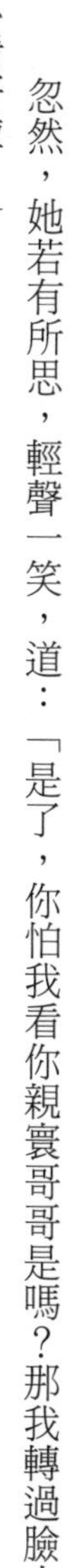

忽然，她若有所思，輕聲一笑，道：「是了，你怕我看你親寰哥哥是嗎？那我轉過臉去，不看好啦。」

說完，果然掉過頭去，雙肘放在膝上，支頸靜坐。

朱若蘭忽然變得十分溫柔，低聲叫道：「琳妹妹，你轉過來，我有話說。」

霞琳依言回過頭，笑道：「什麼事？」

朱若蘭羞澀地一笑，道：「琳妹妹，我們女孩子家，和男人肌膚相親，已是大不應該，如果再和他偎頰接唇，以後被人知道了，那還有何顏面立於人世？可是，我要不發一串真氣，助他復生，只怕他難再活兩個時辰了，這實使我進退兩難！」

霞琳細看夢寰臉色，慘白如蠟，毫無血色，心頭一急，兩行清淚，又垂玉頰，低聲求道：「黛姊姊，要是寰哥哥死了，我也是不能活的，你要是不肯救他，我……」

朱若蘭急聲接道：「我哪裡是不肯救他，只是我……我心裡有些害怕……」

霞琳奇道：「寰哥哥人最好，你救了他，他一定很感激你，等他傷好了，咱們三個人天天在一起玩，嗯！那一定玩得很快樂！」

朱若蘭低頭望了望懷中夢寰兩眼，突然一咬牙，猛然伏下頭去，把兩片柔甜的櫻唇，緊接在夢寰嘴上，舌尖運勁，挑開了楊夢寰緊閉的牙關，一股熱流，緩緩注入夢寰口中。

楊夢寰得朱若蘭以本身真氣相助，片刻之後，果然清醒過來。

他慢慢睜開眼睛，看自己依偎在朱若蘭的懷抱中，一挺身想掙扎起來，哪知他全身毫無氣力，這一掙，竟未掙扎起來。

朱若蘭粉臉上紅霞未褪，兩臂微一用力，把夢寰抱得更緊一點，含羞笑道：「你全身元氣已耗損殆盡，又被人暗中下了毒手，快給我靜躺著，不要講話，不要掙動，等我替你打通奇經八脈之後，咱們再談不遲。」

楊夢寰感激地看了她一眼，微微地點點頭，目光又轉投到霞琳身上。

沈霞琳慢慢地把身子移近到他身邊，搖搖頭，輕聲說道：「寰哥哥，黛姊姊不要你說話，但我知道你一定有很多話要對我說。」

夢寰有氣無力地點點頭，嘴角間蕩起了一絲笑意。

朱若蘭見夢寰被自己內腑元氣引接了他一縷若斷殘息，轉醒之後，立時又暗中運集功力。她知道，如果不及時打通他奇經八脈，在一刻工夫之後，他又將昏死過去。

她無暇對霞琳解說，把夢寰放在地上，右腕虛空連揚，指風震得楊夢寰衣著不停波動。

但見朱若蘭粉頰上汗水如豆，隨著她揚起的玉腕，滾滾而下，嬌喘之聲，也逐漸急促，足足有一盞熱茶工夫，她才停下手，閉上眼睛休息。

楊夢寰經朱若蘭運功打通奇經八脈後，全身機能陡然恢復，一挺身坐了起來，轉臉望朱若蘭時，只見她勻紅的嫩臉已變成蒼白之色，黛眉輕顰，櫻口半啟，呼吸沉重，似已疲累至極。

霞琳由懷中取出一方白絹帕，緩緩移到朱若蘭身側替她擦拭臉上汗水，目光中滿是憐惜。

楊夢寰呆呆地坐在一側，望著眼前一對如花玉人，突然他放聲大笑起來。

霞琳驚愕地轉過身子，問道：「寰哥哥，你笑什麼？」

楊夢寰霍然由地上躍起，步履踉蹌地向前奔去。

沈霞琳驚叫一聲：「寰哥哥，你不認識我和黛姊姊了嗎？」

她惶急地縱身一躍，攔在夢寰前面，秀目中滿含淚水，幽幽問道：「寰哥哥，你怎麼不理我啦？」

夢寰翻動兩下眼珠子，冷漠地望了霞琳一眼，繼續向前衝去。

沈霞琳心頭大急，雙臂一展，緊緊把夢寰抱住，粉臉偎入夢寰胸前，嗚咽地說道，「寰哥哥，這些日子來，我每天都在想你，可是你爲什麼不理我？……」

耳際響起朱若蘭長長的嘆息道：「琳妹妹，不要哭了，他不是不理你，他瘋了。」

霞琳啊了一聲，道：「什麼？寰哥哥發了瘋啦？」

朱若蘭點點頭，道：「他被人用極險毒的功夫，傷了內腑和『天靈』要穴，神智已經錯亂，咱們先找一處可以存身的地方，讓他靜養幾天，我再仔細的替他檢查檢查，看看是什麼功夫所傷。」

楊夢寰已被朱若蘭打通了奇經八脈，但他內腑重傷，並未好轉，是以全身毫無勁力，被霞琳緊緊一抱，竟然掙動不得。

朱若蘭疾揚玉掌，輕輕拍中了夢寰穴道，低聲對霞琳說道：「琳妹妹，你抱著他，咱們找一處能遮風的地方，再想法子替他療治。」

兩人茫然地向前走著，不知道翻越過了多少山嶺，夕陽返照在山頂的積雪上，閃起一片耀眼的光輝。沈霞琳忽有所感地停住了腳步，叫道：「黛姊姊，不要走啦。」

朱若蘭啊了一聲，回過頭，愕然地望著霞琳。

晚風吹飄著她白色衣袂，只見她臉上浮現出安詳的笑意，端莊地站在雪地中，望著那將盡

的夕陽，慢慢說道：「太陽快要沉下西山了，可是在太陽將落的時候，總會有一陣最好看的美麗景色……」

朱若蘭心頭一凜，接道：「什麼？霞妹妹，你知道他不能……」

霞琳笑現雙頰，很自信地接道：「嗯……我說寰哥哥，一定不會死了。」

朱若蘭只聽得怔了一怔，暗暗嘆息一聲，因爲，她在這一段行程中，已把胸中所學，從頭至尾想了一遍，始終想不出解救夢寰的辦法。她心中明白，夢寰全身元氣消耗已盡，除非有奇蹟發生，決難再活過三天，何況，他在重傷之後，又遭人暗下毒手，用險歹無比的內家功夫傷了他體內脈穴，她雖然查出他的脈穴遭人暗傷，但卻無法找出對方用的什麼功夫，即使自己不惜拚耗元氣，每隔十二個時辰，打通他奇經八脈一次，但也絕不能阻止住他體內受傷脈穴的惡化，只不過多延長他幾天壽命，而且在這多延長壽命的幾日之中，還無法使他的神智清醒。

霞琳見朱若蘭默然不語，微微一笑，又道：「寰哥哥如果會死，他一定有很多話對我們說，就像這太陽要落的時候一樣，有一段很安詳、很清楚的時間。」

朱若蘭泫然嘆道：「琳妹妹，你不要傻想了，他……他恐怕是沒有救了！」

霞琳望著那逐漸沉沒的紅日，嬌稚無邪的臉上，忽又現出奇異之色，一顰秀眉，笑道：「黛姊姊，我求你一件事，好不好？」

朱若蘭道：「你說吧？只要姊姊能辦得到，一定不讓你失望。」

霞琳道：「要是我寰哥哥真的不能活了，你要替他建一座很好的墳墓，是嗎？」

朱若蘭道：「不但要替他建一座很好的墳墓，我還要走遍天涯，追殺傷他的人。」

霞琳笑道：「你把那墳墓建得很大很大，我去住在裡面好嗎？」

朱若蘭聽得一呆，道：「你……你要活生生陪他殉葬？」

沈霞琳笑道：「我陪他在一起，可以替他做很多的事……」

朱若蘭淒涼地接道：「琳妹妹，你不要胡思亂想了，走吧！天已經快黑了，咱們得在夜幕低垂之前，找一處棲身的地方。」說完，拉著霞琳，向前奔去。

兩人又翻過幾座山峰，天色已黑了下來。朱若蘭運足眼神，四下搜望，只見正北方一處山壁下面，似乎是有幾座房舍，隱現在蒼茫暮色中。

朱若蘭運氣行功，拉著霞琳加快腳步趕去。

兩人到了那座山壁下，果然見一座茅廬，依山而築。

雖是一座茅舍，但修築得十分整齊有序，正廳廂房，三環對立，不下七、八間之多，門前修竹，院中垂柳，兩扇籬門，半掩半開，除了正廳可見燈光之外，兩面廂房，一片漆黑。

朱若蘭仔細地打量四周形勢，只見那茅舍依山而建，山勢形態，自成半圓形，一半抱著這座茅舍，山脊平闊，兩端突高，看上去似一隻臥虎。

她暗暗讚道：好一塊臥虎之地，這茅舍中的主人，必非平常之人。

大概是盤空靈鶴，兩翼撲扇出呼呼的風聲，驚動了那房中主人，但聽一聲呀然門響，微弱的星光下，走出來一個中年文士。

朱若蘭抬眼望去，只見那文士年約三旬開外，頭戴儒巾，身穿藍衫，含笑而來。

他打量了朱若蘭一眼後，復露驚愕之色，但一剎那間，又恢復平靜，目光轉投到霞琳身上，又抬頭望了望那盤飛在空中的靈鶴，才抱拳一禮，微笑道：「兩位可是要借宿的嗎？」

朱若蘭微一拱手，答道：「在下師兄妹三人因爲貪看景色，錯過宿處……」

那中年文士微微一笑，道：「那位白衣姑娘懷中的人，可是受了傷嗎？」

朱若蘭微覺臉上一熱，還未想出適當措詞答覆，霞琳已搶先答道：「嗯！不錯，我寰哥哥傷得很厲害……」

她本想接著未說完的話，卻被朱若蘭截斷了話把兒，接道：「我們遇上了昔年幾個仇人，我師兄和他們動手時，被人所傷，而且傷得很重，故而無法連夜趕路……」

那中年文士朗朗一笑，接道：「兩位如是想借用寒舍，宿住幾日，以替令師兄療傷，儘管請住就是。只是寒山荒區，無物以敬佳賓。」說完又是朗朗一聲長笑。

朱若蘭暗中已留上了心，打量那中年文士幾眼，只見他神采奕奕，英華內含，分明是一個內功極爲精深之人，而且目光經常在自己臉上打轉，似是已看出破綻，但他爽朗的言詞之間，又毫無懷疑之意，這證明他必是久歷江湖之人，此時此地，遇上了這樣一位莫測高深的人物，叫她如何不暗中擔心。

可是，嬌稚的沈霞琳卻毫無一點戒備之心，她坦然地向茅舍中走去。

那中年文士，把兩人帶到左面一所廂房面前，舉手推開兩扇緊閉的門扉，笑道：「兩位請暫在門內稍待，我去取火點燈。」

那人退出之後，朱若蘭借機對霞琳道：「琳妹妹，這人雖然不像壞人，但我們卻不能毫不戒備，不可把我們經過情形，據實相告……」她話未落口，已聞步履之聲到了門外。

緊接著響起那中年文士朗朗之聲，道：「兩位久候了。」

火光一閃，晃燃手中火摺子，他急步奔到一張靠窗處松木案邊，點燃案上的松油火燭。

熊熊火光，照亮了這三間大小的茅舍。朱若蘭藉燭火打量房中陳設，除了靠窗擺一張松木桌子之外，只有四張竹椅和一張寬大的木榻，榻上被褥卻折疊得很整齊。房大物少，看上去空蕩蕩的，很不調和，但卻打掃得一塵不染。

霞琳奔到榻邊，放好了懷中的夢寰，又替他脫了鞋子，拉一床棉被蓋好。

那中年文士似是聞到了朱若蘭身上散發的幽香，緩步向她身邊靠去，朱若蘭警覺地疾退兩步，那中年文士微微一笑，轉身直對榻邊走去。

他仔細看了靜躺在床上的夢寰幾眼，搖搖頭道：「令師兄傷勢極重，只怕難以救治了。」

他轉臉望霞琳一眼，目光又投在朱若蘭身上。

朱若蘭雖然聰明絕世，但因楊夢寰沉重的傷勢，攪亂了她一寸芳心，她已失去了往日臨事的冷靜，不自覺幽幽一嘆，黯然淚下。

那中年文士淡淡一笑，又道：「令師兄傷勢雖重，但天下倒有一種藥物能夠救他，不過……」他似是自知失言，話音倏然而住。

沈霞琳聽得直瞪著一雙眼睛，叫道：「啊！那是什麼藥物？」

中年文士目光凝注在霞琳臉上，沉吟不答。

朱若蘭緩步走近榻邊，和霞琳並肩而立，冷漠一笑，道：「閣下所指，可是祁連山大覺寺的雪參果嗎？」

中年文士遲疑良久，忽然朗朗一笑，道：「藥不醫死人，佛渡有緣人，令師兄大限已到，人力豈能回天。」

朱若蘭見他口風陡轉，心知是搪塞之言，一聳秀髮，正想發作，忽地心念一轉，淺然一笑，道：「那倒未必見得，我師兄傷勢雖重，但並非毫無救治之望。」

那中年文士微微一笑，不再答話，轉身緩步離去。

朱若蘭掩上房門，又仔細查看房中布置，只覺這座茅舍中充滿了神秘恐怖，既不像一個高人隱居的地方，也不像一般綠林人物聚集之所。那中年文士神態舉動，似非江湖中下流人物，但臉上神情變化卻又陰晴不定，有時朗朗大笑，豪氣干雲，有時言詞閃爍，使人難以捉摸。

她忖思良久，仍然無法打破胸中重重疑竇。

遂低聲對霞琳道：「這座茅舍中的情景，實使人難測高深，就這屋中布置看去，好像住著很多人一樣，但除了那中年文士之外，又不見別人露面，如在平時，我非追查一個水落石出不可，可是現下，你寰哥哥身負著很重的傷勢，萬一引起什麼紛爭，只怕我難以兼顧，爲了避免麻煩，凡是這茅舍中的茶水飯酒等食用之物，最好不要沾唇，明天看他傷勢變化，咱們再決定行止。」

沈霞琳自認識朱若蘭以來，從未見過她這等凝重之色，當下點頭答道：「我一定聽姊姊的話。」

朱若蘭微笑起身，熄去室中燭光，和霞琳雙雙登榻。

二五　鐵劍書生

兩人雖都是初次和男人同榻而臥，但心情卻大不相同，沈霞琳毫無羞澀之感，和衣躺在夢寰身側，她雖然十分困倦，但並沒有沉沉睡去，睜著一雙大眼睛，呆呆地出神。

朱若蘭卻有一種說不出的異樣感覺，她想自己的清白、尊嚴，這等深夜之內，和一個男人同宿一榻，雖然有霞琳相伴，楊夢寰又負著沉重的傷勢，但這究竟是一件不可告人之事……一旦傳揚出去，必將留人笑柄。

突然，一個新的意念，在她腦際閃起，暗自忖道：他已經不能再活多久了，我還避的什麼嫌疑，她又把移遠的身體，慢慢向夢寰靠去！這一剎那間，她忽然變得像一池春水般的溫柔，嬌軀盡偎在楊夢寰身邊，她幾乎忘記了旁側還臥著一個沈霞琳。

突然，一陣急促的步履之聲，起自門外，緊接著響起那中年文士的聲音，道：「輕點……」聲音很低，下面的話，再也聽不清楚。

朱若蘭霍然一驚，挺身坐起。這時，沈霞琳亦未入睡，也跟著挺坐起來。她正待張口問話，朱若蘭已迅捷地用手掩住了她的櫻口，附在耳邊低聲說道：「外面有人來了，不要出聲，你守著他，我出去查看一下。」

霞琳點點頭，伸手拿起身側寶劍，輕按劍把彈簧，三尺寒鋒出鞘，輕步下床，穿好靴子，

橫劍坐在床沿。

朱若蘭又低聲囑道：「琳妹妹，不管外面打鬥如何激烈，但如未聞我喚你之聲，千萬不要出去。」說完，一躍下榻。

她輕步走近後窗前，慢慢地推開一扇窗門，提氣凝神，穿窗而出。

後窗外不遠處，有一棵千年古松，高達十丈，矗立夜空，枝密葉茂，蔭地畝許，朱若蘭微一張望，第二次縱身向那巨松下躍去。

她一見那中年文士之後，就知對方是個內外兼修的高手，是以行動異常小心，不入茅舍，反向那株巨松下躍去。

她打量那古松主幹，由根到枝之處，不下五丈長短，如非有絕頂輕功，想一躍而上，實在不易，她看了兩眼，估計自己力尚能及，立時一提丹田真氣，雙臂一抖，凌空直上，左手抓住一個叉枝，輕輕一翻，人已站在古松分枝之處。

雙足剛剛站穩，突然右側丈餘遠處，一叢茂密的松葉叢中，傳來一聲輕微的怪笑，聲音不大，但卻陰森森地入耳驚心。

她雖被那突如其來的怪笑聲驚得一怔，但她仍然辨出了那是一個人的聲音，她暗中運集功力以作戒備，外形卻裝得若無其事，渾似未聞那輕微的怪笑。

那輕微的怪笑過後，重又恢復了沉寂，但聞松濤之聲，繞耳不絕。

足足有一盞熱茶工夫，不再聞其他異聲。朱若蘭逐漸有些沉不住氣了，正待轉身到那剛才傳出怪笑之處查看，突聞一個冷漠低沉的聲音說道：「不要輕舉妄動，你已在我的『陰燐雷火

箭』及『七步奪魂毒沙』兩種暗器的對準之下，乖乖地給我走過來，我有話問你！」

語氣老氣橫秋，聲調又陰冷至極。

朱若蘭早已留下了心，辨聲認位，已把那發話人藏身位置，認得十分清楚，她本想突然出手一擊，但轉念一想，夢寰傷重奄奄，茅舍中充滿神秘恐怖，此古松藏身之人，不知和那茅舍的中年文士是友是敵？不如見他一面，先看看他是個什麼樣子的人物再說，反正自己已有戒備，也不怕他猝施暗算。

心念一決，低聲答道：「你是什麼人，既要見我，有話相問，又何必藏身不現。」

一面答話，一面運足眼神，向那發話位置搜望。只見那人藏身之處松葉特別密茂，又在夜色籠罩之下，只能隱見一團黑黝黝的人影，卻無法分辨出藏身之人的形貌。

但聽那人一聲陰森森的冷笑，說道：「我因見你躍登這古松輕身功夫超人一等，故此才肯破例召見。如果我暗施毒手，只怕你早已送命在我七步奪魂毒沙之下。」

朱若蘭聽他口氣越來越不客氣，不由心頭火起，待要發作，又怕驚動那茅舍的中年文士，無法兼顧霞琳等的安危，強忍著一口怨氣，答道：「既然如此，我只有拜謁大駕了。」

說著話，右手一指，直向那發話之處躍去。

果然，那隱身之人並未運手施襲，朱若蘭藝高人膽大，在那層密茂松葉外三尺左右一個橫枝松幹上，站住身子，兩手一分松葉，幾乎驚得失聲大叫。

只見密葉內一支叉椏之上，端坐著一個像貌奇醜的老年女人，白髮如銀，散披肩上，身著青色大褂，臉形奇醜嚇人，翻唇，塌鼻，斜眼，吊眉，兩頰上各有一道疤痕，右手套著鹿皮手套，緊握一把毒沙，左手三指捏著一支五寸左右的藍色短箭。

她看了朱若蘭兩眼，忽然一聲長長嘆息，把右手毒沙放回身後的豹皮袋中，左手藍色短箭，亦緩緩放入特製的革囊中。

朱若蘭逐漸恢復了鎮靜，那怪女人指指身側一個橫生松枝，道：「你坐在那裡，我有話問你。」

朱若蘭依言在那橫生松枝上坐下，那怪女人除了右手上的鹿皮手套，朱若蘭看她兩隻手腕，卻粉嫩雪白，纖纖十指，又細又長，和她那奇醜，實在是大不相襯。

那怪女人先轉過身子，分開密茂的松葉，向那茅舍中探看，朱若蘭隨著她目光一望，不禁心頭一震，原來這怪女人選擇這處橫枝用意，正好俯瞰那座茅舍全部內容。茅舍中的一舉一動，都難逃過這怪女人的監視，看來自己和夢寰、霞琳投宿經過，以及聞警由後窗躍出的一切行動，都被這怪女人看到眼中了。

她深望了良久，才放開松葉，回過頭仔細地望了朱若蘭幾眼，咧嘴一笑，道：「看你輕功之高，已算登峰造極，小小年紀有此功夫，實是難得，不知姑娘是什麼人的門下？」

朱若蘭聽得一怔，不禁低頭在自己身上看了幾眼。

只聽那怪女人輕笑一聲，又道：「你認爲你穿著一襲男裝，別人就沒法看出你的廬山真面目麼？哼！其實只要稍爲留心之人，就不難看出你是喬裝，何況你那清脆如鶯的聲音，根本就不像男人。不過你的行動舉止，倒落落大方，這大概是從小就常穿男裝之故。也許你能騙過一般初出茅廬毫無江湖閱歷的毛頭小伙子，但你騙不過我，也騙不過鐵劍書生那一雙神目。」

朱若蘭被她一語道破自己喬裝行徑，不覺微感震驚，略一沉忖，問道：「鐵劍書生是誰？」

那醜怪女人微微一笑，露出碎玉般的白牙，道：「鐵劍書生就是那座茅舍中的主人，迎接你們投宿的中年文士，你是不是覺得他很文秀，很爽朗，鐵劍書生四字，他也算當之無愧，不但武功絕世，而且還真正地讀了一肚子書……」

朱若蘭點頭接道：「不錯……」

那醜怪女人猛地一翻白眼，接道：「什麼不錯？哼！你不要看他的外表文秀，也不要認爲他讀了一肚子書，就一定是個好人。其實，他比誰都壞，也正因爲他讀了一肚子的書，所以，鬼主意比誰都多……」

倏然而住，一口銀牙，咬得吱吱作響。顯然，她胸中對鐵劍書生有著極深的仇恨。

朱若蘭開始在江湖上走動，只不過是近兩年的事，而且她足跡大部是在江南山明水秀之區，對鐵劍書生和這位奇醜的怪女人來歷恩怨，均茫無所知，聽她責罵鐵劍書生，一時間，也不知如何作答。

只聽那醜怪女人一聲陰慘慘的冷笑，接道：「這些都是幾十年前的事了，鐵劍書生馳名江湖之時，你大概還在襁褓之中，自然不會知道他的爲人。」

說罷，忽地一聲長長嘆息，舉目望天，輕搖著一頭白髮，似有無限黯然之感。

饒是朱若蘭聰明絕世，此刻她也聽出這奇醜女人和鐵劍書生之間，定有過一段淒怨纏綿的故事，但她沒心情去思索分析這些。

她擔心的只是夢寰的傷勢，和分辨出眼前這複雜環境中的敵友。

她無法決定是幫這位奇醜女人去對付茅舍中主人呢？還是幫助那中年文士對付這醜怪女人？沉忖良久，竟被她想出了幾句話，道：「老前輩叫我過來，就只有這點事情相告嗎？」

那醜怪女人似正沉浸在往事的回憶之中，仰臉出神，聽完朱若蘭的話，忽然轉過臉，伸出柔蔥般的纖指，摸摸臉上兩道疤痕，冷冷說道：「我告訴你那鐵劍書生是個外貌文秀，但心地卻十分險惡之人，而且還是個嗜色如命……」

最後這一句話，震驚了朱若蘭的芳心，她失聲驚叫道：「什麼？」

那醜怪女人冷漠一笑，答道：「他是個貪愛女人美色的魔鬼，哼！我就毀在他的手裡。」

朱若蘭不自覺地分開側密茂的松葉，向那茅舍中探看一下，見無異狀，才放下了心，轉臉望了那醜怪女人一眼，淡淡地問道：「你隱身這古松之上，可是俟機報胸中之恨嗎？」

那醜怪女人冷冷答道：「我如果只是想暗下毒手，以雪胸中之恨，也用不著潛隱這古樹之上，冒受風霜之苦了。」

朱若蘭奇道：「那你要幹什麼？」

那醜怪女人目光盯注在朱若蘭臉上，神情十分嚴肅地問道：「你先不要問我幹什麼，你先說，你願不願幫助我？」

朱若蘭一顰秀眉，道：「那要看什麼事情。」

醜怪女人微帶怒意地說道：「這臥虎嶺有兩種武林異寶，所以才引得鐵劍書生結廬於此，一住十五年，目的不過是監視那兩件天地間異物，怕落入別人手中，哼！他哪是真的歸隱。」

朱若蘭心中一動，故作淡然，微微一笑，道：「什麼東西有這等珍貴，能引得那鐵劍書生守了它一十五年？老前輩也甘冒風霜之苦，潛隱這古松之上。」

那醜怪女人略一沉忖，道：「這兩件東西，均極珍貴，但知道的人並不很多，你如答應助我，我自然會告訴你詳細內容，如你不肯相助，我也不便相強。」

朱若蘭聽得十分懷疑，道：「你先說出那兩件珍貴之物名字，讓我斟酌，才能決定是否助你。」

那醜怪女人冷傲一聲輕笑，道：「助我與否，悉聽尊便。哼！我三手羅剎豈是求人相助之人！」

朱若蘭臉色微微一變，道：「你不求我，難道我還非要幫你不成？」說完，倏然轉身，躍到另一個橫生的松枝上，和三手羅剎相距約一丈左右。

兩人遙相對坐，誰也不再開口，但卻都在想著心事。

突然一陣朗朗大笑之聲，由茅舍中隨著夜風傳來，朱若蘭心頭一動，忽然憶起方才三手羅剎之言，說那鐵劍書生是個貪愛美色之人，霞琳嬌艷如花，又無心機，如果他要對霞琳下手，只怕沈霞琳難逃魔掌……

想至此處，只驚得冷汗滿身，兩臂一分身前密茂松葉，一個「仙鶴戲水」，由七、八丈高空中直瀉而下。

直待快近地面，才倏然一個倒翻，雙腳輕輕一點實地，緊接著騰躍而起，只一躍，已到了那茅舍後窗之處。

她心有所念，無暇多思，輕揚玉掌推開了一扇後窗，縱身一躍，穿窗而入。

驀然火光一閃，點燃了桌上松油火燭，只見那中年文士，傍案而立，面含微笑，手中火摺子還未熄去。

朱若蘭轉臉向木榻望去，但見被亂枕橫，哪裡還有夢寰和霞琳的蹤跡。

只見那中年文士，不慌不忙地熄去手中火摺子，淡淡一笑，道：「姑娘好迅快的身法，不知令師是哪位武林前輩。」

朱若蘭驟看夢寰和霞琳失蹤之時，確實吃驚不小，但略一怔神，反而沉住了氣，冷笑一聲，道：「你可是鐵劍書生嗎？」

那中年文士呆了一呆，道：「不錯，你……你是誰？」

朱若蘭道：「你不要管我是誰，我師兄、師妹到哪裡去了？」邊說邊暗中運集功力，準備出手。

鐵劍書生忽轉鎮靜，朗朗一笑道：「他們暫被送往一處安全所在去了，不過你千萬不要多心，我史天灝還不至於暗算一個傷勢沉重之人，和一個年輕輕的女孩子，你如不信，可隨我去一看便知。」

朱若蘭聽他言詞爽直，似非虛言，不覺心中猶豫起來，但一轉念又想到了方才古松上三手羅剎之言，心中忖道：此人果然狡猾無比，雖是謊言，但說來娓娓動人，神態自然，毫無破綻，如非早得三手羅剎告知他的爲人，只怕我也得跌入他的謀算之中。

鐵劍書生似已看出朱若蘭不信的神態。

微微一聲嘆息，道：「如果我早一點知道今夜有事，也不敢答應留宿三位了……」

他略一沉吟，接道：「我有一位盟兄，剛自山下趕來。據他說，我們昔年幾個仇人，業已訪查出我們隱居之處，聯袂來犯，今夜不到，明日中午之前，必可趕到此地。那自然免不了一場慘烈的搏鬥，令師兄傷勢沉重，勢難自顧，何況尋來此地的人，又多是昔年名噪一時的高手，有幾個老魔頭不但武功奇高，而且身懷著奇毒無比的暗器，我爲顧及到令師兄、師妹的安

全，才把他們轉移到一所隱密地方，免遭池魚之殃，想不到引起姑娘誤會。」

這番話入情入理，只聽得朱若蘭將信將疑，如非方才聽了三手羅剎之言，她必然會請鐵劍書生帶她到夢寰、霞琳適居之處，一看究竟。

只因先聽了三手羅剎的話，她心中已有成見，先入爲主，是故，對鐵劍書生一番合情合理之言，仍然不肯全信。冷笑一聲，道：「哼！什麼昔年仇人尋來報復，盡都是連篇鬼話，你們隱居這臥虎嶺，只不過是在監視兩種武林異寶罷了……」

鐵劍書生臉色一變，突然厲聲喝道：「你究竟是誰？快說！」

朱若蘭一看鐵劍書生神情，更是深信三手羅剎之言不虛，一聳秀髮，冷冷答道：「你不配問我姓名……」

餘言尙未出口，突聞幾聲長嘯，遙遙傳來。

一陣微風颯颯，燭影搖顫復明，房中陡然多出了一個長衫老者。

朱若蘭怒道：「好啊！你們有多少人，最好能一齊出來。」

就是瞬息工夫，那長嘯之聲，已到了茅舍外面。

鐵劍書生呼地一口氣，吹熄燭光，房中驟然暗了下來。

朱若蘭怕他借黑暗逃走，倏然向前欺進，左掌忽地劈出。

哪知他掌勢剛剛擊出，茅舍外已響起了一聲斷喝，一點寒星，破窗打入。

那鐵劍書生停身的位置，後背正對窗口，朱若蘭一掌劈出，鐵劍書生閃身一讓，向左橫跨數尺，這暗器本是襲向鐵劍書生後背，這一來，卻直對朱若蘭迎面打去。

這只是一剎那間，朱若蘭來不及再追襲鐵劍書生，易劈爲抓，隨手一抄，接住了飛來暗

器。但聞鐵劍書生朗朗笑道：「好手法！好手法！」

餘音隨著他躍起的身子，向室外飛去，最後一句話落，人已到茅舍外面。

朱若蘭縱身一掠，人也向室外竄去，哪知剛到門口，一片金光，迎面襲到，暗器既無破空之聲，施襲之人又無警告之言，若非是朱若蘭，換一個人，非得受傷不可。

她本來是存心追襲鐵劍書生，但見來人不分青紅皂白，就連下辣手施襲，不禁心中有氣。第一次旨在鐵劍書生，情尚可原。但這一次卻是明對自己下手，而且所用暗器又是歹毒絕倫的芙蓉金針，如果不是自己早有防備，暗運罡氣護身，這種陡然發難，實在不易躲。是以她在揮掌擊落那襲來芙蓉金針後，不再追襲鐵劍書生，靜立一側，袖手旁觀。

只見六、七尺外，並肩站著三個疾服勁裝的大漢，手中早已橫著兵刃，蓄勢待發。

鐵劍書生和那長袖老者，仍然是赤手空拳，靜站夜色下，定氣神閒。

來人年齡都已在四十以上，中間一人，雙手分握著一對蜈蚣鉤，夜色中閃起一片藍光。一望即知，那兵刃是經過劇毒淬煉。

雙方只是蓄勢相持，既不講話，亦不出手。

朱若蘭看得十分納悶，暗中忖道：這些人究竟在鬧什麼鬼？哼！你們有耐性對恃，我可沒有耐性看下去，忽地縱身一躍，直向鐵劍書生撲去。

她這次有心而發，迅疾至極，鐵劍書生聞聲轉臉，朱若蘭已到身側，皓腕伸處，逕扣鐵劍書生右腕脈門。

鐵劍書生早已運功待敵，朱若蘭飛撲一擊，雖然快似電閃，但仍被他閃開，左掌呼地劈出一招「推波助瀾」，封開朱若蘭一擊，朗聲說道：「快請住手，待我打發了眼前敵人，就帶你去見他們。」

朱若蘭冷笑道：「要帶我去，現在就去，我不信你的鬼話。」

說著話，雙手又交相攻出四招。這四招凌厲無匹，鐵劍書生雖然早已看出她內功精深，但卻沒想到她出手招數竟是這等奇奧難測。四掌快攻，有如一齊擊出，封架全都不易，只得向後一躍，退出七步。

朱若蘭輕笑一聲，如影隨形，緊追而上，左掌呼地一招「浪打礁岩」，劈出一股奇猛勁力，封住了鐵劍書生後退之路，右掌「雲鎖五嶽」，當頭罩下。

鐵劍書生闖蕩江湖數十年，會過高人無數，但卻從未遇上朱若蘭這等人物，她這一擊之勢，不但精妙絕倫，難以招架，而且幾種大不相同的力道一齊攻出，前後上下，似乎都被一種潛力封鎖，只有硬接她這當頭一擊。

那長衫老者，初見朱若蘭飛撲鐵劍書生時，尚未放在心上，及見她出手幾掌就把鐵劍書生迫退，心中才暗暗吃驚，就在他驚愕之間，鐵劍書生已被朱若蘭一招「雲鎖五嶽」籠在掌力之下。

幸好他早已蓄勢待敵，一見鐵劍書生遇險，立時長嘯而發，縱身一躍，兩掌平推而出！一股排山倒海般的勁道，直對朱若蘭後背撞去。

他這一發之勢，運集了畢生功力，因爲他已看出朱若蘭身負絕世武功，如果讓她有了準備，即是自己和鐵劍書生聯手，只怕也難擋銳鋒，眼下強敵環伺，待機而動，處境險惡異常，不如早下毒手，除掉一個少一個。

是故，他一出手，就用上十成功力，希望在朱若蘭猝不及防之下，一舉把她擊斃。

就在這老者出手的同時，鐵劍書生也運集了全身功力出手，因爲形勢迫得他只有硬接朱若蘭當頭一擊。

哪知朱若蘭一招「雲鎖五嶽」出手之後，心中忽地改變主意，她怕這一招硬打，震斃了鐵劍書生，無法查出夢寰和霞琳去處，心有所忌，陡把劈出的內家罡力收回。

這雖是一刹那間，但那老者強猛的掌風，已到身後，鐵劍書生被迫出手的反擊之力，也如狂濤激流般猛撞過來。

兩股奇猛的內家真力，一前一後夾擊攻到。看那股威勢，朱若蘭也有點微微心驚，收回的左右雙手，倏然又前後分出，雪白玉掌，分拒兩大高手的全力猛擊。

那長衫老者冷哼一聲，暗道：好狂妄的打法，你功力再深，也難接下我們兩人全力合擊。心轉念動，餘力再加，雙掌威勢，又加一成。哪知掌風甫和朱若蘭右掌相觸，驟感一股吸力，把自己掌力引開，心中感覺不對，已然遲了一步，但覺兩股奇勁之力一撞，懸空的身子，被震退了五、六尺遠，腳落實地仍然踉蹌後退了三、四步，幾乎拿不住樁，眼前銀蛇亂竄，耳中長鳴不絕。

他定定神，抬頭望去，只見鐵劍書生單掌捂胸，急喘不息，半蹲身子，似乎傷得不輕，朱若蘭卻靜靜地站一邊，神態悠然，若無其事。

原來朱若蘭見兩人出手力道奇大，如果以本身功力硬接兩人夾擊之勢，雖然不一定就被震傷，但亦必耗損真氣不少，何況她心中又無穩操勝算的把握，心念一轉，用出恩師傳授奇學「導陰接陽」，雙掌分接長衫老者和鐵劍書生擊來力道，再用本身內力一引，使兩人擊來之力，撞在一起，她卻借勢飄身退開。

鐵劍書生因比那老者功力略遜一籌，又未全力施為，所以吃的苦頭更大，只被那一撞之勢，震得血翻氣湧，頭暈目眩，飛出去一丈多遠。

那三個勁裝大漢站在一側看得莫名其妙，三人原以為朱若蘭和鐵劍書生是一黨。及見朱若蘭猛撲鐵劍書生，那老者也一躍出手，猛攻朱若蘭，才知三人並非一黨。這三人均知鐵劍書生和那長衫老者的能耐，為眼下江湖中頂尖高手，朱若蘭武功再好，也難抵擋兩人，立時暗中一打招呼，準備在朱若蘭不敵之時，一齊出手相助。

哪知三人交接不過一招，長衫老者和鐵劍書生卻雙雙被震退出來，三個人六雙眼睛，就沒有看清楚朱若蘭用的什麼手法，能在舉手之間，震退當代兩大高手。

鐵劍書生吃朱若蘭一招導陰接陽，引借長衫老者全身真力一擊，不但被震得內腑血翻氣湧，飛落一丈開外，而且神志也有些昏迷不清，捂胸喘息，搖擺不定。

這時，那手握蜈蚣雙鉤的大漢，已看出鐵劍書生傷勢不輕，突然心中一動，暗道：此時不借機下手，更待何時。一語不發，縱身直撲鐵劍書生，揮動手中淬毒蜈蚣鉤，一招「雙龍出水」，合擊過去。但見兩道藍色鉤光，疾向鐵劍書生捲去。

史天灝雖然有一身武功，但此刻正值神志未復之際，對那疾奔襲來的鉤光渾如不覺。

只聽那長衫老者一聲驚怒的大喝，道：「鼠輩無聊，竟敢乘人之危……」

隨著那聲斷喝，飛撲而起，直向施鉤大漢撞去。

朱若蘭本來是背著那三個大漢而立，待她警覺轉身，藍汪汪的鉤光，已到了鐵劍書生身側，不禁心頭大急，雙肩晃動，施出移形換位身法，直搶過去。

那長衫老者，雖然發動比朱若蘭早了一步，但朱若蘭奇奧的移形換位身法，卻比他快速得

多，雖是後發，但卻先至。

兩人發動雖都夠快，但那施鉤大漢身法亦很迅捷，而且發難於猝然之間，大出意外，雖然有朱若蘭這等高手搶救，仍然晚了一步。

眼看那爍著藍光的淬毒雙鉤，就要掃中鐵劍書生，突然間，一道綠光破空飛到，來勢急勁，一閃而至。

那施鉤大漢全部精神都貫注在鐵劍書生身上，存心一舉把對方傷在淬毒雙鉤下面，突驚覺有暗器近身，再想舉鉤封架，已來不及，只得一側身讓過此害，那飛來綠光，正中右肩，但聞砰然一聲輕響，綠光忽裂，化成一片綠色火焰，在他身上熊熊燃燒起來，手中雙鉤不禁一緩。

就這一緩之勢，朱若蘭已到鐵劍書生身邊，皓腕疾吐，纖指輕彈，那大漢手中雙鉤，被她用彈指神通功夫，彈震脫手。

那長衫老者緊接躍到，右臂一伸，抱起史天灝，縱開八尺。

轉臉望去，只見那施鉤大漢，雙手蒙面，臥地翻滾，上半身已沾滿綠色火焰，衣服、頭巾盡被燃著。

大概他是想借那滾翻之勢，壓熄身上火焰，所以強忍著火灼之疼，運氣連滾數丈，哪知這綠色火焰，和一般火彈大不相同，雖被滾地撲熄，但遇風即再復燃，剎那間他滿身都成了綠色的火光，朱若蘭和那老者，都看得暗暗驚心。

但聞一聲聲淒慘呼喊，隨著他翻滾的身子，劃破夜空，響徹山谷。

這種聞所未聞絕毒暗器，確實震驚了全場人心，那兩個同來大漢，呆了一陣，才想起救人要緊，解下水壺，撲過去，想用水來熄滅同伴身上毒火。

驀地裡，聞得丈餘外暗影中傳出來一陣陰慘慘的笑聲，道：「我這陰燐雷火箭，只要擊中人身，除挺受毒火燒死之外，只有用沙土把他活活埋葬起來，哼！你們就是把他放在水中，也熄不了他身上的毒火。」

片刻，那身中陰燐毒火箭的大漢，早已被燒得面目全非，發出尖銳的狂叫和求救之聲，那是生命盡處的哀嚎，靜夜中聽得人驚心動魄。

忽然他滾到了自己雙鉤旁邊，冷森的鉤鋒，觸到了他的背脊，他猛的鬆開蒙在臉上的雙掌，隨手抓起蜈蚣鉤向自己頸上抹去，鉤光閃動，鮮血直噴，那鉤上本餵有巨毒，只見他略一掙動，人便死去，但熊熊的綠色火焰，仍燃燒著他的屍體。

另兩個和他同來尋仇的大漢，目睹這一幕慘絕人寰的悲劇，哪裡還敢久停，縱身向茅舍外面躍去。

這當兒，鐵劍書生已逐漸好轉，回頭望去，只見一個面貌奇醜的女人，緩步向他逼近。他訝然驚叫道：「你……」

那長衫老者正待躍身飛追兩個逃走大漢，忽聞史天灝驚叫之聲，霍然收勢，轉身相護。

這不過一轉眼的工夫，由那身受毒火大漢抓鉤自絕，到兩個大漢逃走，和這醜怪女人現身，幾乎連續在一起動作。

只聽那醜怪女人陰沉沉一聲冷笑，道：「哼！你想不到吧！我還會活在世上，剛才我打出一支陰燐雷火箭救你，只不過是不願意你傷在別人手中罷了。」

鐵劍書生定定神，暗中試行運氣，覺著氣血還可暢通脈穴，心頭一寬，答道：「你不願我傷在別人手中，是要親手殺死我嗎？」

朱若蘭冷眼旁觀，見這醜怪女人，正是隱身在那古松上的三手羅剎，她對目前這班人都不了解，也不知誰好誰壞，但她心中卻存著不能讓鐵劍書生死去的念頭。因爲他死了，想找夢寰和霞琳的安居之處，必得多費一番手腳。所以她暗中運功相待，只要三手羅剎對鐵劍書生一下手，立時就出手相救。

那長衫老者也運集了功力，蓄勢待敵，形勢劍拔弩張，大戰一觸即發。

三手羅剎在逼近鐵劍書生四尺左右，忽然停住腳步，回頭望了朱若蘭兩眼，冷笑一聲，道：「怎麼，你也準備幫助他和我動手？」

朱若蘭冷漠一笑，道：「哼！你們之間的那些舊帳，就是求我管，我也懶得去問，不過，眼下我倒是不准你下手動他……」

三手羅剎怒道：「你好大的口氣，我偏要動給你看看。」

口中說著話，雙手疾探入懷，動作迅速熟練，一探之間，右手已套上鹿皮手套，左手也同時摸出陰燐雷火箭。

朱若蘭剛才目睹她那陰燐雷火箭的絕毒威力，心中亦覺有些害怕，哪裡還容她出手，倏的一聲嬌叱道：「賊婢敢動惡念。」

左手一招「潮泛南海」，劈出一股潛力，逼得三手羅剎向後一退，緊隨欺身進步，右手疾出，一招「垂柳扶風」，擒拿住她右腕脈門，微一搖動，三手羅剎驟覺全身麻木，氣血逆轉，空有一身功力，但一點也用不出來。

她這出手兩招，看上去並無奇特之處，只是迅快至極，使人避讓不易。

三手羅剎脈穴受制，兇焰頓減，但她也有一股狠勁，雖然全身逆轉氣血，翻腑攻心，痛苦難耐，但她卻能咬牙苦撐，一語不發。

朱若蘭冷笑一聲，道：「我看你能忍得多久。」

扣握脈門的右手，又一加力，三手羅剎驟然間疼出一身冷汗。

那長衫老者和鐵劍書生都極精點穴截脈之術，但卻從未見到過朱若蘭這等怪異手法，不禁看得一呆。

這等逆轉人身行血的手法，最重要的是認準人身體內脈穴部位，不管對方武功多高，在受制之後，其本身抗拒之力，完全消失，再藉本身真力催使受制人行血逆攻五腑。

這種大反人體正常血脈運行的手法，殘酷絕倫，別說三手羅剎是血肉之軀，就是鐵打金剛，也難忍受。不到半盞熱茶時間，她再也忍受不住，內腑疼癢難耐，有如萬蛇穿行，冷汗如雨，雙目垂淚，望著朱若蘭，露出乞求之相。

鐵劍書生和那長衫老者，互相望了一眼，一齊舉步，向兩人身邊走去。

朱若蘭星目轉動，左手伸縮間已把三手羅剎手中陰燐雷火箭搶了過來，右手一帶，三手羅剎身不由主地轉了半圈，擋在朱若蘭面前。朱若蘭卻鬆了她被扣脈門，向後躍退五、六尺遠。

那老者和鐵劍書生，想不到朱若蘭如此機警，步步都有防備，不覺臉上一陣燥熱。

朱若蘭冷笑一聲，道：「就是你們三個人一齊動手，我也不怕……」

話至此處，目光轉投到鐵劍書生臉上，聲音突轉嚴厲，接道：「我師兄、師妹究竟到哪裡去了，如再借故拖延時刻，可不要怪我心狠手辣了！」

三手羅剎暗中試行運氣，覺出還未受傷，猛然一個轉身，向左躍開，腳落實地，右手已套上鹿皮手套，左手又摸出了一支陰燐雷火箭來。

朱若蘭秀目一轉，看出了眼前形勢，對自己大為不利，三手羅刹、鐵劍書生和那長衫老者，不謀而合採取了合圍之勢。

要知三人目睹朱若蘭出手幾招，無一不是精奧奇絕之學，面對這樣一位莫測高深的人物，三人心中都有些害怕，是以不約而同，都動了聯手除掉朱若蘭之心。

三人心意雖然相同，但誰也不肯搶先出手，因為三手羅刹和鐵劍書生間，還存著互不信任之心，目前形勢很明顯，三個人如能同心合力，一齊出手，雖無必勝朱若蘭的把握，但短時間不會潰敗。如果有一方在動手之時，或者動手之後，突然變了心意，局面就立時改變……

朱若蘭呢？她心中也是舉棋不定，面對三大高手，個個功力不弱，各個擊破，她雖有必勝把握，但三人合力圍攻時，她實無制勝信心。再者，夢寰和霞琳還落在敵人手中，自己一旦失敗，就無法再拯救兩人出險，是以，她也不敢輕舉妄動。

四人相持了足足有一刻工夫，誰也不先講話，誰也不先出手，但都運集了全身功力戒備。

突然，茅舍外傳來了一陣長笑之聲，笑聲由遠而近，瞬息間已入茅舍。

鐵劍書生和那長衫老者，在聞得那長笑之聲後，臉上都不禁變了顏色，幾度欲轉身撤退，但又怕朱若蘭趁勢施襲，一副進退不得的神態，看上去十分尷尬。

朱若蘭也覺著那長笑之聲，不但響徹雲霄，而且悠長清越，非有極深的內功，絕辦不到。

鐵劍書生陡然收勢，對朱若蘭一拱手，嘆道：「你如肯相助我們逐退了這次來人，我不但把你師兄、師妹交出，且願以我守了十五年的兩件異寶，相贈其一。」

說罷，也不待朱若蘭答話，霍地轉過身子，那長衫老者也緊隨著向後轉去。

朱若蘭抬頭望去，只見夜色中，站著一個白鬚過胸，身著長衫，手扶拐杖的老人，那清奇

的相貌，一望即分辨出是誰。

朱若蘭遊蹤遍及江南之時，已暗中見過了他數面，心頭暗暗忖道：無怪鐵劍書生這等怕他，原來是海天一叟李滄瀾來了。

他身後站著四個身穿黃麻及膝大褂，足著草履，臉上斑痕累累的大漢。

李滄瀾笑聲一落，左手捋著胸前白鬚，目光橫掃三手羅剎、鐵劍書生一眼，微笑道：「難得，難得，幾位倒是先碰面了。」

鐵劍書生一揚兩條濃眉，答道：「李幫主蓋世豪雄，江湖誰不尊仰，有你李幫主插足江湖，我們兩兄弟哪還有立足之處，只好結廬這臥虎嶺，消磨這下半生的歲月了。」

李滄瀾冷笑兩聲，道：「好說，史兄不覺著太客氣嗎？臥虎嶺如果沒有萬年火龜，縱是蓋起金殿玉闕，只怕也留不住史兄和周兄兩位的俠駕……」

話至此處，目光忽然落在三手羅剎的臉上，哈哈一笑，道：「恕老朽年邁眼拙，這位姑娘，你可是三十年前，縱橫南北的三手羅剎彭秀葦彭姑娘嗎？」

三手羅剎冷冷地答道：「是又怎麼樣？不是又怎麼樣？」

李滄瀾呵呵兩聲，道：「老朽久聞大名，只恨無緣一面，想不到今夜能在臥虎嶺上幸會……」他仰臉打個哈哈，接道：「那萬年火龜雖是蓋世奇物，只怕也不能恢復姑娘的花容月貌了。」

這幾句話，相當尖酸，只氣得三手羅剎全身微顫，但她竟還能控制住激動的情緒，不使它發作出來，冷笑兩聲，不再答話。

要知眼前情勢，異常複雜。場中幾人，個個身懷絕學，如果一動手，必然是各出全力搏

擊，也許一招即可確定生死，也許要打上個三、兩百招才見高低，是以誰也不願先出手，都想挑燃戰火，讓別人先打個筋疲力盡，自己坐收漁利。

李滄瀾本知三手羅剎和鐵劍書生間有毀容之恨，是以作挑撥之言，希望勾起三手羅剎的舊恨，讓兩人先打個你死我活，哪知三手羅剎竟是不肯上當。

鐵劍書生冷漠一笑，偷望了彭秀葦一眼，看她雖然氣得全身發抖，但並無和自己動手之意，才放下心中一塊石頭。轉臉望著李滄瀾冷笑一陣，道：「好啊！好個堂堂天龍幫的龍頭幫主，竟是滿懷機詐鬼謀，只可惜你一番心機白費了。」

李滄瀾身後四個黃衣大漢，聽鐵劍書生出言辱傷龍頭幫主，不禁大怒，四個人一齊動作，由李滄瀾身後分躍而出。

史天灝認識這四人，是名噪中原綠林道上的川中四醜，這四人昔年縱橫川、湘、皖一帶，兇名卓著，只鬧得四省武林同道神鬼不安。

武當、峨嵋、青城三派也曾數度遣派出高手圍剿，但均未成功，此一則因四醜機警異常，能打就打，不能打就立時隱逸。

再者四人武功詭異，常自成一路招術，三派高手，反而有不少傷在他們手中。

三大宗派爲此曾經聚會武當山，商討對策，決定全力追殺四醜，三派中幾位不常在江湖上走動的長老，也因此仗劍下山，費時三月，才查出四醜行蹤，三派高手在一夜間趕到四醜落腳的巫溪縣城，暗中監視四醜行動，直待第二天四醜離城他往之時，三派高手追蹤到郊外一處僻靜所在，現身把四醜重重包圍。

那一仗，打得慘烈無比，由中午時分，直打到日落西山，川中四醜雖都受傷，但仍被他們

衝出重圍逸走，同時三派參與這場惡戰的高手，也有不少受傷。

這一戰雖挫了四醜銳氣，但算起來，三派高手並未占得便宜。

經過這一戰之後，四醜的行蹤愈發隱密，飄忽不定，神出鬼沒，四醜的兇名也更加響亮。

鐵劍書生昔年曾見過川中四醜，知道不可輕敵，當下凝神戒備，冷冷問道：「你們是準備一齊上呢？還是準備單打獨鬥？」

川中四醜在李滄瀾身後躍出後，立時採取了合圍之勢，最左一人，陰森森地答道：「你一個人，我們要一齊上。」

鐵劍書生朗朗一笑，道：「好！那就請貴四個一齊動手吧！」

原來四醜有一套分進合擊的陣法，名叫「四象陣」，這套陣法，使川中四醜成名中原，不知擊敗了多少武林高人。

李滄瀾不注意四醜行動，目光卻落在朱若蘭身上，他在茅舍現身之後，就注意到站在一側的朱若蘭，看她絕世丰儀，和那湛湛逼人的眼光，以及悠然自若的神態，就使人難測高深。最使人不解的，就是她既不像鐵劍書生請的助拳之人，也不像是到這臥虎嶺來尋仇的人，彷彿這場即將展開的龍爭虎鬥，和她毫無半點關係，袖手一側，冷眼觀察。

鐵劍書生在四醜逼近身外四尺左右時，忽然轉臉對那長衫老者說道：「大哥請去替小弟取來兵刃，看今夜形勢，免不了一場生死搏鬥了。」

那長衫老者略一怔神，點點頭，轉身向後就走。

李滄瀾陡然呵呵一陣大笑，道：「站住。」

那長衫老者卻頭也不回，猛然向前一躍，腳還未落實地，突聞一聲冷笑道：「回去！」一

股強勁的掌風，迎面直撞過來。

那長衫老者因身子懸空，無法閃避，只得雙掌並出，硬接一擊，吃那撞來奇猛潛力，震退了五、六步遠，心神也隨著一震。

定神望去，只見暗影中緩步走出來一個五旬上下的人，身穿黑色短裝，腰圍軟索三才錘，正是天龍幫黑旗壇壇主，開碑手崔文奇。

崔文奇現身後，拱手微笑，道：「周兄別來無恙，咱們怕有二十年沒有見面啦！」

那長衫老者，冷哼了一聲，道：「我道是誰，原來是你，二十年不見，崔兄的功力又精進很多了。哼！剛才那陡然一掌，夠猛夠狠，不過，崔兄是極負盛名的人物，這等暗算行為，一旦傳揚江湖，只怕對崔兄聲望影響非淺……」

崔文奇冷漠一笑，道：「周兄過獎了，兄弟擔受不起，我這一掌暗算，如果是全力施為，周兄功力雖深，但雙腳未落實地，心中又毫無戒備，哈哈！這一掌，只怕周兄也擔受不了。」

那長衫老者怒道：「那倒未必見得……」

突然，他臉色緩和下來，聲音也溫和了不少，接道：「今夜形勢，只怕免不了一惡戰，貴幫主肯移駕寒山茅舍，我們兄弟自然得捨命奉陪，待我回房中去取了兵刃，再領教崔兄的絕學不遲。」

崔文奇仰天打個哈哈，道：「話是說得不錯，不過只可惜兄弟做不了主，周兄如一定要用兵刃，兄弟這三才錘，倒可暫借一用。」

那長衫老者眉宇間滿是焦急之色，強按心頭一股怒火，道：「兄弟活了幾十歲，還未聽人說過借用兵刃之事，崔兄盛情，恕難領受。」

說完話，目注開碑手，靜待答覆。

崔文奇大笑道：「就是兄弟肯閃路相讓，只怕周兄，也是白費一番心機，那張寶圖，恐早已到了別人手中……」

那長衫老者驚叫一聲道：「什麼……」

崔文奇冷冷答道：「在下不敢相瞞，周兄在和我們幫主談話的時候，已有人借機搜查過兩位臥室……」

那長衫老者不再讓崔文奇把話說完，怒道：「下流的手段。」

話出口人也同時發動，呼的一掌猛向崔文奇劈去。

開碑手閃開一掌，左右雙拳並出，還了一招「雙風灌耳」。

兩人剛一接手，立時各出全力相搏，剎那間掌影飄飄，掌風激蕩，打得十分慘烈。

激鬥了十餘回合，仍是個不勝不敗之局，那長衫老者，因惦念寶圖，無心戀戰，突然大喝一聲，連環劈出三掌。

這三掌威勢，猛烈絕倫，奇勁掌風，排山般直撞過來。

崔文奇似是不敢硬擋銳鋒，向左一躍閃開五尺。

那長衫老者卻借勢一個急躍，掠著崔文奇身側飛過，直向正房中奔去。

崔文奇微微一笑，俟那長衫老者行蹤落到正房門邊，才躍起追去。

正房兩扇木門，本就未關，那長衫老者一低頭，竄入屋中。

房中仍點燃著一支松油火燭，景物清晰可見。那長衫老者一直奔到西面牆壁間掛的一幅松鶴圖的下面，正待舉手揭開，忽然又停下了手。

回頭望去，崔文奇已追進了門，那長衫老者一聲冷笑，不再動壁間松鶴圖，卻轉身躍上木榻，伸手取下掛在壁間的鐵劍，和靠在木榻一角的鐵槳，縱身一掠，直向開碑手崔文奇衝去，右手鐵槳、鐵劍突出，點擊前胸。

崔文奇看鐵槳來勢兇猛，自己的三才錘屬軟兵刃，室中無法施展，只得仰身向後一躍，退了出去。

長衫老者緊隨追去，掄動手中鐵槳，攔腰掃去。

崔文奇一閃身，避開擊來的鐵槳，說道：「周兄，你今天準備和兄弟拚命了嗎？」

那長衫老者寒著一張臉，一語不發，鐵槳飛舞，風聲呼呼，招招指向崔文奇致命要穴。開碑手也不去取腰圍軟索三才錘，但用一雙肉掌拒敵，一面打，一面後退，眨眼已退後了兩丈左右。

這時，川中四醜圍住鐵劍書生動手，五個都未用兵刃，五對肉掌盤旋交擊，打得激烈異常。

三手羅剎右手扣著一把七步奪魂沙，一支陰燐雷火箭，臉上是一種十分奇特的神情，目不轉睛地望著川中四醜和鐵劍書生動手。

朱若蘭秀眉微揚，粉臉含怒，星目神光，不時轉向四外暗影投瞥。

李滄瀾表面上雖然十分鎮靜，但他那不時轉動的目光，卻說明他心中也是異常焦急。

那長衫老者鐵槳的攻勢，愈來愈覺凌厲，在這三、四丈方圓的院中，都可聞得他鐵槳捲起的呼呼風聲。

崔文奇退了二丈左右時，陡然一緊雙掌，不再退讓，在繞身槳影中展開急攻，運氣行功，

力貫雙掌，每劈出一掌，必有一股極強的潛力應手而出，雙掌連聲，竟把那長衫老者猛烈的攻勢擋住。

這當兒，川中四醜的「四象陣」，已發揮出強大的威力，只見四條人影閃動穿走，八掌交相攻出，塡空補隙，有如天衣無縫。

如以鐵劍書生的武功而論，要比川中四醜高出一籌，單打獨鬥，必勝無疑，即讓四醜聯手合擊，也足可抵擋一陣。但四醜這「四象陣」法，和四人聯手合攻之勢，又自不同，不但配合嚴格，而且變化詭異，四醜各盡所長，增長了一倍的威勢。

五人交手到十回合之後，鐵劍書生已被四醜緊促綿密的攻勢，逼得有些手忙腳亂起來。

那長衫老者雖然看出義弟已難招架，但因被開碑手奇勁的掌風困住，無法衝過去助拳，心中空自焦急。他這一心分二用，手中鐵槳，不自覺也緩了下來，崔文奇看個空隙，呼呼呼連攻三掌，把他逼退了三步。

要知高手比武，最是大意不得，如讓人搶制了先機，再想扳平局勢，甚爲不易。

崔文奇雖然是赤手空拳，但他是以掌力雄渾馳名江湖，力能開碑，掌能碎石，因而獲得「開碑手」的雅號。

那長衫老者雖然手中用著兵刃，也被崔文奇搶了先機，迫得步步後退。

這時，川中四醜的「四象陣」，威力愈來愈大，鐵劍書生已連遭了三次險招，三手羅剎和朱若蘭，雖都有心相助，但誰也不肯搶先出手，因爲目前局勢，非常複雜，利害得失，一念之間，略有失錯，就難免遭人毒手。

又過了一盞茶工夫，鐵劍書生已是險象環生，川中四醜綿密快速的攻勢，已迫得他招架不及。三手羅剎轉頭望了朱若蘭一眼，道：「要是他真的傷在人家手中，只怕咱們也好不了！」她這話雖是向朱若蘭說，但口氣又似自言自語。

朱若蘭冷冷笑道：「那你爲什麼不幫他一臂之力？」

三手羅剎出言挑動，目的是想朱若蘭出手，哪知朱若蘭冷冷地接一句話後，仍是站著不動。就這一瞬之間，史天瀕已中人一掌，好在他功力深厚，這一掌雖打得他雙肩亂晃，但還能勉力支持。

三手羅剎突然揚起右腕，喝道：「住手。」

川中四醜打得正烈，哪裡肯聽，八掌交錯，仍然攻向鐵劍書生各處要害。

彭秀葦怪臉上滿含殺機，但手中一把七步奪魂沙，卻無法打出，如果她打出手中毒沙，川中四醜固被毒沙所傷，但鐵劍書生也難倖免。

她爲圖報鐵劍書生毀容之仇，潛藏深山二十寒暑，終被她製成了七步奪魂沙，和陰燐雷火箭兩種絕毒無比的暗器。

她矢志復仇，熬受了二十年寂寞痛苦，待這兩種暗器製成，才離山訪查鐵劍書生的行蹤，可是，史天瀕已退出江湖十五年，她走遍大江南北，查訪三年，始終未能查出史天灝的下落。

這時，正是天龍幫的勢力迅速擴展之期，海天一叟李滄瀾的聲威，震盪著遠在北方的白山黑水。

她想到史天灝可能被天龍幫羅致，遂暗中潛往黔北天龍幫總壇查看，無意中聽李滄瀾談起鐵劍書生隱居峨嵋山臥虎嶺，守著兩件曠世異寶：萬年火龜及一把削金斷玉的寶劍。

三手羅剎聽得這個消息後，就連夜離開黔北，趕奔峨嵋山臥虎嶺，果然見到鐵劍書生和他結義盟兄南天一鵬周公亮，結廬在臥虎嶺下。

她隱在暗處，探查周公亮和史天灝的行動。歷時半月之久，她知道兩人都有一身極高的本領，只要稍一大意，留下痕跡，必被兩人查出，是以寧可多耗時間，亦不願冒險求功。

這一來，她雖然沒有露出痕跡，但也沒有探查出什麼。

她本有很多機會，可用她絕世暗器，暗算鐵劍書生，可是她沒有下手，因爲她動了謀奪寶物的念頭，那復仇心願，在奪寶欲望之下，暫時淡了下來。

在一個風雨的夜晚，她借天候掩護，溜到那茅舍後窗下面，夜風勁大，大雨如注，周公亮、史天灝他們雖然是異常機警謹慎之人，但也料想不到，在這風雨的夜裡，會有人冒著風吹雨打之苦，站在窗外，偷聽兩人談話。

但聞鐵劍書生朗朗長笑過後，道：「咱們守在這臥虎嶺，轉眼就十五寒暑了……」

周公亮嘆息一聲，打斷鐵劍書生的話，接道：「就是守上二十年，也不要緊，只要能捉得到那隻萬年火龜，小兄就心滿意足了。」

鐵劍書生道：「經小弟這十幾年的勘查研究，手繪圖上路線，自信不會再有錯誤，眼下發愁的是怕這消息洩露江湖，果真如此，只怕要引起一場風波。」

周公亮突然壓低了聲音，問道：「兄弟，那萬年火龜，當真有你所說的諸般神效嗎？」

但聞鐵劍書生朗朗一笑，道：「大哥儘管放一百二十個心，如果咱們真把那萬年火龜捉住，不出十年，即可傲視武林，稱霸天下……」

話到此處一頓，聲音忽然轉低。

站在窗外的三手羅剎雖然有辨聞落葉之能，但此刻風雨交作，還不時挾著陣陣雷聲，對方說話聲音又低，雖然一窗之隔，也不易聽得清楚。

她附耳窗上，才斷斷續續地又聽到了幾句。

但聞鐵劍書生說道：「我昔年因一時氣忿，毀去了彭秀葦的面容，一直耿耿於懷，如果我們捉得那隻萬年火龜，就可使她恢復舊日玉容。唉，只不知她現在是否還活在世上？」

三手羅剎只聽得一陣感傷，兩行淚水，順腮而下，心中忖道：原來他心中還惦記著我……

忽然，她舉手抹去臉上淚痕，暗自警惕道：彭秀葦啊！彭秀葦，你潛隱那深山大澤之中，忍受了二十年的折磨痛苦，是爲什麼？還不是爲報史天灝毀容之恨嗎？她舉手摸著臉上的疤痕，一股怨恨，由心中直衝起來，不覺冷哼了一聲。

這聲音夾雜在風雨交響中，原是極不易聽得出來，但室中兩人竟然都警覺到，霍然站起。

彭秀葦急忙一仰身，金鯉倒穿波退出去五、六尺遠，緊接著一個翻躍，隱在山石後面。

她剛剛隱好身子，鐵劍書生和南天一鵬已到了茅屋頂上。

兩人冒雨在附近搜尋了一陣，才退回茅舍。

狡猾的三手羅剎，知道兩人決不會就此甘心，隨借隱雲密雨掩護，退出十里開外，找一處能避風的突岩下休息。

她這次冒險窺探，雖未能探隱密，但卻證實了史天灝等在守候著兩件寶物，最使她怦然心動的，是那萬年火龜能使她恢復玉容。

彭秀葦能獨稱三手羅剎，除了她手辣之外，心機亦很深沉。

她經過思慮之後，決定假借周公亮和史天瀨兩人之手，得到兩件奇寶，這樣自己既可省去

飛燕驚龍

尋寶之苦，又可報毀容之恨。

她確有過人的耐性，一連三天，就不再去那茅舍附近窺探，直到第四天夜中，三更過後，才重去臥虎嶺下，隱身在茅舍外那株千年巨松上面。

她隨身攜帶有乾糧水壺，就在那巨松上選擇一處適當地方住下，把南天一鵬、鐵劍書生的一切舉動，盡置監視之下。

每夜二更時分，史天灝和周公亮必分頭在四外搜尋很久時間，似乎對數日前風雨之夜的一點警兆，仍然放在心中。

三手羅刹隱身在巨松上，只看得暗暗冷笑。

第三天中午，南天一鵬突然外出，一去三日夜未回，第四天朱若蘭和沈霞琳帶著傷勢奄奄的楊夢寰，叩門借宿，緊隨著周公亮也返回茅舍，就在這夜，天龍幫龍頭幫主海天一叟李滄瀾，也帶著手下趕到，在幽靜的臥虎嶺下，展開了一場龍爭虎鬥。

彭秀葦忌憚傷了鐵劍書生，不敢打出手中的毒沙，卻轉對海天一叟說道：「你要不喝令手下幾個嘍囉們停手，就試試我的陰燐雷火箭和七步追魂沙味道如何？」

李滄瀾看她右手上帶著鹿皮手套，已知她手中扣握著極歹毒的暗器，但仗自己一身出神入化的武功，哪裡把三手羅刹手中暗器放在心上，冷笑一聲，望也不望她一眼。

彭秀葦心頭大怒，左腕一抖，陰燐雷火箭脫手飛出，疾若電奔射去。

李滄瀾正待舉起龍頭拐，迎擊暗器，突覺這暗器在夜色中閃著綠光，心中忽然一動，不再用拐封擋，閃身一讓，陰燐雷火箭貼著他身側飛過，擊在左邊茅舍上面，但聞一聲輕響，綠光

忽地爆裂成一片火焰，在那茅舍上燃燒起來，剎那間火光沖天而起，照得滿院中一片紅光。

李滄瀾目睹彭秀葦的暗器有這等威力，不禁暗暗驚道：幸好沒有用兵刃拍落她擊來暗器，要不然，定吃大虧，她這陰燐雷火箭，歹毒至此，那七步奪魂沙，想來必更陰辣，這女人身上懷著這等絕毒之物，留在世間，爲害不淺……殺機一動，立時暗中運集功力，準備一擊就把對方打死，但表面卻不動聲色。

三手羅剎揚起右手七步奪魂沙，冷冷喝道：「要不要試試我七步奪魂沙的味道？」

李滄瀾看她全神戒備，一時間倒也不敢貿然出手，一擊力道必非小可，如果三手羅剎能及時把手中七步奪魂沙打出，在自己內家罡力震盪之下，毒沙必然要四外散飛，川中四醜和開碑手都在附近和人動手，難免要被自己罡力振飛的毒沙所傷，如果就這樣罷手，心又不甘。

就在他這猶豫難決的瞬間，史天灝又中了川中四醜一掌。

這一掌打得十分結實，鐵劍書生雖未被打暈栽倒，但腳步已踉蹌不穩。

朱若蘭心知他已被川中四醜快速的攻勢，追鬥得筋疲力盡，如再受人一擊，必然要傷在當場。眼下敵勢以天龍幫最強，茅舍四周，已遭天龍幫的重重包圍，如放任史天灝傷在對方手中，就沒法再維持眼下均勢的制衡動作，局勢就必將成了一面倒……

她心中風車般地打了幾百轉，也就不過是眨眼的工夫，口中怒聲喝道：「四個人合打一個，縱然勝了，也不算什麼……」

話出口，人也同時飛縱而起，餘音未落，已衝入「四象陣」中。

她早已想好了破陣之法，腳還未落實地，兩掌已同時擊出，左掌潛用內力一引，右掌卻接住攻來力道，忽地一個觔斗翻起一丈多高，她雙掌一拒一引，使對方掌力失去均衡，再陡然翻

身騰空而起，拒敵和引敵之力忽地消失，二醜收勢不住撞在一起。

一個攻出的勁道，絲毫無損，反被朱若蘭一引之勢，力道加大不少，一個被朱若蘭內力一擋，攻出力道減弱了很多，這一加一減，相互撞擊，強弱之勢立判。

但聞一聲悶哼，川中四醜中的老二，被朱若蘭借四醜中老三游魂馬起的力道一擊，打得踉蹌後退了六、七步。

這一來，「四象陣」法，立時錯亂，原來川中四醜的「四象陣」，進退攻拒，都有一定的規律，四環中兩環失去作用，全陣變化，一齊停頓。

鐵劍書生趁勢全力反攻，大喝一聲，一拳擊中四醜中老大黑靈官張欽前胸，直把張欽打退七、八步，一屁股坐在地上。

這一來「四象陣」頓時大亂，鐵劍書生趁勢大發神威，拳腳齊施，一招「神龍出岫」，又把川中四醜的老四，惡魄周邦，打飛出四尺多遠。

朱若蘭只幫他擾亂四醜的「四象陣」，並未出手助拳，借那向前一躍之勢，輕輕落到三手羅剎的後面。

海天一叟李滄瀾目光逼視在朱若蘭臉上，問道：「姑娘雖只出手兩招，但已使老朽大開眼界，敢問姑娘，是哪位高人門下？」

朱若蘭一顰黛眉，心中暗暗忖道：我自小穿男裝，這幾年也經常在江湖上走動，但能分辨出我是喬裝的人，絕無僅有，怎麼今晚上竟被人連番認出。她心念一動，不自覺低頭在自己身上看了幾眼。

李滄瀾呵呵一笑，道：「老朽自信這雙老眼，還沒有老，姑娘行態舉止，確很有丈夫氣

概，不細心是很難看得出來。」

處此情景，朱若蘭也不好再出言否認，冷笑一聲，怒道：「哼！我就是穿著男裝，又有什麼要緊！」她究竟不脫少女的習性，被人當面說破，不禁有點發起火來。

李滄瀾微微一笑，道：「女著男裝，在武林中講，本是極為平常之事，哈哈！小女昔年也常愛穿男裝出遊。」

朱若蘭只聽得暗暗罵道：「你這老匪頭子，竟敢討我便宜。」

本想發作，但一轉念又想到夢寰和霞琳的安危，如果眼下一怒出手，讓別人袖手觀戰，坐收漁人之利，不但先耗了實力，而且對救助夢寰、霞琳之事還大有妨害。

她本極端聰明之人，衡量了當前利害之後，強按下心頭怒火，冷漠一笑，抬臉望天，不回答李滄瀾的問話。

這時，院中幾人都靜下來，但聞一陣陣松濤嘯聲，混雜著火燒茅舍的響音。

這是個微妙的局勢，朱若蘭奇奧的武功，和敵友難解的態度，使天龍幫和鐵劍書生等，都不敢搶先出手。

雙方僵持了足足有一刻工夫，突然鐵劍書生啊呀一聲，翻身一躍，直向北面正房中竄去。

崔文奇一橫身，想出手攔截，卻被南天一鵬呼地一槳迫退。

這當兒，那熊熊的火焰，已燃燒起北面正房，房門已被火勢封著，鐵劍書生右掌劈出一股強猛的掌風，把那封著房門的火勢，震分兩邊，人卻借勢一躍而入。

抬頭看去，壁間那張松鶴圖，早已不知去向。

這一驚，只驚得他半晌說不出話。十五年守候繪製的取寶圖，一旦丟失，頓時激起拚命之

心，一掌擊碎壁間窗子，縱身而出，腳落實地，大喝一聲，直向海天一叟撲去，一招「排山運掌」，雙手平胸推出。

他在極端痛心之時，出手一擊，運集了畢生功力，一股強疾無倫的潛力，直撞過去。

李滄瀾長眉一揚，冷哼一聲，道：「你要找死嗎？」

右手握拐不動，左掌一招「撥雲見月」，迎擊而出。他這一掌迎擊，看上去毫不用力，只是隨手推出，其實早已暗中運集了內家罡力。

鐵劍書生疾猛掌風，甫和李滄瀾劈出的力道一接，突覺心頭一震，剛剛覺出不好，李滄瀾已下毒手，微一上步，左掌忽地向前送出半尺。

史天灝再想收掌躍退，哪裡還來得及，但覺一股山崩海嘯般的潛力，反擊過來。

要知海天一叟功力深厚，這一擊非同小可，鐵劍書生如何能抗得住，他又是全力出手，鐵劍書生縱想讓避，亦覺力不從心，眼看史天灝就要被李滄瀾這內家反擊之力，震斃掌下，突覺一股力道，橫裡撞來，李滄瀾只覺自己劈出罡力，被那橫裡撞來潛力一引，偏向一側撞去，不禁心頭一驚。

待他想收回擊出的罡力時，已是遲了一步，那浪湧波翻的力道，已不知被人用什麼功夫，引向正在和南天一鵬動手的崔文奇身上撞去。

鐵劍書生突覺壓力減輕，趁勢向後躍退，轉臉見朱若蘭站在七、八尺外，凝神運掌，知是人家所救，不覺暗叫一聲慚愧。

李滄瀾眼看自己擊出內力，被人用一種奇妙的武學，引向崔文奇身上撞去，一時間又收斂不住，只得大聲叫道：「崔壇主，快些閃開。」

崔文奇雖在和周公亮全力拚搏，但他究竟是武力很高之人，耳目仍甚靈敏，聞得李滄瀾呼喊之聲，立時一躍退開。

海天一叟被朱若蘭用「導陰接陽」的奇奧武學，引借他劈出掌力，雖未擊中開碑手，但已使全場震驚，李滄瀾也不覺怔了一怔，轉臉望去，只見朱若蘭臉色十分莊嚴地站在一側，星目中神光如電，眉宇隱泛怒意，一時間把全場中的武林高手，完全鎮住，大家都靜靜地站著，鴉雀無聲。

這時，突然由茅舍外面，飄傳來一聲尖銳悠長的嘯聲，李滄瀾聞得那長嘯後，轉臉對朱若蘭一拱手，道：「姑娘身手的確不凡，老朽本想再領教幾招絕學，但因急務纏身，不能拜領，只好留待他日重會之時再拜領了。」

說罷，縱身一躍，人已在三丈開外，川中四醜和開碑手崔文奇，緊隨著縱身追去。

鐵劍書生眼看著人家呼嘯離去，心中異常難過，自知武功和海天一叟相差大遠，如果冒險追擊，無異白送性命，就這樣讓人家離去，心中實又未甘。他轉臉望了朱若蘭一眼，只見她靜靜地站著，既不答李滄瀾的話，也沒有留難的意思。

他心中很明白，如果朱若蘭不肯出手，眼下幾人，無一是李滄瀾的敵手，他又不便出言相求朱若蘭出手，只得眼睜睜地看著人家離開了臥虎嶺。

這時，整個的茅舍，都燃燒起來，火焰直沖雲霄。

奇怪的是幾人對火勢毫無灌救之意，都是靜靜地站著。

朱若蘭目光忽然逼視鐵劍書生，冷冷問道：「你把我師兄、師妹，藏到哪裡去了？」

鐵劍書生心中一動，笑道：「令師兄傷勢慘重，只怕難以救治了……」

朱若蘭怒道：「這不要你管，我只問你，他們現在什麼地方？」

史天灝微微一笑，道：「姑娘但請放心，他們現居之處，安全得很。」

朱若蘭一揚黛眉，道：「哼！只要他們有毫髮之損，今天你就不要想活。」

鐵劍書生仍是滿臉微笑，道：「你是不是要和我一起去看他們？」

說罷，轉身向前走去。

朱若蘭冷笑一聲，隨行在鐵劍書生身後，緊隨著的是南天一鵬、三手羅剎。

幾人繞過一個山腳，眼前是一道狹長的山谷，鐵劍書生停住步，回頭笑道：「進入這座谷口，五丈內有一座天然石洞，令師兄和師妹都在那石洞裡。」

朱若蘭冷冷地答道：「是不是你把他們送去的？」

史天灝道：「我盟兄自外歸來時，告訴我今晚可能有事，令師兄重傷在身，不宜受驚嚇，爲他們安全著想，我才把他們送到這山谷之石室之中。」

朱若蘭轉臉望望站在五尺外的周公亮一眼，道：「閒話少講，先帶我去見了他們再說。」

鐵劍書生細看朱若蘭臉上隱隱泛現殺機，不禁一皺眉頭，暗自忖道：看樣子，她對此事，似是極爲憤慨，此人一身武學，奇奧絕倫，只一出手就使人無法招架，萬一她在見到她師兄、師妹之後，心中再無後顧之憂，只怕要對我陡下毒手，怎生想個法子，先使她無法出手……

他心中在想著主意，但人並未停，緩步從容，貼壁前進。

他心知朱若蘭在未見夢寰和霞琳之前，決不會對他下手，是以走得非常緩慢，因爲他必須在數丈行程之內，想出一個箝制朱若蘭的法子……

南天一鵬、三手羅剎暗中運集了功力，表面上看去，四個人魚貫而行，行若無事，看不出一點異樣，其實骨子裡劍拔弩張，一種沉默的緊張，充塞這幽谷之中。

史天灝雖然盡量地放慢腳步，但這數丈的距離，又能拖多少時間，轉眼工夫，到了那石洞前面。

鐵劍書生停住步，慢慢地轉過頭，道：「這塊突立的巨岩後面，就是令師兄、師妹暫息俠蹤的石室。」

朱若蘭星目轉動，果見一塊二丈多高的黑色岩石，矗立在一道峭壁前面，巨岩和峭壁之間，相距約一尺多點，別說只有微弱星光的黑夜，就是大白天，不留心也很難看得出來。

鐵劍書生一側身，閃入那巨碉和峭壁之間，朱若蘭正待舉步跟進，忽然一種莫名的怯意，襲上心頭，不禁一陣遲疑。

她知道只要進了這巨岩之後，就立刻可以看到了夢寰的生死，她這一停步不前，南天一鵬和三手羅剎，都停在數尺之外，不敢過於逼近。

突然，巨碉後傳來了史天灝朗朗的笑道：「姑娘，你師姊來看你了……」

朱若蘭猛一咬牙，霍地一側嬌軀閃入了那石岩後面，果見岩後峭壁間，有一個四尺高低，兩尺寬窄的石洞，一塊八、九寸厚的石板，已被推到一側，她不再猶豫，一低頭進了石洞。

請續看《飛燕驚龍》（三）

臥龍生武俠經典珍藏版 2

飛燕驚龍（二）

作者：臥龍生
發行人：陳曉林
出版所：風雲時代出版股份有限公司
地址：10576台北市民生東路五段178號7樓之3
電話：(02) 2756-0949　　傳真：(02) 2765-3799
執行主編：劉宇青
美術設計：許惠芳
行銷企劃：林安莉
業務總監：張瑋鳳
出版日期：臥龍生60週年珍藏版 2022年2月
ISBN ：978-986-5589-55-4
風雲書網：http://www.eastbooks.com.tw
官方部落格：http://eastbooks.pixnet.net/blog
Facebook：http://www.facebook.com/h7560949
E-mail：h7560949@ms15.hinet.net
劃撥帳號：12043291
戶名：風雲時代出版股份有限公司

風雲發行所：33373桃園市龜山區公西村2鄰復興街304巷96號
電話：(03) 318-1378　　傳真：(03) 318-1378
法律顧問：永然法律事務所 李永然律師
　　　　　北辰著作權事務所 蕭雄淋律師

行政院新聞局局版台業字第3595號 營利事業統一編號22759935

定價：320元　

國家圖書館出版品預行編目資料

飛燕驚龍／臥龍生 著. -- 臺北市：風雲時代出版股份有限公司，2021.06- 冊；公分（臥龍生武俠經典珍藏版）

ISBN：978-986-5589-54-7（第1冊：平裝）
ISBN：978-986-5589-55-4（第2冊：平裝）
ISBN：978-986-5589-56-1（第3冊：平裝）
ISBN：978-986-5589-57-8（第4冊：平裝）

863.57　　110007323